JN156418

人間の発達段階（エリクソンの発達段階（第２章）に基づく）

乳児期

養育者との関係を通じて，自分を取り巻く社会が信頼できることを感じる段階

幼児前期

基本的なしつけを通じて，自分自身の身体をコントロールすることを学習する段階

幼児後期

自発的に行動することを通して，社会に関与していく主体性の感覚を学習する段階

学童期

学校や家庭でのさまざまな課題を達成する努力を通して，有能感を獲得する段階

青年期

身体的・精神的に自己を統合し，社会のなかでのアイデンティティを確立する段階

前成人期

結婚や家族の形成に代表される親密な人間関係を築き，連帯感を獲得する段階

成人期

子育てや仕事を通して，社会に意味や価値のあるものを生み出し，次の世代を育てる段階

老年期

これまでの自分の人生の意味や価値をふり返り，新たな方向性を見いだす段階

老化にともなう変化と影響

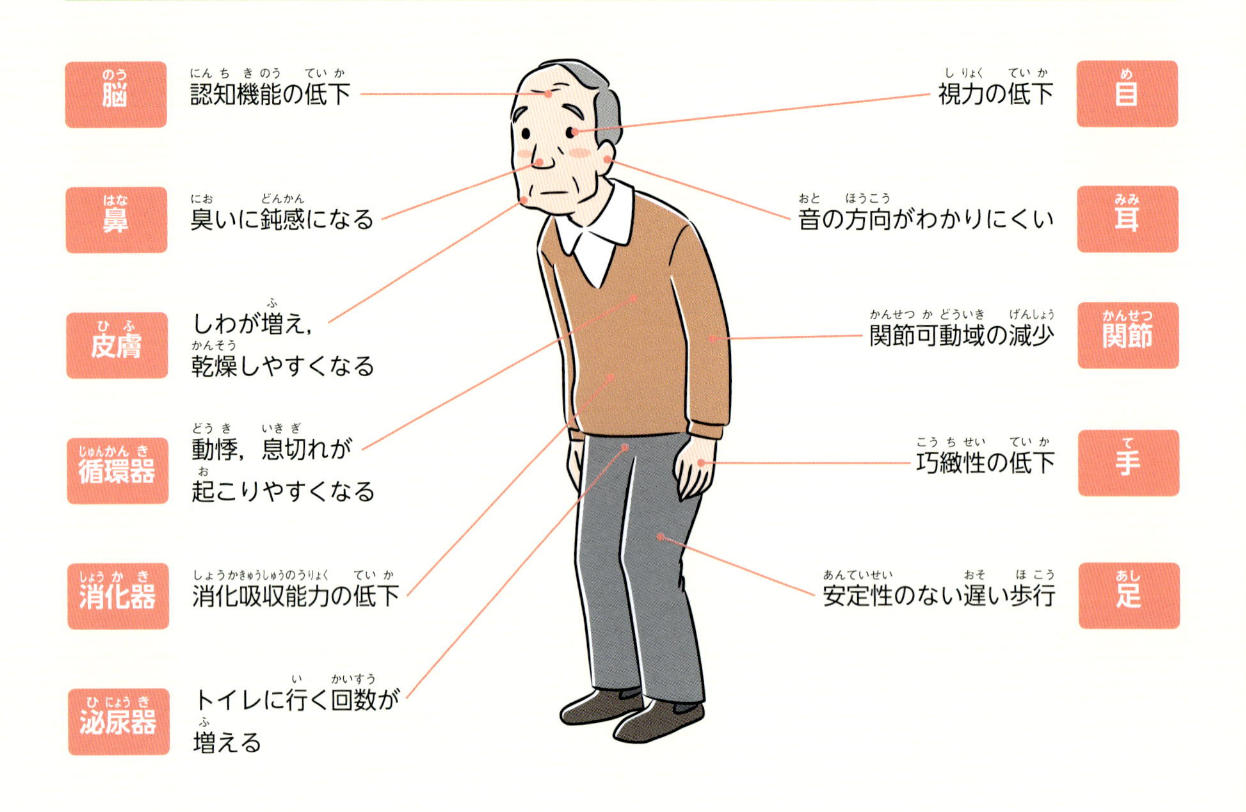

サクセスフルエイジング，プロダクティブエイジング，アクティブエイジング

Aさん（80歳）は，定年退職後から尺八を習いはじめ，今では月１回，近所の高齢者施設で演奏会を開催し，みなさんに喜んでもらっています。

Bさん（75歳）は，ボランティアサークルを立ち上げたいと思い，パソコン教室に通いはじめ，サークルのポスターを作れるようになりました。

高齢者に多い疾患の特徴

◆ 高齢者に多い骨折の部位

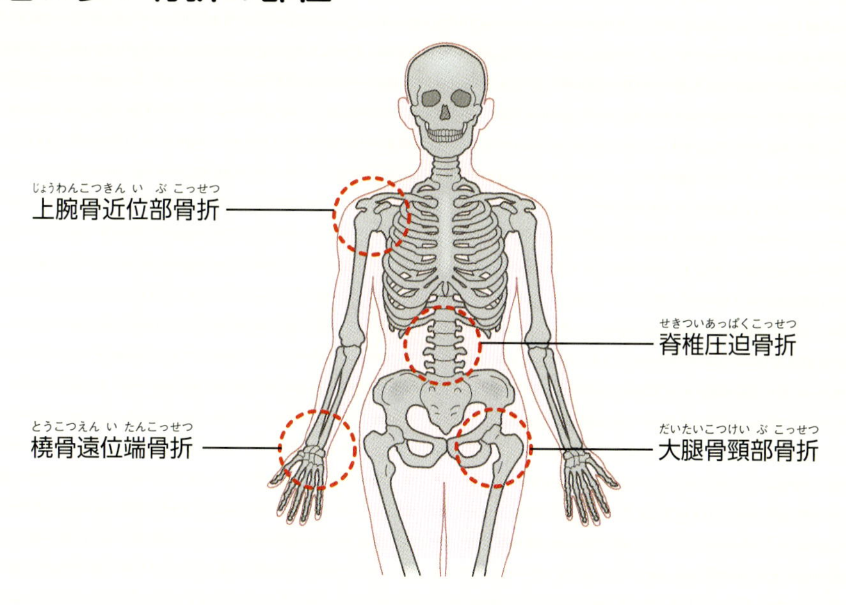

◆ 関節リウマチの特徴的な手指の変形

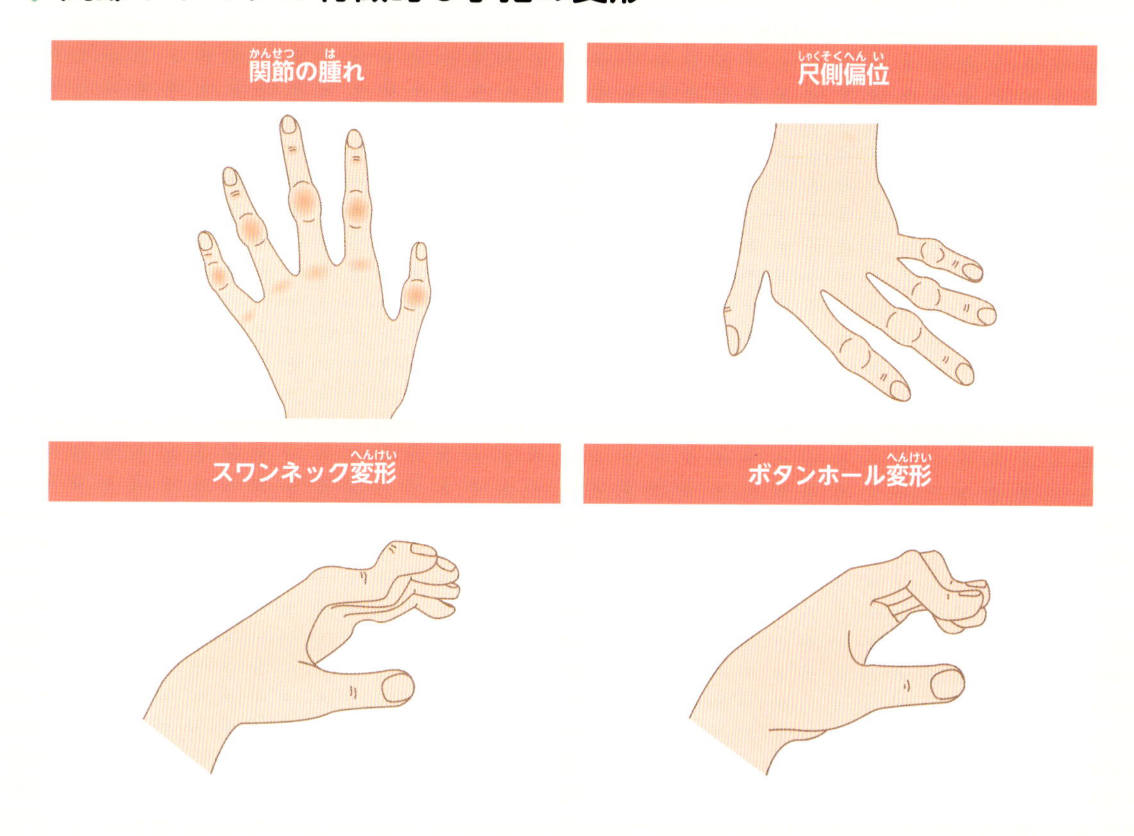

◆目の疾患による特徴的な見え方

●白内障

正常

クリーム色のフィルターがかかったような見え方に

●緑内障（右眼で表示）

初期　　中期　　後期

※右眼の視野の一部が欠けていても，脳のはたらきによって左眼で見た情報で補われるので，異常に気づくのが遅くなることがある

●加齢黄斑変性

正常　　ゆがんで見える　　中心が欠ける（中心暗点）

最新

介護福祉士養成講座 12

編集 介護福祉士養成講座編集委員会

発達と老化の理解

第2版

中央法規

『最新 介護福祉士養成講座』初版刊行にあたって

1987（昭和62）年に「社会福祉士及び介護福祉士法」が制定され、介護福祉職の国家資格である介護福祉士が誕生してから30年以上が経ちました。2018（平成30）年11月末現在、資格取得者（登録者）は162万3974人に達し、施設・在宅を問わず地域における介護の中核をになう存在として厚い信頼をえています。

近年では、世界に類を見ないスピードで進む高齢化に対応する日本の介護サービスは国際的にも注目を集めており、アジアをはじめとする海外諸国から知識と技術を学びに来る学生が増えています。

もともと介護福祉士が生まれた背景には、戦後の高度経済成長にともなう日本社会の構造的な変化がありました。資格誕生から今日にいたるまでのあいだも社会は絶えず変化を続けており、介護福祉士に求められる役割と期待はますます大きくなっています。そのような背景のもと、今後さらに複雑化・多様化・高度化していく介護ニーズに対応できる介護福祉士を育成するために、2018（平成30）年に10年ぶりに養成カリキュラムの見直しが行われました。

当編集委員会は、資格制度が誕生した当初から、介護福祉士養成のためのテキスト『介護福祉士養成講座』を刊行してきました。福祉関係八法の改正、社会福祉法や介護保険法の施行など、時代の動きに対応して、適宜記述内容の見直しや全面改訂を行ってきました。そして今般、本講座を新たなカリキュラムに対応した内容に刷新するべく『最新 介護福祉士養成講座』として刊行することになりました。

『最新 介護福祉士養成講座』の特徴としては、次の事項があげられます。

① 介護福祉士養成のための標準的なテキストとして国の示したカリキュラムに対応
② 現場に出たあとでも立ち返ることができ、専門性の向上に役立つ
③ 講座全体として科目同士の関連性も見える
④ 平易な表現や読みがなにより、日本人学生と外国人留学生がともに学べる
⑤ オールカラー（11巻、15巻）、ＡＲ（拡張現実：６巻、７巻、15巻）の採用などビジュアル面への配慮

本講座が新しい時代にふさわしい介護福祉士の養成に役立ち、さらには本講座を学んだ方々が広く介護福祉の世界をリードする人材へと成長されることを願ってやみません。

2019（平成31）年３月

介護福祉士養成講座編集委員会

はじめに

「発達と老化の理解」は、人間の成長と発達の過程における、身体的・心理的・社会的変化および老化が生活に及ぼす影響について理解し、ライフサイクルの特徴に応じた生活を支援するために必要な基礎的知識を学習する科目です。

養成カリキュラムでは、「人間の成長と発達の基礎的理解」と「老化に伴うこころとからだの変化と生活」に大別されています。

「人間の成長と発達の基礎的理解」は、介護を必要とする人の理解を深めるため、人間の成長と発達の観点から人の一生についての知識を習得します。本巻では、第1章、第2章にあたります。第1章では、成長・発達の考え方、成長・発達の原則や影響する要因など基礎的な知識を学びます。第2章では、ライフサイクル各期における身体的・心理的・社会的特徴と発達課題および特徴的な疾病について学びます。

「老化に伴うこころとからだの変化と生活」は、成長・発達の観点から老化を理解し、老化にともなう心理や身体機能の変化およびその特徴に関する基礎的な知識を習得します。本巻では、第3章～第5章にあたります。第3章では老年期の特徴と発達課題について、第4章では老化にともなう身体的・心理的・社会的な変化と、それらがどのように生活に影響を与えるかについて学びます。第5章では、高齢者に多くみられる疾患と生活への影響、健康の維持・増進を含めた生活を支援するための基礎的な知識を学習します。

本巻での学びを通じて、生活支援技術の根拠となる知識を習得し、人生のあらゆる段階、とくに老年期にある人を広い視野で理解し、尊厳の保持や自立支援をふまえた介護実践につなげていただければ幸いです。

内容面に関しては最善を尽くしていますが、ご活用いただくなかでお気づきになった点は、ぜひご意見をお寄せください。いただいた声を参考にして、改訂を重ねていきたいと考えています。

編集委員一同

目次

第3章 老年期の特徴と発達課題

本書では学習の便宜をはかることを目的として、以下のような項目を設けました。

- 学習のポイント … 各節で学ぶべきポイントを明示
- 関連項目 ………… 各節の冒頭で、『最新 介護福祉士養成講座』において内容が関連する他巻の章や節を明示
- 重要語句 ………… 学習上、とくに重要と思われる語句について色文字のゴシック体で明示
- 補足説明 ………… 専門用語や難解な用語・語句をゴシック体で明示するとともに、側注でその用語解説や補足的な説明を掲載
- 演　　習 ………… 節末や章末に、学習内容を整理するふり返りや、理解を深めるためのグループワークなどの演習課題を掲載

第1章

人間の成長と発達の基礎的知識

第1節

成長・発達の考え方

学習のポイント

- 発達の概念を理解する
- 生涯発達の段階について理解する

関連項目 ①『人間の理解』▶第2章第1節「人間と人間関係」

1 成長・発達とは

1 成長・成熟とは

人の一生にわたるさまざまな変化のことを「**成長**」や「**発達**」と呼んでいます。成長と発達には、どのような違いがあるのでしょうか。

成長は、生物学的な量的な変化に着目した見方といえます。たとえば、成長にともない、身長や体重の増加・筋力や臓器の機能の向上等がみられます。「成熟」という語は、本来は、第二次性徴が出現し、生殖機能が完成されていくことを指していますが、ほかの機能が完成されていくことや成長と同じような意味で用いられることもあります。成長や成熟という観点から人の一生の変化をみると、誕生から子どもの時期には成長していき、成人になるとほとんどの機能について成長や成熟は完了します。成人期以降はその機能が徐々に低下していく時期であり、とくに老年期では老化による機能低下がいちじるしく、かつては衰退の時期としてとらえられてきました。

2 発達とは

一方、発達は、量的な変化だけでなく、質的な変化に着目した概念です。たとえば、生まれてから1年間の子どもの発達をみると、いちじるしく身長や体重が急速に成長します。しかし、その期間、身長や体重が成長していくだけでなく、寝返りができるようになったり、つかまり立ちができるようになったり、自力歩行ができるようになったりするといった行動の質的な変化が生じていきます。こうした質的な変化を中心に発達と呼びますが、かつては、発達という見方も、成長にともなうものであり、出生から大人になるまでの過程をとらえたものと考えられがちでした。

3　生涯発達

成人に到達すると身体的な成長は完了し、とくに高齢になるとさまざまな身体的機能は衰退していきます。しかし、すべての身体的機能が同じようにいちじるしく低下していくわけではありません。また、社会的な活動のなかでは、成人した後も知的な行動や社会的な活動が向上していくことを実感します。高齢になると、確かに多くの機能が低下しますが、その変化に応じて、生活を変化させていくことで、適応した生活を送ることも可能です。高齢になってから、若いころにはなかったパソコンやスマートフォンの使い方など、新しいことを習得することもできます。こうした、身体的変化に応じた心理や行動の変化による社会的な生活への適応に着目して、成人以降を、老年期の変化も含めて、「発達」ととらえるようになりました。また、誕生前の胎生の期間における成長・発達に対する環境的要因の影響も明らかになってきています。そこで、発達という観点から、受精から死に至るまでの一生の変化を発達ととらえるようになっています。このように一生を連続的な発達の過程ととらえる考え方を**生涯発達**と呼んでいます。

生涯発達は、いくつかの段階に分けることができます。その区分には、学校制度等の社会的環境との関連もあり、諸説がありますがよく用いられている段階を**表1－1**に示します（発達段階の特徴は、第2章で詳しく説明します）。

表1－1　生涯発達の段階

胎生期（受精～出生）	卵体期（胚期）、胎芽期、胎児期に区分する場合もある。
乳児期（出生～1歳）	出生から4週間を新生児期と区分する場合もある。
幼児期（1～6歳）	3歳ごろまでを幼児前期、以降を幼児後期と区分する場合もある。
学童期（児童期）（6～12歳）	9歳ごろまでを学童前期、10歳以降を学童後期と区分する場合もある（児童福祉法においては、児童は18歳までと規定されている）。
青年期（12～20歳代）	18歳ごろまでを思春期（青年前期）と区分する場合もある。
成人期（青年期以降）	40歳ごろを境に前期・後期に区分する場合もある。
老年期（高齢期）（65歳～）	74歳までを前期高齢者、75歳以降を後期高齢者と区分する場合もある。

2 環境的要因の重要性

1 遺伝的要因と環境的要因

発達には、人としての生物学的な遺伝的要因が影響を与えており、発達のあらわれ方の順番や時期には人類共通の性質がみられます。発達にはこうした遺伝的要因が強く影響する側面もあれば、あまり影響しない側面もあります。また、遺伝的要因が強い側面であっても、その程度や発現する時期については、個人差がみられます。

多くの哺乳類は、生後すぐに自分で移動が可能であり、自力で生存できる能力を有して生まれてきます。しかし、人間は誕生時には、自力での移動はできず、飢えや寒さに自力で対応することもできず、養育者なしで生きていくことは不可能です。この特徴をポルトマン

（Portmann, A.）は「生理的早産」と呼びました。しかし、未熟な状態で生まれることによって、環境のなかで大きく変化していく可能性をもっており、人間は環境のなかで成長・発達していく存在であるともいえます。

2 環境的要因と学習

心理学では、経験によって、比較的永続的に行動が変化することを「学習」と呼んでいます。発達には、成長や成熟をもたらす**遺伝的要因**（生得的要因、先天的要因、生物学的要因等と呼ぶこともあります）だけでなく環境のなかで経験によって生じる学習による**環境的要因**（経験的要因、学習的要因ともいいます）も影響を与えています。発達という見方は、社会や文化のなかで適応した行動をとることができるということを重視しており、どのような環境のなかで、どのような経験をするかという環境的要因は発達にとって重要なものです。

たとえば乳幼児にとっての学習は、周囲の大人とのかかわりが非常に重要であり、外界との関係のなかで知的機能を発達させていくとともに、周囲の大人との関係のなかで、社会性を発達させていきます。やがて、学童期になると、学校での教育や同世代の子どもたちとの関係のなかでさまざまなことを学習し、発達に大きく影響していきます。

3 遺伝的要因と環境的要因の相互作用

子どもは、発達の過程でいろいろなことができる能力を獲得していきます。多くの場合にはその能力をうまくいかして行動できるようになるための経験が必要であり、遺伝的要因と環境的要因の相互作用によって発達していきます（本章第3節）。たとえば、言葉を話したり理解したりすることは、幼児期に可能になる現象ですが、乳児から幼児までの期間に言葉を聞いたり、話したりする経験をすることで母国語を習得することが可能となります。乳児は、日本語に接すれば日本語を理解し話すことが可能になり、英語に接すれば英語を理解し話すことが可能になります。また、子どもの社会的行動の発達は、家庭や学校等での教育や経験に大きな影響を受けます。誕生から成人するまでの成長の期間では、心身の成長による変化がいちじるしく、そこに目がいきがちです。しかし、心身の成長にあわせて、どのような学習をするのかということが、発達に大きな影響を与えます。だからこそ、子どもが新しい経験をし、学習する機会を助ける教育の機会は大きな意義があるといえます。

成人以降の発達では、一層、環境的要因の影響が大きくなると考えられています。人間関係、仕事の種類、生活の仕方等の個人差は大きくなっていき、老年期はもっとも個人差が大きな時期と位置づけることができます。

4 環境的要因の多様性

同じ環境で同じ経験をしていれば、必ず同じように発達に影響が生じるわけではないということにも注意する必要があります。環境的要因は、家族、学校、地域、社会制度、個人的な出来事、歴史的事件など多岐にわたっており、発達は多くの環境的要因に影響されているのです。たとえば、乳幼児期に家庭環境に恵まれなかったとしても、それがその人の生涯のすべてを決めてしまうわけではなく、多くの可能性があることを理解する必要があります。

第2節

成長・発達の原則・法則

学習のポイント

- 成長・発達の原則・法則を学ぶ
- 器官・臓器による成長・発達のパターンの違いを理解する

関連項目 ①『人間の理解』▶第2章第1節「人間と人間関係」

成長や発達には一定の原則性や法則性があります。ここではその特徴をみていきましょう。

1 発達の順序性がある

受精から死までの生涯発達の過程をみると、発達には順序があることがわかります（**表1－1**を参照）。また、それぞれの段階のなかの特定の発達の過程をみても、多くの現象には変化の順序があります。たとえば、乳児期の運動機能の発達をみると、その発現の時期には個人差がありますが、ひとりで座れる（7か月）→つかまって立つ（9か月）→つたい歩きする（11か月）→数秒ひとり立ちする（12か月）といった順序を経過します。言語の発達をみても、喃語期（単純な音声の発生：6か月）→一語文期（1つの簡単な単語：12か月）→二語文期（2つの単語の連鎖：18～24か月）といった順番を踏んで発達していきます。多くの発達現象は、その発現の時期に個人差がありますが発現の順序は共通しています。

2 発達の方向性がある

乳幼児の運動の発達では、頭部から脚部への発達の方向性と身体の中心部から周辺部への発達の方向性がみられます。頭部から脚部への発達の方向性としては、首が座る→寝返り→座位→起立といった順番の発達があてはまります。身体の中心部から周辺部への発達の方向性としては、粗大運動（身体の大きな運動：肩や腕を動かす）の発達→微細運動（身体の細かい運動：手や指を動かす）の発達の方向性があてはまります。

3 器官・臓器によって成長・発達のパターンが異なる

生理的な成長や発達は年齢に対して直線的に発達するのではなく、変化がいちじるしい急成長期と変化が緩やかな緩慢期がみられます。また、すべての器官や臓器が同じペースで発達するのではないことが知られています。**スキャモン**（Scammon, R. E.）は、器官や臓器による発達のパターンを４つに分けて、それぞれの発達の過程の違いを**発達曲線**

図１－１ スキャモンの発達曲線

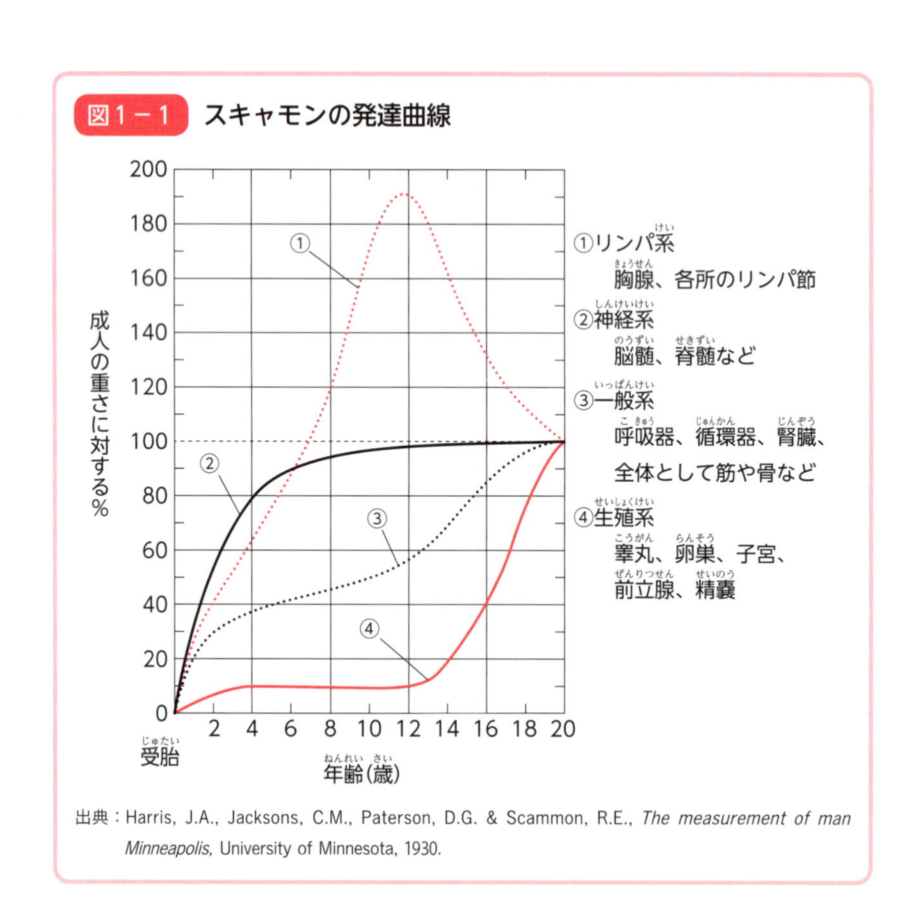

出典：Harris, J.A., Jacksons, C.M., Paterson, D.G. & Scammon, R.E., *The measurement of man Minneapolis,* University of Minnesota, 1930.

として示しました（図1－1）。たとえば、神経系は4歳ごろまでに急速に成長・発達し、生殖器系は12歳以降の思春期に急速に発達するといった違いがあります。

4 一定の時期に経験しないと発達が阻害されやすい現象がある

カモなどの鳥類には、孵化した後に初めて見た動く対象を追っていく行動が持続的にみられます。生まれてすぐの特定の時期に特定の刺激によって生じた反応が、そのまま永続的に継続するような学習を刻印づけ（インプリンティング）といいます。

人間にも、歩行などの運動機能や母国語の理解や発話については、誕生後の早い時期から幼児期の初期において、必要な経験をすることによって習得され、その時期を過ぎると習得が難しくなります。また、前項でみたように器官や臓器についても特定の時期に急速に成長・発達する時期があり、その時期に環境的な阻害要因が生じると障害が生じやすくなることがあります。このような特定の発達が可能な限られた期間を**臨界期**と呼びます。ただし、近年では、運動機能や言語習得については、臨界期と考えられていた期間以降であっても、適切なかかわりや教育を受けることで習得できた事例も示されており、この時期を逃したら習得できないという意味での臨界期ではなく、特定の習得が行われやすい時期という意味として、**敏感期**と呼ぶようになっています。

第3節

成長・発達に影響する要因

学習のポイント

- 成長・発達に影響する諸要因について理解する
- 成長・発達に影響する環境的要因について理解する
- 成長・発達に影響する遺伝的要因と環境的要因の関係に関する諸理論を学ぶ

関連項目 ①『人間の理解』▶第2章第1節「人間と人間関係」

1 遺伝的要因

成長・発達は、遺伝的要因と環境的要因の両方の影響を受けていると考えられます。遺伝的要因は、遺伝子によって決定づけられている要因であり、人類共通にもっている要因や親から引き継いだ個別的な要因が複合して成長・発達に影響しています。生まれながらに備わっている要因であり、生得的要因と呼ばれることもあります。

2 ホルモンの影響

身体の成長には、成長ホルモン、甲状腺ホルモン、性ホルモンなどが影響を与えています。これらのホルモンは脳下垂体という小さい部分から分泌され、ほかの器官にはたらきかけることで成長において大きな影響を果たします。

とくに、**成長ホルモン**は身体的な成長に大きな影響があります。成長ホルモンは、肝臓においてIGF-1（ソマトメジン-C）という成長因子をつくり、骨を成長させる作用をもっています。そして、思春期の後半に成長が完成すると成長ホルモンによって骨の成長は生じなくなります。しかし、成長ホルモンは、一生の間分泌されていて、脂肪組織や筋肉など全身にはたらいて糖や脂質の代謝を調節するはたらきをしています。

甲状腺ホルモンも、成長ホルモンと同様に、子どもの成長に影響を及ぼしています。そのため、成長期に甲状腺機能が低下すると甲状腺ホルモンが不足し、成長への影響がみられるようになります。

性ホルモンは、思春期になると分泌量が増加し、この時期における急激な身体的発達に影響を与えています。

ホルモンの分泌に対しては、遺伝的要因と環境的要因の両方が影響しています。

3 環境的要因

環境的要因は非常に幅広いものであり、成長・発達に対して、多様な影響を与えています。日本の子どもの成長・発達に対する環境的影響について、総合的に検討するために、国は長期的な調査（エコチル調査）を行い、詳細な検討を行っているところです。

1 物理的・化学的・生物的要因

外部から加わる物理的・化学的・生物的要因が成長・発達に影響を与えることがあります。

物理的要因には、温度、音、放射線などが含まれます。とくに乳児期は体温調節機能が未発達なために熱中症にかかりやすいなど、温度や音に関する極端な環境（騒音、高・低温など）に影響を受けやすいと考えられます。また、胎生期や乳幼児期における一定以上の放射線は成長・発達への影響があるといわれています。

化学的要因には、大気、土壌、水、食物等に含まれる物質が該当します。水銀や鉛などの金属が成長・発達を阻害する影響があることが知られています。また、食物等に含まれる栄養素は、身体的成長・発達に大きな影響を及ぼす要因です。

生物的要因としては、寄生虫、微生物等が該当します。とくに胎生期には**TORCH症候群**[1]と呼ばれる胎児の成長・発達に影響を及ぼす感染症の影響が知られています。

[1] **TORCH症候群**
T：トキソプラズマ寄生虫、O：その他の感染症（梅毒、B型肝炎など）、R：風疹、C：サイトメガロウイルス、H：単純ヘルペスウイルスを指す。

2 心理・社会的要因

人の発達においては、どのような経験をして、何を学習するのかということが大きな影響要因となっています。とくに社会的環境として、他者との関係や所属する集団の性質は発達に影響を与える重要な環境的要因です。たとえば、乳幼児にとっては、周囲の大人との関係は成長・発達に大きな影響を与えていますし、学童期の子どもにとっては、家庭や学校での教育は、経験すること、学習することを方向づけています。また、それぞれの時代における生活習慣や文化も社会的環境の規定要因であり、経験に影響を与え、発達にも影響を与えています。

詳しくは第２章のそれぞれの発達領域の説明のなかで、その影響を説明します。

4 遺伝的要因と環境的要因の影響に関する考え方

1 成熟優位説

近代以前のヨーロッパ社会では、生まれこそが人生を決定する要因であり、1859年に発表されたダーウィン（Darwin, C. R.）の進化論も、発達に対して遺伝的要因を重視する立場に影響を与えたといわれています。

ゲゼル[2]（Gessell, A.）は、発達を決定する要因として、遺伝的要因を重視した「**成熟優位説**」の提唱者です。ゲゼルらは、遺伝的に類似である双子の子どもを対象として、発達における遺伝的要因の重要性についての研究を行いました。階段上りを題材にした研究では、生後46週の双子の子どもの一方に４、５段ほどの階段を上る練習を６週間継続して行いました。その結果、52週目には、26秒で階段を上ることができるようになりました。一方で、52週目にまだ練習をしていなかったほうの子どもに階段上りをさせると45秒かかっていました。しかし、練習をしていなかった子どもにも52週から階段上りの練習を開始すると、たったの２週間の練習によって10秒で階段を上れるようになってしまいました。もちろん、46～52週までの練習もそれなりの効果があったわけですが、

[2] **ゲゼル**
Gessell,A.（1880～1961）。アメリカの心理学者。子どもの発達や養育に関する研究の先駆者である。1925年に「就学前児童の知的発達」を刊行した。

52週から始めた練習は非常に効果的であったといえます。つまり、十分に成長・成熟したあとでないと、効果的な学習はできないというのがゲゼルの結論であり、発達に決定的に影響をもっているのは遺伝的要因であるという「成熟優位説」を主張したのです。このように、ある知識や技術についての学習が成立するために十分に成長・成熟できた状態を**レディネス**といいます。

2 学習説

遺伝的要因ではなく、経験による学習こそが発達を決定づけるという考え方を**学習説**といいます。行動主義の心理学を創設した**ワトソン**[3]（Watson, J. B.）は、自分に子どもを預けてくれるならば、どんな職業にでもしてみせると言ったという逸話で有名です。人には生得的な遺伝的要因の違いはなく、人間の知性は経験による学習によってのみ習得されていくという経験重視の考え方をもとにしています。ワトソンの発言は、遺伝的要因を一切排除した極端な説ですが、発達における学習の重要性が認識されるのに大きく貢献したといえます。

3 ワトソン
Watson,J.B.（1878～1958）。アメリカの心理学者。観察可能な刺激と反応の関係について研究する行動主義心理学を創始した。

3 輻輳説・相互作用説

かつては極端な生得説や学習説も主張されていましたが、現在では、遺伝的要因と環境的要因の両方が発達に影響していると考えられるようになっています。しかし、2つの要因がどのように関係しているのかということについては、いくつかの考え方が提案されてきました。

（1）輻輳説

シュテルン[4]（Stern, W.）が提唱した**輻輳説**[5]は、遺伝的要因と環境的要因が加算的にはたらき、発達が決まるという考え方です。発達の領域によって必要とされる遺伝的要因と環境的要因それぞれの強さはさまざまですが、遺伝的要因と環境的要因の足し算で適切な発達の程度が決まると考えられています。

その考え方は「ルクセンブルガー（Luxenburger）の図式」として示されています（**図1－2**）。**図1－2**では、中央に引かれた縦線はちょうど遺伝的要因と環境的要因が半々に影響を与えていることを示し

4 シュテルン
Stern,W.（1871～1938）。ドイツの心理学者。パーソナリティ研究でも高名である。1914年に「幼児期の心理」を刊行した。

5 輻輳説
輻輳とは、いろいろな物が1か所に集まることやこみあうことをいう。ここでの意味は遺伝的要因と環境的要因が独立して集まっている（加算される）ということである。

図1－2 ルクセンブルガーの図式

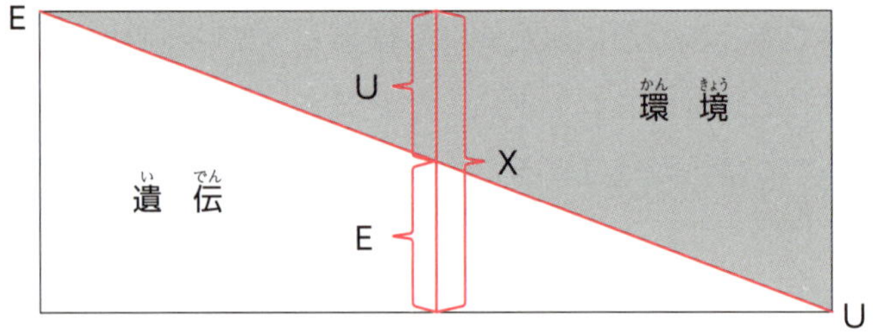

E
U
環 境
X
遺 伝
E
U

出典：岡田敬藏「遺傳と環境」井村恒郎・懸田克躬・島崎敏樹・村上仁責任編集『異常心理學講座 第1部 A 第5』みすず書房、1954年をもとに作成

ています。この考え方では、発達的現象（X）が生じるには生得的要因（E）＋経験的要因（U）という足し算が必要です。中央よりも左寄りは、生得的要因が強い発達的現象（たとえば身長）を示し、中央よりも右寄りは経験的要因（たとえば練習を必要とする運動）が強い発達的現象にあてはまることになります。この説では遺伝的要因と環境的要因は独立して、加算的にはたらいており、一方が強く影響するならば、他方は弱くなると考えます。

（2）相互作用説

現在では、遺伝的要因と環境的要因は独立して加算的にはたらくのではなく、相互作用して積算的に発達に影響を及ぼしているという考え方が支持されるようになっています。このような考え方を**相互作用説**といいます。

1 環境閾値説

初期の相互作用説として**ジェンセン**[6]（Jensen, A. R.）が1960年代に発表した**環境閾値説**があります。ジェンセンは、発達に対する遺伝的要因が実際に発現するためには、必要としている環境的要因の程度があり、それを環境閾値と呼びました（**図1－3**）。この図のなかで、一番左側にある曲線（a）は、環境的な要因が貧弱でも遺伝的な要因があらわれる領域であり、たとえば身長があてはまります。一方で、図のなかで一番右側の曲線（d）は、環境的要因が豊富にはたらかないと遺伝的要因が表出しない領域であることを示しており、たとえば音感が例示されています。遺伝的な要因も必須ですが、それが現象としてあらわれる

⑥ジェンセン
Jensen,A.R.（1923～2012）。アメリカの心理学者。知能の遺伝的要因と環境的要因に関する研究を行った。人種による知能差を遺伝的要因に結びつけた主張は論争を引き起こした。

図1－3　ジェンセンの環境閾値説の模式図

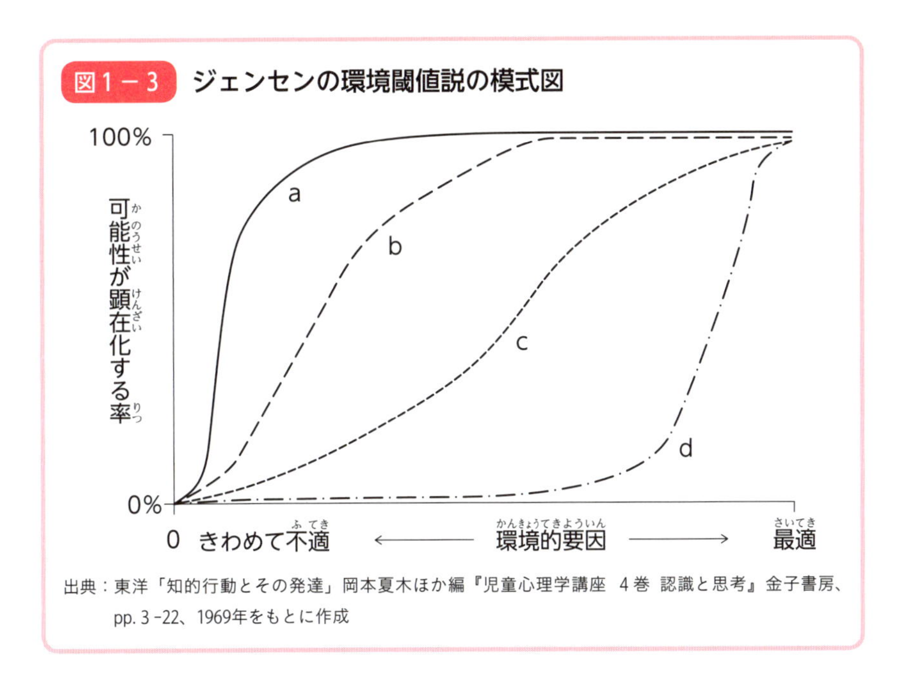

出典：東洋「知的行動とその発達」岡本夏木ほか編『児童心理学講座　4巻　認識と思考』金子書房、pp. 3－22、1969年をもとに作成

には相当の経験や訓練を要するということです。ジェンセンの理論は遺伝的な要因の発現という観点から環境をとらえており、生得的要因を重視した相互作用説といえます。

2 成長・発達における教育の効果

子どもへの教育は、成長に応じて、より積極的に必要な経験をさせることで発達をうながす重要な環境的要因です。しかし、遺伝的要因であるレディネスと環境的要因である教育の相互作用を巡って、いくつかの考え方が示されています。

前述のゲゼルの成熟優位説は、成長・成熟が一定に達しないと学習の効果は薄いと考え、学習や教育のそれぞれの内容に応じたレディネスを十分に待ってから、教育的な環境的要因が有効となるという遺伝的要因重視の考え方といえます。

①　早期教育

ブルーナー[7]（Bruner, J. S.）は、どの発達段階にあっても、適切な教育方法をとれば、十分なレディネスを待たずに早期からの教育が有効であるという考え方を示しました。遺伝的要因よりも環境的要因による経験を大きく重視する立場です。この考え方は、乳幼児期からの早期教育への取り組みの理論的背景となっています。ただし、早期教育には、ほかの領域の発達が阻害される可能性などの批判もあります。

②　発達の最近接領域

7ブルーナー
Bruner,J.S.（1915～2016）。アメリカの心理学者。教育心理学・認知心理学の研究で高名である。「どの教科でも、知的性格をそのままに保って、どの発達段階の子どもにも効果的に教えることができる」というブルーナー仮説は早期教育に影響を与えた。

❽ヴィゴツキー

Vygotsky,L.S.（1896～1934）。旧ソビエト連邦の発達心理学者。早逝したが、教育分野を中心として、大きな影響を与えている。

ヴィゴツキー❽（Vygotsky, L. S.）は、遺伝的要因によるレディネスを考慮しながらも、より積極的な教育による環境的要因の効果を考慮する考え方を提唱しました。ある発達段階では、子どもが１人で解決可能なレベルが存在しており、これには遺伝的要因の影響が強くはたらいています。しかし、大人がかかわり助力すれば、その子どもが１人で解決できるレベルよりも、より高度なレベルの問題の解決が可能となります（潜在的発達可能水準といいます）。たとえば、算数の問題を子ども１人で解いてもわからないという場合でも、周囲の大人が考え方のヒントを与えるだけで、自分で解くことができるようになるならば、その問題は潜在的発達可能水準の範囲内にあると考えられます。一方で、あまりにも高レベルの問題は、助力しても解決にいたらず、これは潜在的発達可能水準を超えているということになります。１人で解決可能なレベルと潜在的発達可能水準の差を「**発達の最近接領域**」といいます。環境的要因である教育は、遺伝的要因を無視することはできませんが、最近接領域にはたらきかけることによって、より発達をうながすことができるというのがヴィゴツキーの考え方です。

◆ 参考文献

- 上田礼子『生涯人間発達学 改訂第２版増補版』三輪書店、2012年
- 開一夫・齋藤慈子編『ベーシック発達心理学』東京大学出版会、2018年
- 内藤佳津雄・北村世都・鏡直子編『発達と学習 第２版』弘文堂、2020年

演習1－1　成長と発達

成長と発達の違(ちが)いについて、それぞれの考え方の特徴(とくちょう)をまとめよう。

成長

発達

演習1－2　生涯発達の段階

生涯(しょうがい)発達の段階(だんかい)（7段階(だんかい)）の名称(めいしょう)とおよその年齢(ねんれい)区分をまとめよう。

段階(だんかい)の名称(めいしょう)	およその年齢(ねんれい)の範囲(はんい)
期	
期	
期	
期	
期	
期	
期	

第2章

人間の発達段階と発達課題

第1節

発達理論

学習のポイント

- 発達理論とはどのようなものであるか理解する
- ピアジェ、エリクソン、バルテスの発達理論を理解する

関連項目 ①『人間の理解』▶第2章第1節「人間と人間関係」

発達とはどのようなものなのかについては、さまざまな見方があります。第1章で説明したとおり、遺伝的要因と環境的要因の相互作用であるというのが現在の考え方の中心ですが、2つの要因がどのように相互作用しているのか、2つの要因についてどのようなことが大きく影響を及ぼしているのか、生涯を通じてどのような発達をしていくのか、といった点については未知なことも多く、さまざまな考え方が提案されています。その考え方が体系化されたものを発達理論と呼んでおり、ここでは代表的ないくつかの理論についてみていきましょう。

1 子どもの発見

発達理論が生まれてきたのは、子どもは大人とは質的に違う存在だと考えられるようになり、子どもの発達や教育に関心がもたれるようになったことがきっかけといえます。

現代社会では、子どもと大人は質的に異なる存在ということはあたりまえになっていますが、中世から近世のヨーロッパの社会では、子どもは「小さい大人」ととらえられており、大人と質的に異なるものとはとらえられていませんでした。それに異論を唱えたのが、**ルソー**[1]（Rousseau, J. J.）です。1762年に刊行した著書「エミール」のなかで、子どもは大人とは違う独自の存在であり、教育の大切さを主張しました。ルソーの主張は、子どもの存在の発見であるといわれており、その

❶ルソー
Rousseau,J.J.（1712～1778）。フランスの哲学者。ジュネーブ生まれで若い頃は放浪生活を余儀なくされ、独学で哲学等を学び、多くの著作を残した。「エミール」は架空の少年エミールを題材にした教育論であるが、そのなかの宗教的な記述が教会との対立を引き起こし、迫害を受けることとなった。フランス革命に大きな影響を与えた。

後の子どもの教育の発展に大きく影響し、発達に目を向けるきっかけになったといえます。

2 さまざまな発達理論

1 ピアジェの均衡化理論

ピアジェ[2]（Piaget, J.）は、自分の子どもの知的発達に関する詳細な観察をもとに遺伝的要因と環境的要因の相互作用による認知発達理論を提唱し、発達心理学の研究に大きな影響を与えました。

ピアジェは、それぞれの発達段階に特有の「シェマ」と呼ばれる外界への認知の枠組みを想定しました。子どもは、その段階のシェマを使って外界への認識を行います（**同化**）。そのために、発達段階ごとに特有であり、大人とは違う見方や考え方がみられます。しかし、シェマが未発達なことによって、現実の認識や問題解決がうまくいかない場合が生じることがあります。すると、一定の時期になるとシェマのほうを調整して変化させることによって、認識を質的に変化させることができるようになります（**調整**）。この同化と調整の過程を**均衡化**と呼びます。遺伝的な認知能力の枠組みがあることが出発点になっていますが、自らの環境へのはたらきかけによって、その枠組み自体が発達していくという相互作用による発達理論です（ピアジェによる認知発達の考え方については、第2節、第4節で詳しく説明します）。

2 エリクソンのライフサイクル理論

エリクソン[3]（Erikson, E. H.）は、**精神分析**[4]理論をもとにして、生涯発達を念頭に置いたライフサイクル理論を提唱しました。

人としての遺伝的要因とそれを取り巻く環境的要因の相互作用について、エリクソンの理論は、**心理社会的発達理論**とも呼ばれ、社会とのかかわりを重視した考え方を示しています。それまでは遺伝的要因に強く影響を受ける成長に着目することで子どもから青年期までととらえられていた発達を、社会的な要因を重視することで老年期まで拡張した生涯

[2]ピアジェ
Piaget,J.（1896～1980）。スイスの発達心理学者。最初は生物学を志し、若くして研究が認められていたが、発達心理学に転向し、1920年代ごろから多くの著作を発表し、発達心理学に大きな影響を与えた。

[3]エリクソン
Erikson,E.H.（1902～1994）。ドイツの心理学者。精神分析の創始者であるフロイトのもとで学び、アメリカに渡って、児童を対象とした臨床心理を専門とした。自身の経験や臨床家としての経験をもとにライフサイクル理論やアイデンティティ理論を構築し、その後の生涯発達研究に大きな影響を与えた。

[4]精神分析
オーストリアの精神医学者であるフロイト（Freud,S.）が創始した。無意識の過程を重視した人間理解をもとにした理論である。精神医学、臨床心理学だけでなく、思想、文学、芸術等にも影響を与えた。

発達として理論化したことが大きな特徴です。人生を8段階の発達段階（本章第2節、**表2－2**）に分けて、それぞれの段階の心理社会的危機として解決すべき発達課題を示しており、その考え方はその後の発達研究に大きな影響を与えました。

3 バルテスの生涯発達理論

❺バルテス

Baltes,P.B.（1939～2006）。ドイツの発達心理学者。博士号取得後、アメリカの大学で教育・研究を行っていたが、40歳ごろにドイツに帰国した。高齢者の知能研究を中核として、生涯発達理論を示した。

バルテス[5]（Baltes, P. B.）は、発達に対する影響要因について理論化し、生涯発達の理論を示しました。発達に影響を及ぼす遺伝的要因と環境的要因およびその相互作用を3種類の要因に分け、生涯にわたって、それぞれの要因の影響力が変化することを示しています（**図2－1**）。1つ目の要因は、年齢と関連している成長・成熟にかかわる生物学的要因とそれにかかわる家庭や学校等における環境的要因の相互作用によるもので、**標準年齢的要因**と呼ばれています。標準年齢的要因は、学童期には強くはたらき、青年期にかけて小さくなっていきますが、その後、老年期に向けて発達への影響力を強めていきます。子どもから青年期までの多くの発達研究はこの要因に着目してきたといえます。2つ

図2－1　バルテスによる生涯にわたる3つの要因の典型的な影響力

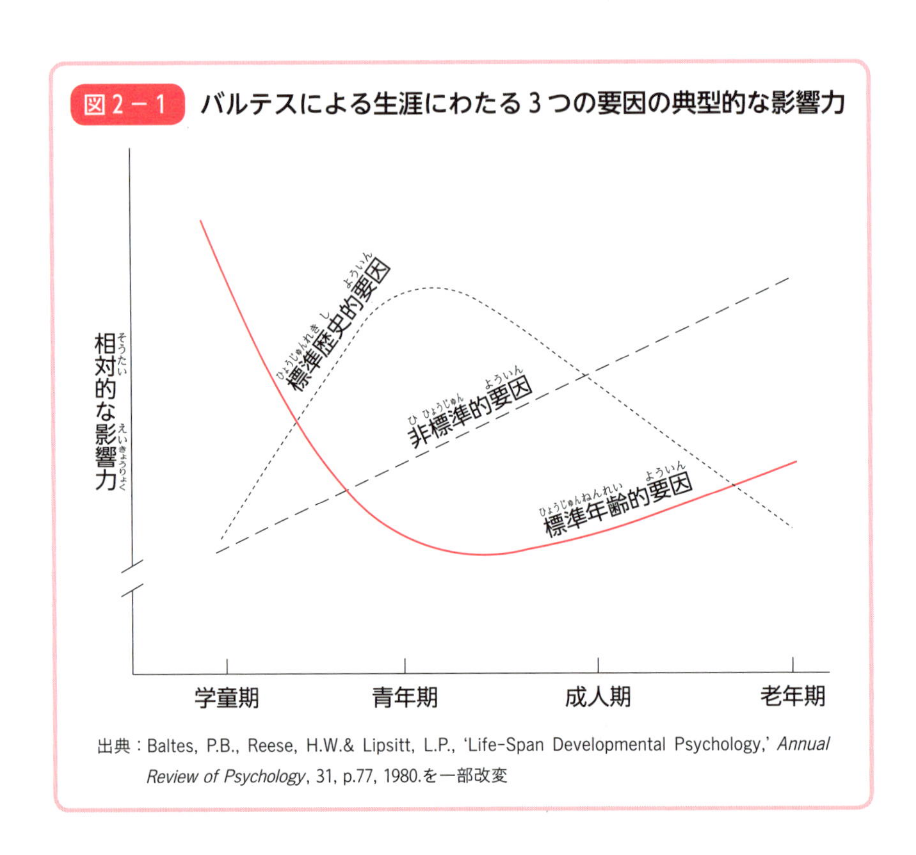

出典：Baltes, P.B., Reese, H.W.& Lipsitt, L.P., 'Life-Span Developmental Psychology,' *Annual Review of Psychology*, 31, p.77, 1980.を一部改変

目の要因は、ある世代や集団に共通する経済的状況、戦争、社会的変化などで、**標準歴史的要因**と呼ばれています。標準歴史的要因は、とくに青年期や成人期の初期の発達に大きな影響をもつと考えられています。

3つ目の要因は、人生における個人的な出来事です。たとえば、転職、転居、事故、失業、離婚など多くの人に生じるわけではありませんが、大きな影響を与えるライフイベントによる影響であり、**非標準的要因**と呼ばれています。非標準的要因は、年齢とともに影響が大きくなっていき、老年期にはもっとも大きな影響をもつ要因となります。

バルテスの生涯発達理論は、生涯を獲得と喪失が混在した過程ととらえています（図2－2）。子どもの時期には獲得するものばかり、高齢になると喪失するものばかりというように考えられがちですが、どの年代でも獲得するものと喪失するものがあるということを前提に発達をとらえるべきだという考え方です。その考え方に沿って、老年期における発達と適応に関する「**選択的最適化とそれによる補償**（選択最適化補償理論）」を提唱しています（詳細は、第4章第3節参照）。

図2－2 成人期における「獲得」と「喪失」の関連性

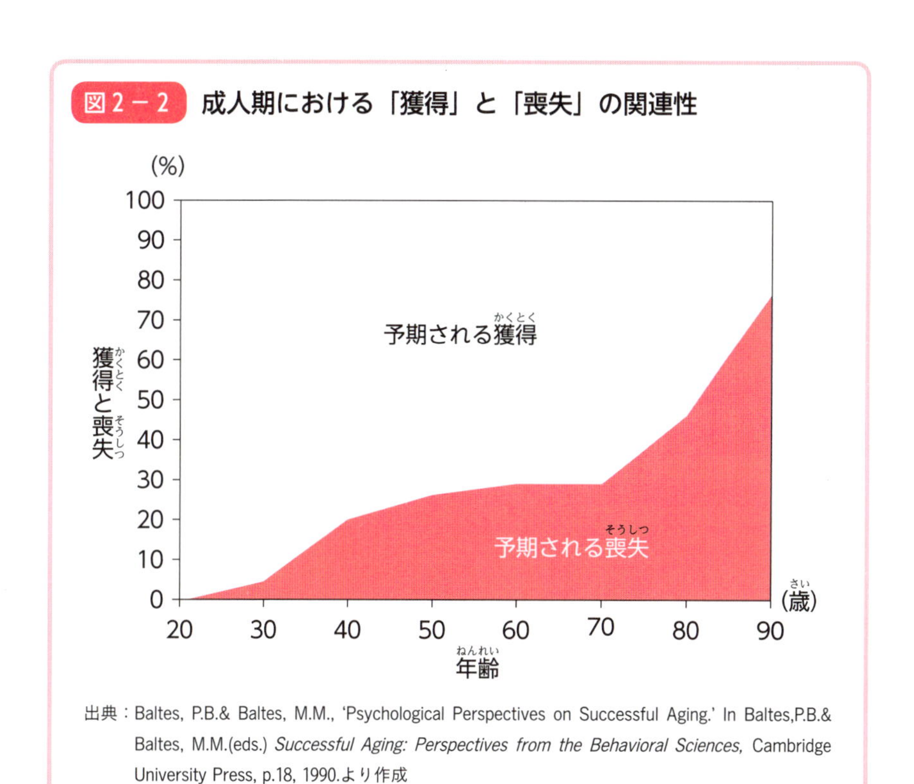

出典：Baltes, P.B.& Baltes, M.M., 'Psychological Perspectives on Successful Aging.' In Baltes,P.B.& Baltes, M.M.(eds.) *Successful Aging: Perspectives from the Behavioral Sciences,* Cambridge University Press, p.18, 1990.より作成

第 2 節

発達段階と発達課題

学習のポイント

- 各発達理論における発達段階と発達課題の考え方について理解する
- 各発達段階の特徴について理解する

関連項目
① 『人間の理解』 ▶ 第 2 章第 1 節「人間と人間関係」
⑪ 『こころとからだのしくみ』 ▶ 第 1 章「こころのしくみを理解する」

1 発達段階と発達課題

子どもの成長を継続的にみていると、徐々に成長していき、発達は連続したものにみえます。しかし、第 1 節で取り上げた発達理論においても、発達には質的に大きな変化をする転換点があり、発達段階があるという考え方が示されています。発達段階は、生物としての大きな変化が生じる時期を区切りにして設定され、それをもとに学校教育等の社会的な制度が設計されているといえます。特に子どもの発達段階は学校制度と密接に連動しています。

社会のなかでは、各発達段階にはその段階において達成や獲得が期待されている課題があり、発達課題と呼ばれています。各発達段階において、発達課題を解決することで、次の発達段階に円滑に移行し、次の発達課題への達成に進んでいくと考えられています。

2 各発達理論における発達段階と発達課題

1 ピアジェによる発達段階

ピアジェは、誕生から青年期に至るまでの認知発達を**感覚運動期**、**前**

表2－1　ピアジェによる発達段階

感覚運動期（0－2歳ごろ）
↓
前操作期（2－6歳ごろ）
↓
具体的操作期（6－12歳ごろ）
↓
形式的操作期（12歳ごろ－）

操作期、具体的操作期、形式的操作期の4つの段階に分け、それぞれにおける知的機能の特徴と外界の理解やかかわりについて示しました（表2－1）。ピアジェの示した各段階の特徴や習得されていく内容は発達課題といわれているわけではありませんが、その発達段階における認知機能の限界と次の段階での解決を示したものといえます（詳細な内容は第4節）。

2　エリクソンによる発達段階と発達課題

エリクソンは、生涯を8つの発達段階に分け、それぞれの段階において社会・文化的に期待されている心理社会的な発達課題を示しました（表2－2）。そして、各発達段階は、心理社会的な課題の成功と失敗による「**心理社会的危機**」の分岐点と考えられています。たとえば、青年期では、**自我同一性**（自分自身の社会のなかでの生き方や役割を選択できること）を「獲得」することが課題ですが、実際には揺れ動くなかで「拡散」してしまうこともあります。最終的に各段階において示された発達課題の解決が優勢になることで、自分自身の存在について肯定的な感情が得られ、次の段階にスムーズに移行していくと考えられています。なお、後日、長寿化にともない後期高齢者に対応する第9段階が追加されています（第3章第3節参照）。

3　ハヴィガーストによる発達段階と発達課題

発達課題という概念は**ハヴィガースト**[1]（Havighurst, R. J.）によっ

[1] ハヴィガースト
Havighurst,R.J.（1900～1991）。アメリカの教育学者。もとは物理・化学が専門であり、やがて教育学を中心とした研究に移行し、教育の立場からの生涯発達論を提唱した。

表2－2　エリクソンの発達段階

段階	年齢	心理社会的危機	獲得される人格的強さ
乳児期	0－1歳ごろ	「基本的信頼」対「基本的不信」	希望
幼児前期	1－3歳ごろ	「自律性」対「恥・疑惑」	意志
遊戯期（幼児後期）	3－6歳ごろ	「自主性」対「罪悪感」	目的
学童期	7－11歳ごろ	「勤勉性」対「劣等感」	適格
青年期	12－20歳ごろ	「同一性獲得」対「同一性拡散」	忠誠
前成人期	20－30歳ごろ	「親密」対「孤立」	愛
成人期	30－65歳ごろ	「世代性」対「停滞」	配慮
老年期	65歳ごろ－	「統合」対「絶望」	英知

出典：Erikson, E.H., Erikson, J.M., & Kivnick,H.Q., *Vital Involvement in Old Age,* W.W.Norton & Company, 1994より作成

て提唱されたものといわれています。生涯発達の視点で、発達段階を乳幼児期から老年期まで6つに分け、各段階における具体的な発達課題を示しています（**表2－3**）。ハヴィガーストの発達課題は、各発達段階における、身体的成熟とそれに関連する技能、社会文化的な規定によるもの、個人の価値観や選択によるものについて、具体的な内容をあげたものとなっています。ある段階の発達課題を習得していないと次の段階の課題の習得に影響があると考えており、習得されるべき内容を示した教育的視点が強いものです。また、社会的環境に強く影響を受けるため現代においてあてはまらないものも多くなっています。発達課題は、その時代によって変わっていくものといえます。

3　各発達段階の概要

発達段階には、いくつかの区分の仕方があります。各発達段階の特徴を総合的に知るために、概観しましょう。

❷胎生期
受精から出産までの時期のこと。この時期を通して胎児期と呼ぶ場合もあるが、本書では3つの時期（卵体期・胎芽期・胎児期）に分けて説明する。

1　胎生期（受精～出生）

胎生期❷の成長・発達の過程が明らかになってきたのは、最近のことであり、まだ未知の発達段階といえます。しかし、近年の研究で胎児は

表2－3　ハヴィガーストの発達段階

幼児期・早期児童期 （0～6歳）	歩行の学習、固形食摂取の学習、しゃべることの学習 排泄の統制を学ぶ、性差および性的な慎みを学ぶ 社会や自然の現実を述べるために概念を形成し言語を学ぶ 読むことの用意をする、善悪の区別を学び良心を発達させ始める
中期児童期 （6～12歳）	通常の遊びに必要な身体的技能を学ぶ 成長しつつある生体としての自分に対する健全な態度を身につける 同年代の者とやっていくことを学ぶ 男女それぞれにふさわしい社会的役割を学ぶ 読み書きと計算の基礎的技能を発達させる 日常生活に必要な様々な概念を発達させる 良心、道徳心、価値尺度を発達させる 個人としての自立を達成する 社会集団や社会制度に対する態度を発達させる
青年期 （12～18歳）	同年代の男女と新しい成熟した関係を結ぶ 男性あるいは女性の社会的役割を身につける 自分の体格を受け入れ、身体を効率的に使う 親や他の大人たちから情緒面で自立する 結婚と家庭生活の準備をする 職業につく準備をする 行動の指針としての価値観や倫理体系を身につける（イデオロギーを発達させる） 社会的に責任のある行動をとりたいと思い、またそれを実行する
早期成人期 （18～30歳）	配偶者の選択、結婚相手と暮らすことの学習 家庭を作る、育児、家の管理、職業の開始 市民としての責任を引き受ける 気心の合う社交集団を見つける
中年期 （30～60歳）	10代の子どもが責任をはたせる幸せな大人になるように援助する 大人の社会的な責任、市民としての責任を果たす 職業生活で満足のいく地歩を築き、それを維持する 大人の余暇活動を作りあげる ひとりの人間として配偶者との関係を築く 中年期の生理学的変化の受容とそれへの適応 老いていく親への適応
老年期 （60歳～）	体力と健康の衰退への適応、退職と収入の減少への適応 配偶者の死に対する適応 自分の年齢集団の人と率直な親しい関係を確立する 柔軟なやり方で社会的な役割を身につけ、それに適応する 満足のいく住宅の確保

出典：開一夫・齋藤慈子編『ベーシック発達心理学』pp.46～47、東京大学出版会、2018年

お腹の中で静かにじっとしているのではなく、いろいろな活動をしていることがわかってきました。

胎生期は、受精後約260～270日であり、母体内で過ごした期間を胎

❸胎齢

胎齢とは本文の通り、受精後から出産までの期間を指している。しかし、一般には最終月経開始日を起点として週数で示す妊娠週数が用いられている。妊娠週数では、出産までは約40週（10か月）であり、胎齢とは少しずれが生じる。

齢[3]といいます。**卵体期**（または胚期、細胞期：胎齢２週間程度まで）、**胎芽期**（胎齢２～８週間くらい）、**胎児期**（胎齢約９週後～出産）の３つの時期に分けられています。

卵体期は、受精卵が子宮に着床するまでの期間です。受精卵は最初0.1mm程度であり、細胞分裂を繰り返し、子宮内膜に着床します。胎芽期には顔や手足、心臓等の内臓などの各器官が形成されていき、心臓の拍動も始まります。胎芽期は、まだ胎盤が安定しておらず、化学物質、感染症等による母体の環境の変化に大きな影響を受けやすい時期です。胎児期になると神経系が発達していきます。胎児期の初期には自発的運動が始まり、胎齢の進行とともに運動が多様になっていきます。こうした運動は出産後の新生児の運動と連続的だと考えられるようになっています。たとえば、新生児にみられる**ジェネラルムーブメント**と呼ばれる仰向けで手足をバタバタさせるような全身運動は胎児期からみられることが明らかになっています。なお、妊娠期間を３か月単位に分けて、初期（妊娠週数12週まで）、中期（13～24週）、後期（25週以降）という段階も用いられています。

2 乳児期（出生～１歳）

誕生後、４週間を**新生児期**と呼び、区分することもあります。人間の乳児の特徴は、ほかの哺乳類に比べて自立性が低い状態で生まれ、いちじるしく成長・発達するということです。乳児期には、身体的成長もいちじるしく、出生時には身長約50cm、体重約３kgであったのが、１年間で身長約75cm、体重約９kgと、身長が1.5倍、体重が３倍に急成長します（**表２－４、図２－３、図２－４**）。それにともない、運動機能もめざましく発達し、個人差もありますが、約４か月で支えられれば座ることが、約９か月でつかまり立ちが、１歳になるころにはひとり立ちが可能となり、徐々に歩行は安定していきます。それにともなって、乳児は外界との関係のなかで知的機能を発達させていくとともに、周囲の大人との関係のなかで、言語や社会性を発達させていきます。

3 幼児期（１～６歳）（表２－４）

幼児期は、小学校に入学するまでの時期です。３歳までを幼児前期、

3歳以降を幼児後期として区分することができます。

(1) 幼児前期

1歳代は、運動機能、言語機能、知的機能等が乳児期に引き続き発達していく時期です。2～3歳になるころまでには、歩行機能も安定し、運動や活動が活発になっていき、衣類の着脱、排泄など、生活のなかでの行為の自律性が高まっていきます。言語については1歳ごろから単語を発するようになり、やがて、3歳ごろまでには文を話したり、理解したりできるようになり、それにより社会性が大きく発達していきます。

(2) 幼児後期

3歳ごろには、食事、排泄、衣服の着脱などについて、ほぼ自立し、食事、睡眠等の生活リズムが定着します。行動面では、外界に対する好奇心が高まり、遊びなどで自発的行動が高まる時期です。自己主張も始

表2－4 乳幼児期の平均身長・体重

年・月齢	男性		女性	
	身長(cm)	体重 (kg)	身長(cm)	体重 (kg)
0年1～2月未満	55.5	4.78	54.5	4.46
2～3	59.0	5.83	57.8	5.42
3～4	61.9	6.63	60.6	6.16
4～5	64.3	7.22	62.9	6.73
5～6	66.2	7.67	64.8	7.17
6～7	67.9	8.01	66.4	7.52
7～8	69.3	8.30	67.9	7.79
8～9	70.6	8.53	69.1	8.01
9～10	71.8	8.73	70.3	8.20
10～11	72.9	8.91	71.3	8.37
11～12	73.9	9.09	72.3	8.54
1年0～1月未満	74.9	9.28	73.3	8.71
2年0～6月未満	86.7	12.03	85.4	11.39
3年0～6月未満	95.1	14.10	93.9	13.59
4年0～6月未満	102.0	15.99	100.9	15.65
5年0～6月未満	108.2	17.88	107.3	17.64
6年0～6月未満	114.9	20.05	113.7	19.66

出典：厚生労働省「平成22年乳幼児身体発育調査」2011年より作成

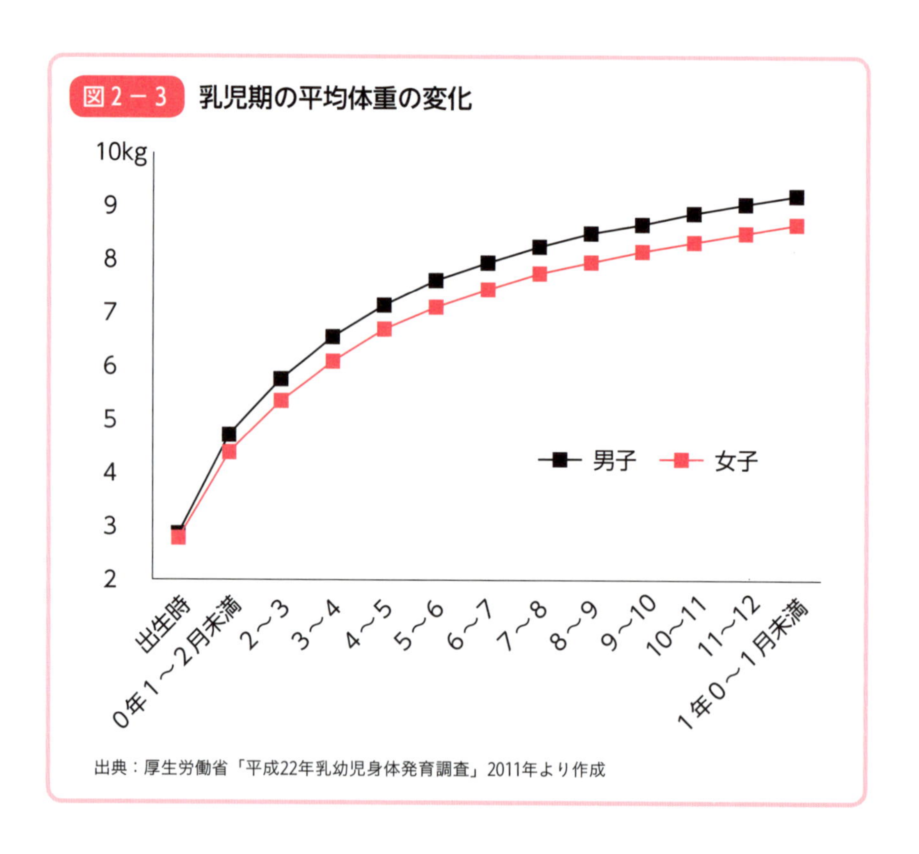
図2－3
乳児期の平均体重の変化
10kg
9
8
7
6
5
4
3
2
男子
女子
出生時
0年1～2月未満
2～3
3～4
4～5
5～6
6～7
7～8
8～9
9～10
10～11
11～12
1年0～1月未満
出典：厚生労働省「平成22年乳幼児身体発育調査」2011年より作成

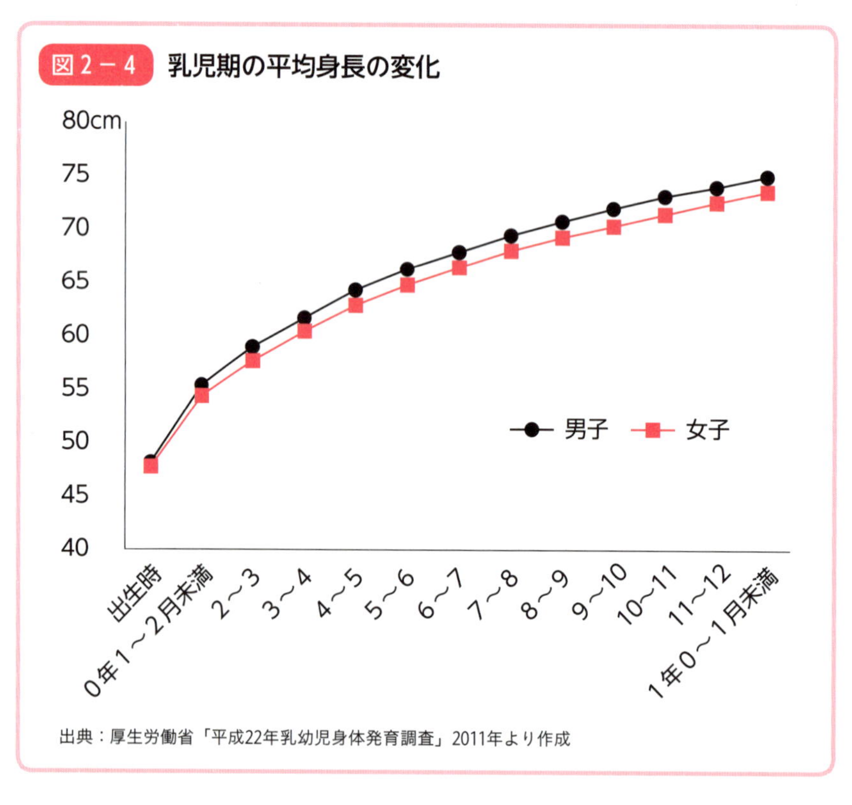
図2－4
乳児期の平均身長の変化
80cm
75
70
65
60
55
50
45
40
男子
女子
出生時
0年1～2月未満
2～3
3～4
4～5
5～6
6～7
7～8
8～9
9～10
10～11
11～12
1年0～1月未満
出典：厚生労働省「平成22年乳幼児身体発育調査」2011年より作成

まり、言い出したら聞かない、言うことに反対するといった第一反抗期がみられます。一方、遊びを中心とした友達とのかかわり合いを通じて、徐々に道徳性や社会性を学習していくようになります。

4 学童期（6～12歳）

学童期は教育制度のなかでは小学生の時期にあたります。児童期と呼ばれることもありますが、児童福祉法では18歳未満を児童としているなど、児童の定義は多様であるため、ここでは学童期という語を使用します。小学校低学年にあたる6～9歳ごろを学童前期、小学校高学年にあたる9～12歳ごろを学童後期として区分することができます。

（1）学童前期

学童前期は、身体的・運動的な機能はさらに発達し（**表2－5**）、活動の範囲が広がるとともに、言語や認知の能力が高まる時期です。学校等での生活経験のなかで、集団的行動を経験し、他人を理解する能力も発達していきます。集団の一員という意識をもつことで、子ども同士で

表2－5　学童期以降の平均身長・体重

	男性		女性	
	身長(cm)	体重（kg)	身長(cm)	体重（kg)
6歳	114.8	20.4	116.6	21.4
7歳	123.2	24.0	121.6	23.3
8歳	128.2	26.8	126.1	26.1
9歳	133.7	31.2	134.4	30.4
10歳	138.3	33.3	139.8	33.4
11歳	144.7	37.7	146.0	38.5
12歳	150.8	42.1	151.1	41.2
13歳	160.3	48.9	154.1	45.5
14歳	164.3	51.8	156.8	47.7
15歳	168.6	56.5	156.8	47.7
18歳	170.3	60.8	157.5	50.7
20歳	172.3	65.7	159.5	53.5

出典：厚生労働省「平成28年国民健康・栄養調査」2017年を一部改変

役割を分担するような行動もみられるようになります。してよいこと、悪いことについて、善悪の判断ができるようになり、社会的規範や道徳性の面での発達がみられますが、大人が示した規範や反応に基づいて判断することが多く、教師や保護者の影響を受けやすいという側面もあります。

（2）学童後期

学童後期は、身体的成長とともに知的・社会的機能の発達が著しく、大人の思考に近づいていく時期です。それに応じて、教育においても抽象的なテーマや応用的な課題が取り上げられるようになります。しかし、この時期の発達は個人差も大きくなり、この段階で抽象的内容や応用問題の学習に困難を感じ、学業への意欲を失う子どもが多いことが指摘されています（9歳の壁といわれています）。抽象的思考の発達にともない、他者や自己についても客観的にとらえられるようになる時期です。規範・規則の背景にある意味や意義を理解するようになり、集団的な活動に主体的にかかわったり、共同作業を行ったりすることが可能となります。大人の示した規範だけではなく、自分たちでルールやきまりを作り、守ろうとすることもできるようになり、一方で、理想主義的に自分の価値判断に固執するような態度もみられるようになっていきます。

5 青年期（12～20歳代）

青年期は、学校制度でいえば中学校、高等学校および大学等以降の学校に所属する時期であり、職業に就き、社会的に自立するまでの時期ととらえられています。中学生、高校生の時期を青年前期、それ以降の時期を青年後期と分けることができます。なお、**思春期**は学童後期から始まり、青年前期までの性的に成熟する時期とされています。

（1）青年前期

青年前期は、思春期にもあたり、**第二次性徴**がみられ、性的機能が成熟していく時期です。身体面でも再び急成長期を迎え、1年に10cmも身長が伸びる場合もあります（**表2－5**）。知的には、首尾一貫した思考が可能となり、目に見えない抽象的な事柄について、深い思索ができるようになります。社会の存在を認識し、個人と社会との関係等についても理解できるようになりますが、心理的に自意識が強まる時期でもあり、自意識と社会の実態との違いに葛藤しやすい時期でもあります。こうした自意識、社会的関係を背景に、親や教師への反抗期（第二反抗期）が出現する場合もあります。

（2）青年後期

青年後期の終わりについては、20代前半から30歳ごろまでさまざまな考え方があります。就職期を境目とする考え方もありますし、将来を見据えて生涯の職業的決意をする時期というとらえ方もあります。

このころには、思春期の心身の混乱から脱して、社会のなかでどのように生きていくのかという課題に取り組まざるを得ない時期となります。一方で、生活空間が飛躍的に広がり、それにともなって情報も生活体験も格段に拡充します。現代社会は、目の前の楽しさを追い求めることも可能な環境であることが指摘されています。また、社会的な価値観や職業選択が多様化しており、青年後期における価値観の獲得や行動の選択は難しくなっているともいえます。

6 成人期（青年期以降）

青年期以降、老年期を迎えるまでの長い期間を一括りに成人期といいますが、40歳ごろからを中年期として区分することもあります。成人期には身体的成長は完了しており、発達に対する環境的要因の影響が大きくなる時期といえます。この時期に生じる就職や転職等の職業的な出来事、結婚、出産、子育てなどの家庭的な出来事など多様な経験のなかで発達していくことになります。しかし、現代社会ではこうした経験の内容や時期が多様化していることが特徴といえます。

やがて中年期を迎えると加齢にともなう心身の変化が顕在化していきます。個人差もありますが、身体的外見に加え、体力が減退する、疲れやすいなどの身体的側面、老眼が始まるなどの感覚的側面、記憶力が低下するなどの認知的側面等のさまざまな面で老化現象の始まりが経験されるようになります。**ユング**[4]（Jung, C. G.）は40歳前後の時期を人生の後半にさしかかり、新しい価値観に出会う時期として1日の時間に例えて「人生の正午」と呼びました。また中年期の発達を研究した**レビン**

[4] ユング
Jung,C.G（1875～1961）。スイスの精神科医・心理学者。分析心理学の創始者。

ソン（Levinson, D.）は、青年期までを春、成人期の前期を夏、中年期を秋、老年期を冬というように生涯を季節に例えています。中年期は、過渡期と安定期が5年程度を単位に繰り返しながら、老年期に移行していく期間と位置づけられており、価値観の変化が生じやすい期間であることが示されています（第3章第3節を参照）。

7 老年期（65歳〜）

老年期は65歳以降の時期とされています。法律的な定義も65歳以上で統一されていますが、60歳ぐらいから高齢者と位置づける考え方もありますし、現在の高齢者の健康や心身の状況をふまえて、高齢者の定義を70歳代にすべきだという意見もあります。

老年期は身体的にはさまざまな機能が低下していく時期であることは否定できませんが、低下しやすい機能とそうでない機能があり、急激な機能低下が一様に生じるわけではないことがわかっています。また、老化現象は個人差が大きく、同じ暦年齢であっても老化の程度には大きな差があります。さらに、経験の個人差（バルテスの非標準的要因）が発達の個人差に影響しており、老年期の発達の個人差を大きくしているといえます。老年期の発達について詳しくは、第3章以降で述べていきます。

第3節

身体的機能の成長と発達

学習のポイント

- 誕生から幼児期までの身体的な成長と発達および運動機能発達の特徴について理解する
- 発達障害について理解する
- 各発達段階に特徴的な疾病や障害について概要を理解する

関連項目
⑧『生活支援技術Ⅲ』▶第３章「障害に応じた生活支援技術Ⅱ」
⑭『障害の理解』▶第３章「障害別の基礎的理解と特性に応じた支援Ⅱ」

ここでは、乳児期から成人期までの身体的機能の発達について、領域別に述べていきます。老年期の特徴については、第４章以降で詳しく説明します。

1 身体的な成長・発達

1 身長・体重の変化（表２－４、図２－３、図２－４、表２－５）

人間は出生時には、平均すると身長約50cm、体重約３kgです。生後１か月がもっとも身長・体重の増加が急激であり、体重は生後３～４か月で約２倍、１年後には約３倍と乳児期にはいちじるしく成長します。また、身長は１年後には出生時の1.5倍となります。しかし、出生時の身長・体重には個人差が大きいので、出生時よりどの程度成長したのかということをみることが重要です。

その後、幼児期には身長・体重の増加量は、乳児期に比べて少なくなりますが、直線的に増加し続け、４歳には平均で体重約16kg、身長100cm、６歳には平均で体重約20kg、身長113～114cmとなります。この時期は、身長・体重ともやや男子の平均が大きいですが、男女差はそれほど大きなものではありません。

学童期に入ると、さらに12歳ごろまで身長・体重とも直線的に増加していきます。この時期は、ますます男女の平均差は小さくなります。しかし、12歳を過ぎたころから、女子はほぼ直線的に増加していくのに対して、男子の身長・体重は急激に増加し、男女差が開いていきます（**表2－5**）。そして、成人期に達するころには、男女とも身長・体重の増加は止まり、成長が完了します。

なお、身長はどの部分も均等に成長するのではなく、徐々に身長に占める下肢の割合が増えていきます。出生時と成人期の身体各部分の長さをみると、頭部が約2倍に成長するのに対して、上肢が約4倍、下肢が約5倍に成長します。

2 身長・体重の成長の評価

乳幼児身体発育調査の結果は、平均値だけでなくパーセンタイルが示されているため、分布がわかり、相対比較できるようになっています。

また、身長と体重の組み合わせで成長の評価をする指数も開発されており、乳幼児期には**カウプ指数**（Kaup-Davenport index）が用いられています。

カウプ指数＝体重（g）／（身長（cm））^{2}×10

カウプ指数は、正常値は15～18とされていますが、成長がいちじるしい時期でもあり、乳児（3か月以後）：16～18、幼児満1歳：15.5～17.5、満1～2歳：15～17、満3～5歳：14.5～16.5と基準値を変化させたほうが適合的とされています。

学童期には、**ローレル指数**（rohrer index）が用いられています。

ローレル指数＝体重（kg）／（身長（cm））^{3}×10^7

ローレル指数は、～100痩せ過ぎ、～115痩せ気味、～145標準（130）、～160やや肥満、160～太り過ぎという基準が用いられます。

青年期以降は**BMI**（Body Mass Index）が適合的です。

BMI=体重（kg）／（身長（m））^{2}

日本肥満学会の基準では、BMI 22の場合を標準体重とし、25以上の場合を肥満、18.5未満の場合を低体重としています。

2 運動機能の発達

運動機能は、大きな身体の動きである粗大運動と、手指の細かな動きである微細運動に分けることができます。発達的にはまず粗大運動が先に成長し、続いて微細運動が発達していきます。

乳児の運動については、胎生期から継続する自発的運動のジェネラルムーブメントが生後6か月ごろまでみられます。ジェネラルムーブメントは、全身を使う独特の運動であり、最初は緩やかな動きが中心だったのが、生後2か月ごろには手足をバタバタと激しく動かす運動がみられるようになります。

また、出生後すぐの乳児は、身体の各部に対する外部からの刺激に対する一定の反応が決まっています。この反応を**原始反射**といいます（**表2－6**）。乳児は、原始反射によって、生命を維持したり、危険を回避したりといった反応をしています。たとえば、生まれたばかりの新生児

表2－6　主な原始反射

反射	内容
乳追い（ルーティング）反射	指や乳首が顔に触れると口をとがらせ、顔が動き、指や乳首をとらえようとする
吸啜反射	口腔内にとらえた指や乳首を吸う
モロー反射	後頭部を少し持ち上げ、急に離すと、肘関節を伸展し、手を開いて抱き込む動きをする
手掌把握反射	手掌を圧迫すると把握する
足底把握反射	足底の母趾球を圧迫すると足指が屈曲する
逃避反射	足底を鋭いもので軽く刺激すると両側の下肢を屈曲して引っ込める
足踏み（歩行）反射	腋の下を抱え、体幹を前傾させて足底を床につけると、下肢を交互に屈曲し、歩行するように動く
非対称性緊張性頸反射	仰臥位で頭部を回転させると、顔の向いている側の上下肢が伸展し、後ろ側の上下肢が屈曲する

出典：日本小児神経学会「小児神経学的検査チャート作成の手引き」をもとに作成

が乳を飲むことができるのは吸啜反射によるものです。また、足踏み（歩行）反射は、乳児の両腋を支えながら立たせて足を床につけると前に歩こうとする反射です。やがて原始反射を出発点として、自らの感覚に基づく随意的運動が生じていきます。生後約6か月になるころまでには、原始反射は消失し、随意的運動が生じていきます。

粗大運動の発達過程は**図2－5**のとおりです。その運動が可能となる月齢には個人差がありますが、順番は共通しています。幼児期になる

図2－5　乳幼児期の粗大運動の発達過程

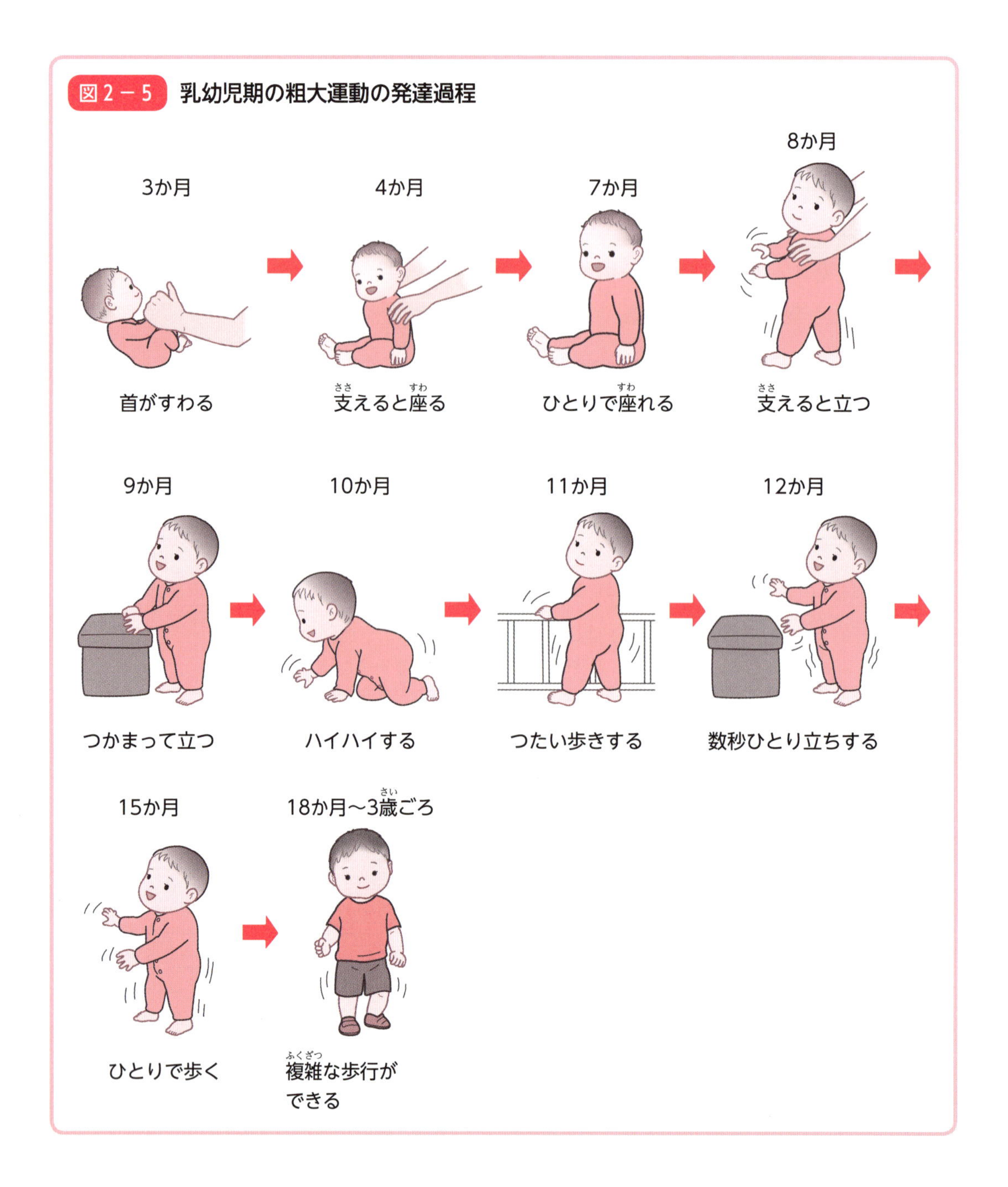

と、2歳ごろにはジャンプや片足立ちができるようになり、3歳ごろには基本的動作はほぼできるようになり、4歳ごろには片足ケンケンなど難しい運動も可能になります。複雑な運動機能の向上には、運動の機会が必要であり、外遊び等の運動の機会が確保されることが大切だといわれています。

微細運動は、つかんだり、操作をしたりする手指を中心とした運動です。6か月ごろには手全体を使ってつかむ運動が可能になり、10～12か月ごろには指でつまめるように発達していきます。微細運動の発達は、服を着る、靴を履く、ボタンをかける、絵を描くといった日常生活上の行動ができるようになることに対して影響を及ぼしています。たとえば、自力でのボタン留めも2～5歳ごろまでにはできるようになっていきます。

3 発達にともなう特徴的な疾病や障害

1 発達障害の理解

発達障害者支援法では、発達障害とは「自閉症、アスペルガー症候群その他の広汎性発達障害、学習障害、注意欠陥多動性障害その他これに類する脳機能の障害であってその症状が通常低年齢において発現するもの」とされています。

（1）広汎性発達障害（PDD：Pervasive Developmental Disorders）

自閉症（自閉症の傾向があり、知的障害をともなう）、**高機能自閉症**（自閉症の傾向があり、知的能力は平均以上）、**アスペルガー症候群**（自閉症の傾向があり、言語の使用に遅れがない）等を含んでいます。しかし、知的機能にかかわらず、共通して自閉症の特徴を有していることで日常生活への課題をもっていることから、自閉症の傾向をもつ発達障害としてまとめ、自閉症スペクトラム障害（自閉スペクトラム症）とも呼ばれています。

1 主な症状

社会的なコミュニケーションが困難であり、対人関係をうまく発展させることが難しいことが多いということが特徴です。また、あわせて、行動、興味、活動についての限定的な興味をもち、反復することが特徴です。それぞれの領域について以下のような特徴があります。

（1） 社会的コミュニケーションと対人関係を築くのが困難

① 日常会話や他者とかかわるのが苦手で、他者と感情の共有が難しい。

② 視線を合わせアイコンタクトをとる、身振り手振りを使う、顔の表情やジェスチャーを理解できないなど、言語以外のコミュニケーションが難しい。

③ 友人をつくるなどの対人関係を発展させることがうまくできない。

（2） 行動、興味、活動についての限定的なパターンの反復

① 繰り返し同じ動作や行動を反復することや復唱（オウム返し）がみられる。

② 日常生活のやり方や道順などについて、かたくなに習慣を守り、変化・変更に苦痛を感じて抵抗する。

③ 特定のものだけに、興味や関心が集中する。

④ 触覚、聴覚などの身体感覚が非常に鋭い、または鈍い。

2 理解と対応の基本

広汎性発達障害は、軽度から重度まで幅広い症状の人がいます。また、知的障害についても重篤な人からほとんどない人まで幅広いことが特徴です。どのような障害があるのかは個人差が大きいのでまずはそれを理解することが必要です。そのうえで、共通して社会的なコミュニケーションの困難を抱えやすいことに配慮する必要があります。言語能力が高い場合でも、言語表現に隠されている言外の意味、文脈、暗黙の了解等を理解することが苦手です。たとえば、何かを伝えたり、作業を説明したりするときには、必要なことは暗黙の了解としないで極力言語化して伝えたり、図示したりする工夫が必要です。また、一旦決めたルールや状況の変化に対して、柔軟に対応することも苦手であり、パニックに陥ってしまう場合もあります。なるべく予測できない事態が生じないように、方法、規則、環境等を知らない間に変えないことが大切です。

（2）学習障害（LD：Learning Disorder）

学習障害は、特定の知的機能にだけ発達的な遅れがみられ、学童期の授業等のなかで、ほかの分野に比べ不得意さが明確になることで明らかになることも多い障害です。限られた領域ということで限局性学習症とも呼ばれます。

1 主な症状

医学領域における学習障害は、読み・書き・算数のいずれかを対象としていますが（限局性学習症）、教育領域では「全般的な知的発達に遅れはないが、聞く、話す、読む、書く、計算する又は推論する能力のうち特定のものの習得と使用に著しい困難を示す」とより幅広い機能を対象とした概念として定義されています（文部科学省の定義）。以下に、それぞれの領域でみられる主な症状例を示します。

① 聞くこと

集中して聞いていても、相手の言っていることが理解しにくい、聞き間違いが多い。

② 話すこと

話そうとしてもうまく言葉が思いつかない、文を構成することが難しく話がまとまらなくなってしまう。

③ 読むこと

文字を認識し音に変換するのが難しく、読みが遅くなったり、読み違いがいちじるしかったりする。改行が把握しにくく、行を飛ばしてしまう。

④ 書くこと

文字の綴りをうまく書けず、拗音（ゃ）や促音（っ）などを抜かしたり、類似の文字を間違えたりする。文を書くのが難しかったり、黒板に書かれている内容をノートに書き写すのが難しいという場合もある。

⑤ 計算すること（算数）

数字の大小や繰り上がり、繰り下がりの理解が難しく、計算に時間がかかったり、困難であったりする。

⑥ 推論すること、空間を認識すること

形や位置関係の認識や操作が難しく、図形がうまく描けなかったり、地図が読めなかったりする。また、考えが飛躍してしまうこともある。

2 理解と対応の基本

学習障害は特定の領域にあらわれ、ほかの領域では通常の能力を示すことから、気づかれにくく、やる気がないというとらえられ方をされやすいことがあります。また、たとえば「聞く」といった基本的な情報収集力に障害があると、本来は得意な分野のことでも、実際の知的能力よりも、理解力が低下してみえやすいということが起きます。こうした状況は、学習への取り組み意欲を低下させ、さらに学習の困難の原因となってしまう可能性があります。周囲の人が学習障害を発見し、理解することがまず大切です。できることを活用しながら、理解を補完することが基本です。

（3）注意欠陥多動性障害（ADHD：Attention-Deficit/Hyperactivity Disorder）

年齢に不釣り合いな注意力、衝動性、多動性が特徴であり、社会的活動や学業に支障をきたす障害です。注意障害を主症状とする場合、多動性と衝動性を主症状とする場合、両方の混合症状である場合がみられます。

1 主な症状

以下に注意障害と多動性・衝動性それぞれによくみられる症状を示します。

（1）　注意障害

①　ケアレスミスが多い（細部を見逃してしまう）。

②　注意の持続が難しい（気が散りやすい、集中力が続かない）。

③　話を聞いていないようにみえる（うわの空、注意散漫な様子）。

④　指示に従えず、宿題などの課題が果たせない。

⑤　課題や活動を整理することができない（計画立てて順序よくこなすのが難しい、片づけが難しい）。

⑥　外部からの刺激で注意散漫となりやすい（ほかのことが気になってしまう）。

⑦　忘れっぽい（予定を忘れる、忘れ物・落し物が多い）。

（2）　多動性・衝動性

①　じっとしていられない（手足をそわそわ動かす、着席する場面で離席してしまう、静かに遊んだり過ごしたりできない、不適切な状況で走り回ったりよじ登ったりする、突き動かされるように動き回

りじっとしていられないなど）。

② 喋りすぎる（質問が終わる前にうっかり答え始める）。

③ ほかの人の邪魔をしたり、割り込んだりする（順番待ちが苦手）。

2 理解と対応の基本

注意障害や多動性・衝動性はその場に不適切な行動をわざとやっているという印象をもたれやすいですが、本人は意識的行動ではないので、やめられないことも多いことを理解する必要があります。どうしてその行動が生じるのか、何に対して生じやすいのかといった行動の背景にある状況の理解が欠かせません。また、忘れ物については、その場でメモをする習慣をつけることも有効です。注意散漫になりやすかったり、片づけがうまくいかなかったりする場合には、ほかに注意が分散しないような環境整備（必要なものだけ出す、静かな環境で話をするなど）も有効です。

2 各発達段階にみられる疾病や障害

（1）胎生期・乳児期

胎生期・乳児期の疾病や障害は、遺伝的要因（染色体異常など）、胎生期の環境的要因（感染症、化学物質など）、出産時の要因（低酸素症など）、出生後の疾病や事故などがありますが、これらの要因が複合して、相互作用による場合もあると考えられています。

1 ダウン症候群

先天的な染色体異常による疾患であり、知的発達の遅れや特有の顔立ちなどが特徴です。その症状や程度には個人差がありますが、難聴や視覚障害（近視・遠視）をともなうことも多く、心臓や消化器系の障害がある場合もあります。

2 先天性代謝異常

遺伝子の異常により発症し、甲状腺機能低下症やフェニルケトン尿症など、特定の代謝機能がうまくはたらかないことにより発達上の影響が生じます。いくつかの疾病は新生児マス・スクリーニングという検査によって明らかにすることが可能であり、それによって早期治療を開始することで、障害の予防や軽減が可能になっています。

たとえば、**フェニルケトン尿症**（高フェニルアラニン血症）は食物から摂取する必須アミノ酸であるフェニルアラニンを分解できなくなることで、血中のフェニルアラニン濃度が高まり、知的機能等の発達に悪影響があります。しかし、症状があらわれる前に早期に診断できれば、フェニルアラニンの血中濃度を食事や薬剤によってコントロールすることができます。

3 脳性麻痺

脳性麻痺は胎生期から出生４週後までに生じる脳の運動中枢の損傷によって生じる運動機能の障害です。原因は遺伝的要因、胎生期の環境的要因、出産時の低酸素状態など多岐にわたっていると考えられています。症状の程度は個人差が大きく、動きがぎこちないなどの軽度の場合もありますが、脚や腕の動きが制限されたり、麻痺や関節のこわばりが強く四肢をまったく動かせなかったりする重度の場合もあります。乳児期には診断が確定しにくく、運動機能の発達とともに障害が明確になっていきます。また、知的障害を合併している場合とそうではない場合があり、それに応じた支援が必要です。

4 乳幼児突然死症候群（SIDS：Sudden Infant Death Syndrome）

窒息などによる事故ではなく、何の予兆や既往歴もないまま睡眠中に赤ちゃんが死亡する疾病です。乳児期の死亡原因として上位になっています。予防方法は確立していませんが、うつぶせ寝や妊娠中の喫煙などがリスク要因になっていると考えられています。

（２）幼児期

幼児期には活動性が高まることによって、事故等による外傷の危険性が高まるため、注意が必要です。

また、社会的場面での行動が増えることで、発達上の障害が明確になることもあります。たとえば、目線を合わせない、おもちゃを通常通りに使わなかったりする様子から自閉症の傾向について気づかれることがありますが、障害の程度はその段階ではわからない場合も多いことに注意が必要です。運動や言語の発達が遅れることもありますが、もともと個人差があるものであり、過度に心配しないことも大切ですが、一方で適切に対応するために専門家に相談するなど、慎重に見守ることが必要です。

1 知的障害

全般的な知能の発達に遅れがみられ、社会生活にうまく適応できない障害です。先天的な要因である代謝異常症、染色体異常等、胎生期の環境的要因である感染症、薬物や化学物質等の影響等、分娩時の要因で生じる無酸素症等、出生後の脳炎等による脳の損傷など、さまざまな原因があるといわれています。知的機能については、概念的な思考、社会的な行動、実用的・日常的な行動についての障害がみられますが、症状の程度やあらわれ方には個人差が大きいことが特徴です。幼児期には詳しい症状やその程度はわからないことも多いです。

（3）学童期

小学校に就学すると社会的活動も増え、また授業も進んでいくなかで、自閉症等の広汎性発達障害や学習障害や注意欠陥多動性障害による**発達障害**の症状が表面化しやすくなり、学習や生活への支援が必要になっていきます。

また、学校で長時間の集団生活を送ることから、インフルエンザ等の感染症にかかるリスクが高まります。また、より活動性が向上していくことにより、**外傷**にも注意が必要です。

（4）思春期・青年期

青年期は、知的発達が完成することで抽象的思考が可能になり、アイデンティティの確立時期とされています。また、身体的な発達の加速とともに性機能の成熟期にあたり、精神的に不安定な時期といわれています。

統合失調症や気分障害（うつ病）もこの時期から増えていきます。

1 摂食障害

摂食障害は、「拒食症」と呼ばれる神経性食欲不振症と「過食症」と呼ばれる神経性過食症とに分類され、多くが女性です。

神経性食欲不振症は10代に多く、ダイエットや胃腸症状・食欲不振を契機に発症します。極端なやせ願望と肥満恐怖があり、実際はやせているのに太っていると感じ、少しでも体重が増えるとそれに抵抗を示します。低体重の深刻さを認めず、活発に動きまわり、周囲が食事や休養を勧めても従わない場合も多くあります。

神経性過食症は20代に多く、多くは発症前にダイエットを経験し、神経性食欲不振症から移行することもあります。明らかに多量を食べ、食べることを止められない感覚をともないます。体重増加を防ぐための絶食や嘔吐、下剤・利尿剤乱用などの代償行動を行う場合も多くあります。

（5）成人期

成人期には、職業人としての生活が定着していく時期ですが、仕事上のストレスが増大することで、気分障害（**うつ病**など）のリスクが高まる人も多くなります。とくに40、50歳代の男性は**自殺**率が高い傾向にあります。また、食習慣や運動習慣の乱れが蓄積していくことは、中年期以降の生活習慣病の原因ともなります。中年期以降には、性機能の低下が始まり、特に女性では更年期障害が生活に影響を与える場合もあります。

1 生活習慣病

生活習慣病とは、食事、運動、ストレス、喫煙、飲酒などの生活習慣が発症や進行に関与する病気の総称であり、糖尿病、高血圧症、脂質異常症、心臓病、脳卒中などが含まれます。以前は、成人病と呼ばれていましたが、1996（平成８）年に厚生省（現・厚生労働省）が「生活習慣病」と改称しました。とくに、脳卒中や心筋梗塞等の血管性の疾患は生活習慣病による動脈硬化が大きなリスク要因のため、糖尿病、高血圧症、脂質異常症などを放置しておくと重度の疾患を引き起こす原因となります。

2 更年期障害

女性は加齢に伴い、卵巣の活動性が次第に消失し、およそ40～50代に閉経が生じます。閉経の前後の期間を更年期と呼び、その時期にほかの疾患によらずに生じる症状を更年期障害といいます。更年期障害は、女性ホルモン（**エストロゲン**）の低下が原因ですが、それだけではなく、加齢等による身体的因子、性格等の心理的因子、職場や家庭における人間関係等の社会的因子が複合的に関与していると考えられています。症状としては、ほてり、のぼせ、めまい、動悸、頭痛、肩こり、冷え、しびれ、疲れやすさなどの身体的症状と気分の落ち込み、意欲の低下、イライラ、情緒不安定、不眠などの精神的症状がありますが、更年期障害の症状のあらわれ方やその程度はさまざまです。閉経年齢によって、発症時期にもかなり個人差が生じます。

（6）老年期

老年期には加齢に伴い、さまざまな疾患が出現しやすくなります。老年期にみられる疾病については第４章で詳しく説明をします。

第4節

心理的機能の発達

学習のポイント

- ピアジェの認知発達理論に沿って誕生から青年期までの認知機能の発達について理解する
- 言語の発達過程について理解する

関連項目 ⑪『こころとからだのしくみ』▶第1章「こころのしくみを理解する」

1 ピアジェの認知発達理論

人間にとって知的機能の発達は社会的な生活を送るうえで非常に重要な意味があります。知的機能を支える認知機能の発達については、ピアジェが乳幼児期から児童期までの認知発達についての理論を初めて提唱し、現在でも大きな影響を与えています。ピアジェは、感覚運動期、前操作期、具体的操作期、形式的操作期の4段階の発達段階を示しています。

1 感覚運動期（0～2歳ごろ）

生まれたばかりの子どもは、原始反射によって、外界からの刺激に一定の反応をします。原始反射は遺伝的に決められた自動的な反応ですが、その繰り返しによって、徐々に自分の感覚に基づき特定の対象へのはたらきかけ（運動）ができるようになっていきます。感覚運動期は次の6つの段階に分けられています。なお、各段階で示した月齢は、おおむねの時期であり、実際には個人差があります。

（1）第1段階（生後1か月くらいまで）

反射による一定の刺激に対する反応を繰り返すうちに、行為の枠組みである「**シェマ**」を形成すると考えます。そのシェマを使うと、類似のほかの対象にも同じ行動をとることができるようになり（同化）、行動の範囲が広がっていきます。

（２）第２段階（１～４か月）

手を開いたり、足を閉じたりするような自己の身体に限った感覚による運動の繰り返しがみられるようになります（第１次循環反応）。

（３）第３段階（４～８か月）

布団を引っ張ることや音の出るおもちゃを鳴らすなどの「もの」が、繰り返しの行動のなかに取り入れられます（第２次循環反応）。しかし、この段階では対象となるものを隠して、眼前から見えなくしてしまうと探索しようとしません。この段階は、対象物が見えなくなると、そこには存在しないととらえているということであり、見えなくてもそこに対象物が存在するという「**対象の永続性**」が理解できていない時期と考えられています。

（４）第４段階（８～12か月）

２つのシェマを組み合わせた運動が可能になります（協応といいます）。たとえば、音のするほうを見てそのおもちゃをつかむ、欲しいものを指差して声を出すなどの組み合わせの行動が始まります。また、運動の対象となっているものが眼前からなくなると探索するようになります。この時期に対象の永続性が理解されはじめ、その場限りの行動から、記憶や思考が芽生えてきているといえます。

（５）第５段階（12～18か月）

外界に対して、能動的にはたらきかけをして試すという試行錯誤による行動がみられるようになります（第３次循環反応）。たとえば、おもちゃの持ち方や振り方を自分で変えて、結果をみるというような行動がみられるようになります。この段階で、視覚と手の運動の協応動作が成立します。

（６）第６段階（18～24か月）

たとえば、目の前にいない人の動作の真似をするなど、眼前に対象となる人がいなくても、以前見たことや動作したことを思いだして真似をするというようなことがみられるようになります（**延滞模倣**）。また、手が届かないところにあるものを、試行錯誤するのではなく、考えて、台や棒を使って取るような行動がみられるようになります。この時期になると記憶や思考を使って、外界へのはたらきかけができるようになっていき、次の段階へ移行していきます。

2　前操作期（2～6歳ごろ）

幼児期は、ピアジェの理論では前操作期と位置づけられています。論理的思考ができるようになっていく前の移行期であり、この段階に特徴的な思考や行動がみられます。

（1）自己中心性

2歳ごろには、記憶や思考を使って外界を認識して、理解やはたらきかけができるようになっていきますが、まだ実際に見えている様子に目が向きやすい傾向がみられます。そのため、自分自身の視点を中心に外界を理解していることで、他者の視点に立って考えることは難しい傾向があります。この傾向を自己中心性と呼びます。ピアジェは、前操作期の**自己中心性**を明らかにするために**三つ山問題**という課題を用いました（図2－6）。4～6歳くらいの幼児にAの位置からこの山を見せます。B～Dには人形を置き、その見え方を聞くと、自分の方向からの見え方とほかの方向からの見え方を区別できず、他方向からの見え方も自分の

図2－6　三つ山問題の例

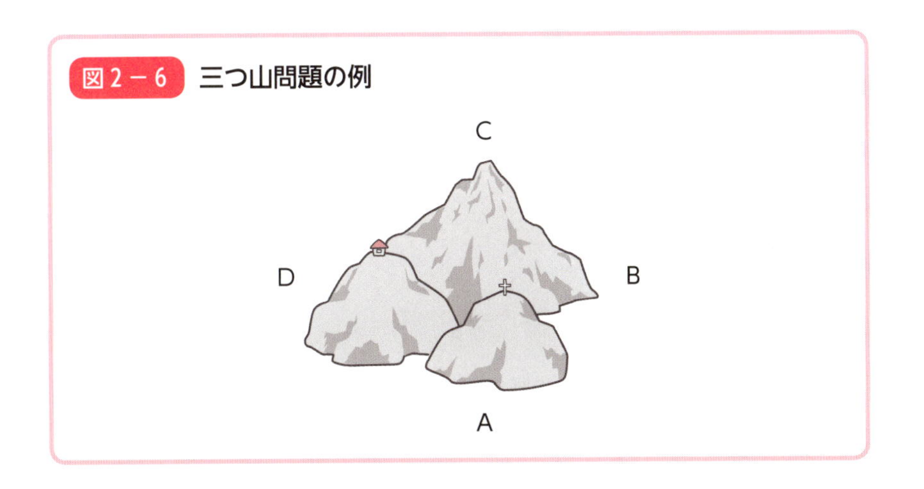

見え方と同じだと答えてしまいます。自己中心といってもわがままということではなく、この時期の認知の様式をあらわしている言葉です。

また、この時期の子どもは、ろうそくの炎が動くことや水が流れることに対して、生命があると感じるという内容のことを言います。このような無生物の対象にも生命があり、自分と同じように意思や感情があるかのように認識する傾向を**アニミズム**といいます。これも自身の心理的世界の実在をほかの対象にもあるものと考える自己中心性の反映だと考えられています。

（2）量や数の保存の欠如

幼児の目の前で、**図2－7**のようにコップBに入った水を底面の狭い容器Cに目の前で移し替えます。すると、この時期の幼児はCのほうが背が高いので、量が増えたという回答をしてしまいます。このことは、「**量の保存**」の概念がわからず、見た目に影響を受けてしまうということだと考えられています。また、**図2－8**のように、同じ数のおはじきを間隔を広げて置きなおすと数が増えたという回答がえられ、同様に「**数の保存**」についても見た目に影響を受けています。この時期には、見た目による判断を優先させてしまう傾向があり、量や数が保存されているという記憶による判断が難しいのです。

図2－7　量の保存課題

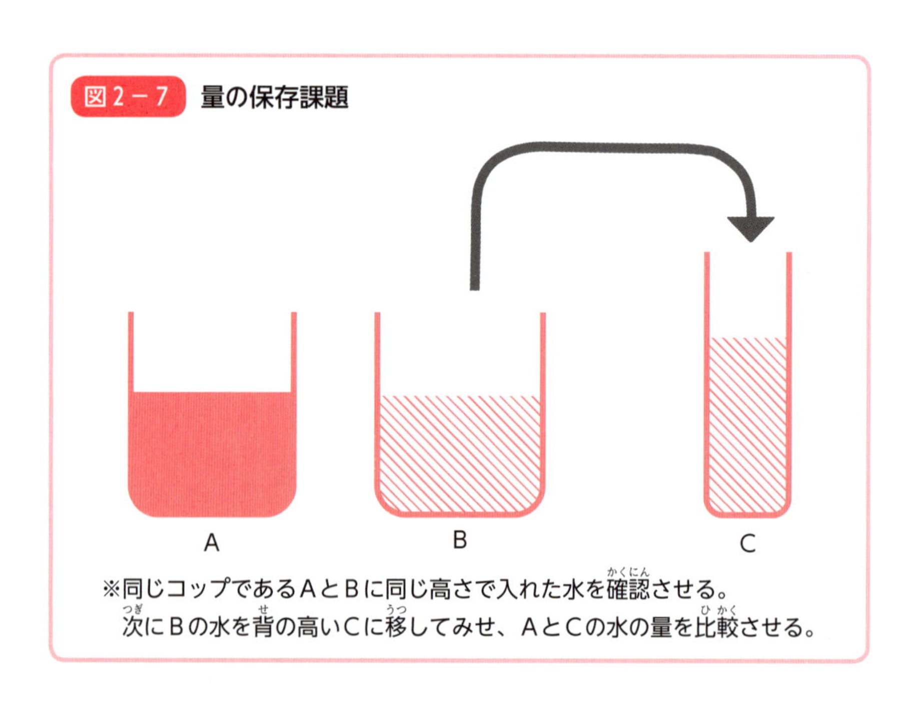

※同じコップであるAとBに同じ高さで入れた水を確認させる。
次にBの水を背の高いCに移してみせ、AとCの水の量を比較させる。

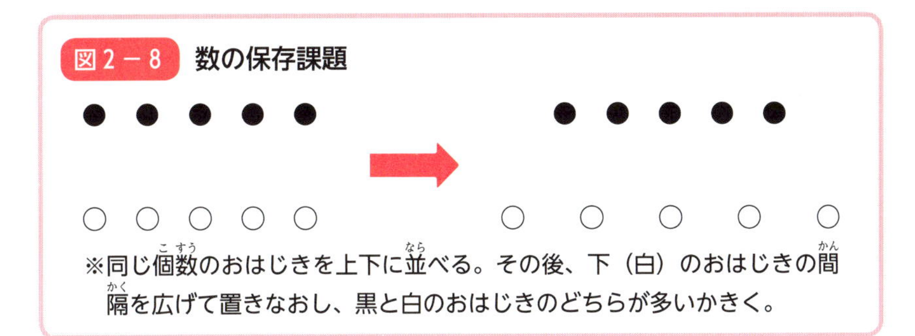

図2－8　数の保存課題

※同じ個数のおはじきを上下に並べる。その後、下（白）のおはじきの間隔を広げて置きなおし、黒と白のおはじきのどちらが多いかきく。

（3）象徴を使った遊び

感覚運動期の第6段階から、前操作期にかけて、たとえば、積み木を電車や自動車に見立てて遊んだりする様子がみられます（**ふり遊び**）。また、ままごとやヒーローの真似など、役割やストーリーをつくる遊び（**ごっこ遊び**）もみられるようになっていきます。このような遊びは、眼前に存在するものの属性だけでなく、物やできごとの特徴的な象徴（サイン）を使うことができるようになったことを示しており、「象徴遊び」といわれています。

3　具体的操作期（6～12歳ごろ）

学童期が具体的操作期にあたります。この時期になると前操作期にみられた自己中心性が解消していき、他者の視点を理解することが可能になります。また、量や数の保存が理解できるようになります。たとえば、**図2－7**の量の保存課題に正答したときにその理由を尋ねると「もし、水を元のコップに戻せば元と同じ高さになる」とか、「Cのコップのほうが水の位置が高いが、Aのコップのほうが幅は広い」といった理由を述べられるようになります。

また、目の前に現実に存在するものの量を理解できるだけでなく、正の整数の計算問題といった数の概念の理解ができるようになります。さらに、犬や動物といったカテゴリーの概念が理解できるようになっていきます。しかし、このような思考や判断は、具体的な対象物について可能であり、抽象的な問題に対する思考は次の段階に向けて、この時期の後期になると少しずつ理解できるようになっていきます。それに応じて、小学校高学年になると、学校での教育内容でも算数で小数や分数を取り扱うようになったり、理科で目に見えない電磁気のはたらきを扱ったりするようになります。しかし、こうした抽象的な事象の理解については、発達の個人差もあり、急に難しいと感じる児童もでてきます。この現象は「9歳の壁」と呼ばれています。

4 形式的操作期（12歳以降）

中学生ごろになると、現実的な事物を離れて、大人と同じように抽象的な思考が可能になります。それにより、論理的思考や目に見えない世界や理論について思考することが可能になります。たとえば、中学の数学では、負の数値の計算（負の数値同士の乗算など）、方程式、関数などの抽象的な理解を前提とした内容が取り扱われるようになります。

2 言語発達

1 言語発達の理論

乳幼児期における母国語の習得は「言語獲得」と呼ばれています。

言語獲得のためには、言語的な経験が必要です。しかし、生育環境による経験の個人差があるにもかかわらず、乳児から幼児になる短い期間に同じように母国語を獲得することができます。また、どの言語にも共通に同様の獲得過程があり、乳児は世界のどの言語でも獲得することが可能だと考えられています。言語学者の**チョムスキー**[1]（Chomsky, N.）は、人には種として遺伝的に言語獲得装置が備わっており、それが乳児期から幼児期に接触した言語経験に応じて発現し、母国語の獲得が図られるという遺伝的要因を重視する言語発達の理論を提案し、広く受け入れられています。

一方で、言語特有の生得的な獲得装置を仮定しない言語獲得理論を提案している研究者もいます。たとえば、比較行動学者であり発達心理学者の**トマセロ**[2]（Tomasello, M.）は、人間は他者の行動の背後にある意図を推測し模倣できるということが特徴であることに着目して、周囲の人と社会的な関係を形成する経験のなかで言語が獲得されるという経験的要因により重点を置いた理論を提案しています。

❶チョムスキー
Chomsky,N.（1928〜）。アメリカの言語学者。1950年代から文法の理解や獲得について、生成文法や普遍文法といった新しい理論を展開し、その理論は言語学の一大潮流となっている。

❷トマセロ
Tomasello,M.（1950〜）。アメリカの心理学者。比較行動学や発達心理学が専門。言語獲得について、チョムスキーの理論を批判し、社会的コミュニケーションの役割を重視している。

このように、どのような遺伝的要因が必要なのか、環境的要因がどの程度強く影響するのかということは議論がありますが、言語獲得には人間特有の遺伝的要因と、言語に接する環境的要因の相互作用が必要だということは一致しています。

2　言語発達の過程

(1) 音声の発達

乳児は産声をあげて出生しますが、泣くという音（叫喚音）しか発することができません。生後2か月ごろになると、「あー」「くー」といった音を発しはじめます（**クーイング**）。しばらくするとクーイングの複合もみられるようになり、6か月ごろには「ばーばー」「だーだー」といった明確な音声である**喃語**（規準喃語）を発するようになります。

(2) 語彙の発達

徐々に発声できる音が増えていき、個人差はありますが1歳前後になると、最初の単語を発しはじめます。最初に発する語を**初語**と言います。日本語の初語は「まんま」「まま」「ぶーぶー」などであり、多様です。この時期の子どもが発声する単語は大人が用いるのと同じ意味で使われているのではないと考えられています。たとえば、外で知らない男性に「ぱぱ」と発語するなど、指し示している対象が広い場合（過剰拡張）や「わんわん」を特定の種類の犬にしか用いないような対象が狭い場合（過剰縮小）もあります。やがて、こうした誤用は徐々に減り、語の指し示す範囲は大人と一致していきます。また、1語で「まんま」と言っても実際には「ごはんをちょうだい」というように述語をともなっているような使い方も多く、この時期の1単語の発語は**一語文**と呼ばれています。

初語の出現後、しばらくは発声できる単語数はそれほど増えていきません。1歳半ぐらいになり発話できる単語が約50語に達すると、急激に単語数が増加します（**語彙爆発**）。個人差もありますが、2歳ごろまでに300語程度に達します。

(3) 文法の発達

1歳半から2歳ぐらいになると、語彙爆発とともに、2つの単語をつなげた発話がはじまります（**二語文**）。二語文では、「わんわん　きた」「ぱぱ　すわる」というように行為者＋行動や対象物＋行為などの形式をとっており、助詞などが省略されている電報の文に似ていることから電信文と呼ばれることもあります。

やがて、語の数が増える（多語文）時期を経て、個人差がありますが、2歳ごろから、少しずつ助詞も使えるようになっていきます。しかし、2歳代では、たとえば「電車が乗りたい（正：電車に乗りたい）」「これがなに（正：これはなに）」といった格助詞や副助詞等の誤用が報告されています[1]。3歳を過ぎると誤用は少なくなっていきます。

◆引用文献

1）横山正幸「文法の獲得⑵―助詞を中心に」小林春海・佐々木正人編『新・子どもたちの言語獲得』大修館書店、pp.141-164、2008年

第5節

社会的機能の発達

学習のポイント

- 誕生から青年期までの社会性の発達について理解する
- 愛着について理解する
- 道徳性の発達について理解する

関連項目 ①『人間の理解』▶第2章第1節「人間と人間関係」

1 各発達段階での社会性の発達

1 乳幼児期の社会性の発達

（1）他者との関係の成立

生後間もない新生児が、ほほえむ表情を見せることがあります。このほほえみは**新生児微笑**と呼ばれますが、他者に向けられたものではなく、自動的な反応です。しかし、3か月ごろになると周りの人に微笑むようになります（**社会的微笑**）。8か月ごろになると、知らない人には顔をこわばらせたり、背けたりする**人見知り**の反応がみられるようになります。

乳児は最初、自己—他者、自己—対象（おもちゃなど）の**二項関係**によって他者や世界とかかわっており、他者との共有はありません。しかし、9か月ごろになると、自己—他者—対象という**三項関係**が成立するようになり、他者と対象に対する欲求や認識を共有するようになります。三項関係を成立させるために重要な役割を果たすのは、他者と同じ対象に注意を向けている**共同注意**です。たとえば、他者が見ているものに乳児も視線を向ける視線追従がみられます。このように9か月ごろには、自他の区別はともかく、他者に意図があることを理解し、それをきっかけに社会性の発達がいちじるしくなるため、9か月の奇跡あるいは9か月革命とも呼ばれています。1歳6か月ごろになると、たとえば自分の後ろにあるものなど自分の視野外にあるものでも、他者の視線を追って追跡するようになります。また、1歳ごろになると離れた対象に向けた指さしを行うことで、他者の注意を向ける行為をするようになります。

（2）社会的参照

1歳ごろになると経験のない人・ものや出来事に出会ったときに周囲の信頼できる大人の表情や反応をみて、それに応じて自分の行動を決める場面がみられるようになります。これは**社会的参照**と呼ばれ、三項関係による行動の1つです。視覚的断崖（**図2－9**）を使った研究では、断崖にあたるところで台の向こう側にいる母親の顔を見て、その表情に応じて渡るかどうか決める行動が観察されています。

（3）遊びのなかの社会性

乳幼児期の周囲の養育者との関係を中心にした生活から、徐々に同年代の子どもとの交流機会が増えていきます。始めは、他者との交流がない一人遊びや**平行遊び**が中心ですが、3歳を過ぎるころからほかの子どもとかかわり合いながら遊ぶ**連合遊び**や**協同遊び**も増えていきます。

図2－9　視覚的断崖

模様の切れ目で止まるのは奥行き（深さ）を認知できているため。視覚的断崖で1度止まり、台の向こうにいる母親を見て、表情に応じて渡るか決める。

（4）心の理論の発達

心の理論とは、他者の心理状態を推測する能力のことです。幼児の認知的特徴は自己中心性であり、自分の知覚や心理的状態と他者の状態を区別できないという特徴があります。他者の心理は自分と別であることがわかることは社会性の発達に欠かせません。

では、子どもは心の理論をいつ獲得して、他者の心理を理解できるようになるのでしょうか。心の理論の獲得については、誤信念課題を用いた研究が多く行われてきました。誤信念課題では、その場面をみている子どもには正しい情報を知らせておきながら、そこに登場する人物は誤った情報を正しいと思っている（誤信念をもっている）という状況をつくって、その場面を見ている子どもに自分とは違う登場人物の考え（誤信念）が理解できているか質問します。サリーアン課題（図2－10）や**スマーティ課題**[1]が代表的な課題です。その結果、4歳ごろから誤信念の理解ができるようになり、6歳ぐらいまでにほぼできるようになるといわれています。

❶スマーティ課題
スマーティとはアメリカで有名な菓子の名称。スマーティの箱にほかの物を入れてみせて、それを知らないほかの子にその箱をみせたときに中に何が入っていると答えると思うか問う。

2　学童期の社会性の発達

小学校に入学すると学校における生活経験を通じて友人関係を形成していきます。まだ、幼児期の自己中心性も残っていますが、他人の立場を認める能力も発達し、集団の一員としての意識をもつようになっていきます。

小学校中高学年頃になると、規則や遊びのルールの意義を理解して、集団活動に主体的にかかわり、自分たちでルールをつくって守ろうとすることもできるようになっていきます。また、このころの子どもは、同性・同年齢の気の合う数名で仲間をつくって小集団で行動を共有し、同じ遊びをするようになります。このような集団をギャング・グループとよび、この年代をギャング・エイジと呼んでいます。ギャング・グループは男子によくみられます。集団内のルールを決めるなど、結束力が強く、大人の干渉を避け、閉鎖性や排他性があることが特徴です。ギャング・グループは、活動を通じて、自分たちで集団のルールを決めたり、役割や責任などの集団的な行動を学んだりする役割を果たしていますが、最近は、遊び時間や空間の減少、遊びの内容の変化などによりギャング・グループの形成が少なくなっているといわれています。

図2－10　誤信念課題の例（サリーアン課題の変形）

花子はキャンディを持っている　　洋子

花子は丸い缶にキャンディを入れる

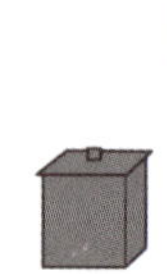

花子は外に出かける

洋子はキャンディを取り出し、四角い缶に入れる

花子はどちらの缶を開けてキャンディを探すでしょう？

3 青年期の社会性の発達

中学生になると、親や教師の存在は相対的に小さくなり、特定の仲間集団との関係が深まる傾向があらわれます。とくに思春期の女子では、数名の同性で形成する**チャム・グループ**と呼ばれる仲良しの集団がみられます。メンバー同士が、話題や興味を共有し、非常に親密であり、排他的なことが特徴です。メンバーの同一性を重視し、交換日記や手紙を共有するなど、言語的に同一性を確かめあう特徴があります。裏切りは許さないというように極端に同調圧力が強くなり、仲間はずれにつながる場合もあることが指摘されています。

従来は、高校生ぐらいになると男女混合で価値観や生き方などを話し合う**ピア・グループ**とよばれる仲間集団が生じるようになるといわれていました。ピア・グループは、メンバー同士の同質性だけでなく、異質性も認め合い、違いを乗り越えていくところがチャム・グループとは異なるところです。しかし、現代においては、高校生ではピア・グループが形成されにくいことが指摘されています。現在の日本の若者の社会的関係への欲求は、「近づきたいが、近づきすぎたくない」「離れたいが、離れすぎたくない」という親密性を求めながらも傷つけ合うことを恐れる**ヤマアラシのジレンマ**[2]に陥りやすいことが指摘されています。

❷ヤマアラシのジレンマ
哲学者のショーペンハウアー(Schopenhauer,A.)が寓話として書いた話を精神分析の創始者であるフロイトが引用して命名した。ヤマアラシの一群が凍えるのを防ぐためにくっつき合うととげが刺さり痛く、離れると凍えてしまうというジレンマをさすが、もともとの寓話ではそうしているうちにほどよい間隔を見つけたという話である。

2 愛着の発達

かつては、乳児は授乳してくれる人との関係が深まるというように、子どもと養育者の関係は「食」を媒介した関係形成が行われるという考え方が有力でした。しかし、ボウルビィ（Bowlby, J. M.）は養育者との接触による快さや安心感による情緒的絆が養育者と子どもの密接な関係を形成し、それが後の社会性の発達に影響を及ぼすという、**愛着（アタッチメント）理論**を提唱しました。

人は未熟な状態で出生するため、ほかの動物と比べて長い期間、栄養補給、環境整備等について、大人の助けが必須です。そのために、泣いて空腹や排泄を知らせ、表情や**クーイング**[3]等によって早くから大人の関心を引く行動がみられます。子どもにとっては、外界は不安や恐怖に満ちた世界であり、不安や恐怖といったネガティブな感情を落ち着かせ

❸クーイング
p.53参照

る関係が重要です。また、愛着を形成した大人がいて、安心できる場が確保できることで、そこを**安全基地**として、不安の高い外界を探索することが可能になります。また、エリクソンの生涯発達理論における乳児期の発達課題である「基本的信頼感の獲得」についても、愛着のような情緒的な絆による大人の助けが必要であるといえます。

1 代理母実験

ハーロウ（Harlow, H. F.）は母親と引き離された子ザルに、2種類の代理母となる人形を用意し、その行動を観察する研究を行いました。代理母の一体は針金製であり、もう1体は布で覆われました。針金製の代理母に哺乳瓶を取り付けると、子ザルは空腹になると哺乳瓶を吸いに行きます。しかし、子ザルは多くの時間を布製の代理母に接触して過ごします。また、子ザルを脅かすと布製の代理母の人形のもとへ逃げ帰る様子がみられました。この研究によって、乳児と大人の関係形成は食欲を満たしてくれるという関係性ではなく、接触の感触が快いことによって安心するということが重要な影響を及ぼしているということが明らかになり、愛着に目が向けられるきっかけになりました。

2 愛着の発達

特定の大人との間で情緒的絆による関係を形成することを愛着と呼びますが、愛着を形成するための行動（愛着行動）は生後すぐにみられます。

出生後から生後3か月後くらいまでは、周囲の人の動きを目で追う注視行動や泣くことや音を発することで注意を引く信号行動などが特徴です。また、特定の大人だけでなく、対象を問わず多くの大人に対して愛着行動を示します。

生後3～6か月後では、まだ多くの大人に対して友好的に振る舞うとともに、特定の大人にはより親密な反応をし始めるようになります。6か月ごろから2歳ごろまでの間には養育者など特定の大人を対象とした愛着が維持され、それ以外の人物と区別するようになります。それにより知らない人にだっこされると泣くといった人見知りを示すことが多くなります。

3 歳になるころからは、愛着対象の大人の行動を予測できるようになり、愛着の対象が目の前にいないことへの不安を乗り越えることができるようになっていきます。それにより、極端な愛着行動は減り、次第に自律的行動が増えていくことになります。愛着による人間関係はさまざまな状況で安心した気持ちになれる体験を蓄積していきます。それにより、この段階の幼児は「かならず養育者が助けてくれる」という信頼感をもつことができ、養育者の姿が見えなくなっても我慢できる、自分で探すなどの不安な気持ちを乗り越えた行動をとれるようになっていくのです。

3 愛着行動の個人差

愛着を示す行動には個人差があり、アインズワース（Ainsworth, M. D.）が**ストレンジシチュエーション法**という方法を用いて、乳児の愛着行動の個人差を調べた研究が有名です。ストレンジシチュエーション法は、見知らぬ実験室で、子どもから養育者が離れたり、見知らぬ人がかかわったりすることで不安が高まったときに示す行動やそのあと再度養育者と接触したときに示す行動の個人差をみていきます。

こうした研究結果から**表 2 − 7** のような愛着行動の個人差があることが示されています。

愛着行動の個人差は子どものもっている気質と養育者の接し方の両方

表 2 − 7　愛着行動の個人差

タイプ	特徴
Aタイプ（回避型）	養育者がいなくても関係なく遊んでいる。分離後に母親が近づくと避けようとする。
Bタイプ（安定型）	養育者が一緒にいることで安心し、いなくなると泣き出したり、探したりする。養育者と再会すると接触し、再度遊びはじめる。
Cタイプ（抵抗型）	養育者がいなくなると泣いたり、不安を示したりするが、養育者と再会しても機嫌が直らず、養育者を叩くなどの行為がみられることもある。
Dタイプ（無秩序型）	愛着行動の一貫性がなく、ＡＢＣにあてはまらない。

による相互作用だと考えられています。たとえば、Aタイプの行動を示す子どもの親は、いつ接触するのがよいかわかりにくく、安定して安心感のある接触をしにくくなり、子どものほうからみると期待通りの愛着が得られないということです。また、虐待を受けるといった不幸な経験は愛着の形成が難しい状況をつくりやすく、Dタイプを示す子どもが多いといわれています。

4 愛着対象の広がり

愛着の対象というと母親が思い浮かべられることが多いですが、必ずしも母親だけに愛着が示されるわけではありません。日々の生活のなかで、乳児の発する信号を受け止め、応答して情緒的な関係を形成してくれる人が愛着の対象となります。父親やその他の養育者とも、また複数の大人とも愛着が形成されます。また、乳幼児の頃の愛着は重要なものですが、その後の人間関係のすべてを決定づけてしまうわけではありません。子どもはより広い社会的関係のなかに入っていき、ほかの重要な社会的関係を取り込んでいくと考えられています（**コンボイモデル**）。

3 道徳・向社会的行動

社会のなかで生活をするためにはルール・規範を守ることが求められており、それを判断する認知的能力が求められます。

たとえば、次のような事例を読んで、どちらの子どもが悪いことをしたと考えるでしょうか。また、その理由をどのように考えるでしょうか。

A　配膳のお手伝いをしましたが、運んでいた15個のガラスのコップをうっかり落として割ってしまいました。

B　入ってはいけないといわれていた理科実験室に入って、置いてあった１個のガラスのコップをうっかり落として割ってしまいました。

ピアジェがこのような質問を子どもにした結果、４・５歳ごろの子どもは損害の大きさに悪さの理由を見いだし、Aのような場合が悪い行為だと判断しやすかったのに対して（**結果論的判断**）、9・10歳ごろになると、そもそもの行動の動機に着目し、Bのような場合が悪い行為だと判断しやすくなりました（**動機論的判断**）。

1　コールバーグの道徳判断の発達理論

コールバーグ（Kolberg, L.）は、道徳に対する判断が発達していく過程を示しました。コールバーグの理論は、年齢による認知発達に応じて、必要な社会的経験をすることによって、必要な価値観や知識を身につけていくことで道徳判断が発達するという考え方であり、道徳教育に対して大きな影響を与えました。コールバーグは、**モラル・ジレンマ課題**という2つの正義や道徳を含んだ話を各年代の子ども～青年に示し、その主人公はどうするべきか、どうしてそう思うのかについて、説明を求め、その内容を分析しました（**表2－8**）。コールバーグの理論では、道徳性の判断には3水準6段階の発達段階があり、その社会における慣習に基づく判断ができる**慣習的水準**を中心として、その場の損得や利害関係に基づいて判断をする**前慣習的水準**、社会の現在の規範を越えて、社会のあり方や普遍的な原理を追求できる**脱慣習的水準**に大きく分類

表2－8　コールバーグが用いたモラル・ジレンマ課題

ヨーロッパのある国で、ある女性が特別な種類のがんにかかって死にそうになっています。医者によれば、この人を救うことができる薬が1つだけあります。その薬は、同じ町に住んでいる薬剤師が最近発見したラジウムの一種です。その薬を作るのにはお金がかかるけれども、その薬を製造するための費用の10倍の値段を薬剤師はつけています。つまり、薬剤師はそのラジウムには200ドル使い、わずか1回分の薬に2000ドルの値段をつけているのです。病気の女性の夫であるハインツは、あらゆる知人からお金を借りましたが、薬の値段の半分の1000ドルしか集められませんでした。彼は薬剤師に自分の妻が死にかけていることを話し、値引きしてくれるよう、あるいは後払いをさせてくれるように頼みました。けれども薬剤師は、「それはできない。私がその薬を発見したんだし、それでお金を稼ぐつもりだからね」と言います。ハインツは思いつめてしまい、妻のために薬を盗もうと、その男の薬局に押し入ることを考えています。

出典：北村世都「社会性の発達」内藤佳津雄・北村世都・鏡直子編『発達と学習 第2版』弘文堂、p.42、2020年

表2－9　コールバーグによる道徳判断の発達段階

水準1　前慣習的水準
　段階1　罰と服従志向
　　罰を回避し、権威に服従する
　段階2　道具主義的相対主義者志向
　　取引や有効性の観点から判断する

水準2　慣習的水準
　段階3　対人関係の調和あるいは「良い子」志向
　　多数意見や承認されることを重視した判断をする
　段階4　「法と秩序」志向
　　規則や社会的秩序を守ることを重視する

水準3　脱慣習的水準
　段階5　社会契約的遵法主義志向
　　個人の権利や社会全体の価値に従って合意することを重視する
　段階6　普遍的な倫理的原理志向
　　人間の権利や平等性などの倫理に従って判断する

出典：Kolberg,L., 'Stage and sequence : the cognitive-development approach to socialization', In Goslin, D.A.Ed., *Handbook of socialization theory and research*, Rand McNally, p.378, 1969.

し、それぞれの水準を2つの段階に分けました（**表2－9**）。前慣習的水準では、自分自身への罰や利益に基づく判断であり、自己中心的な判断を含んだものになっています。慣習的水準になると、他者の承認を求める良い子志向や、規則・秩序を守る義務感がみられるようになり、社会や集団にある規範を守るべきだという判断が形成されます。脱慣習的水準は、現在の社会・集団における規則を越えて、より普遍的な原則に基づく判断ができ、新たな規範をつくることもできる段階です。とくに第6段階は人間の良心や尊厳などの普遍的な倫理に基づく判断ができる段階とされていますが、達しにくい段階であるといわれています。

アメリカでも日本でもコールバーグの理論に沿って子どもや青年の道徳判断の発達を調べる研究が行われてきました。文化による差もあり、各段階に何歳で到達するのかは明確ではありませんでしたが、年齢とともに高い段階の判断をする割合が増えていくという結果が示されています。

2 ギリガンの道徳性判断の発達

ギリガン（Giligan, C.）は、コールバーグが題材としている道徳は「正義や公平」に偏っており、「配慮や責任」を志向する道徳性もあるということを示しました。ギリガンが用いたモラル・ジレンマ課題は**表2－10**のようなものであり、小学校高学年から中学生の子どもにどうするべきか判断を求めました。この課題に対しても、「もともとモグラの家なのでヤマアラシが出て行くべきだ」という正義や公平に基づく判断をする子どももいましたが、「ヤマアラシに毛布をかける（ことでとげが刺さらないようにして共存する）」といった回答もみられることを示しました。これは、他者との関係性や配慮を重視する考え方であり、**配慮と責任感の道徳性**といえます。配慮は英語ではcareであり、介護の倫理にも深くかかわっている考え方です。ギリガンは、「配慮と責任感の道徳性」は女性に特徴的なものと主張しましたが、ほかの研究では男女差が示されていないものもあり、「正義と公平の道徳性」と「配慮と責任感の道徳性」のどちらも個人や状況に応じて適用していると考えられます。

表2－10 ギリガンが用いたモラル・ジレンマ課題

厳しい寒さを凌ぐ為、一匹のヤマアラシがモグラの家族に、冬の間だけ、一緒に洞穴の中に居させて欲しいとお願いしました。モグラ達は、ヤマアラシのお願いを聞き入れました。けれどもその洞穴は、とても狭かったので、ヤマアラシが洞穴の中を動き回る度に、モグラ達は、ヤマアラシの針に引っ掻かれてしまう事になったのです。ついにモグラ達は、ヤマアラシに洞穴から出て行って欲しいとお願いしました。ですがヤマアラシは、このお願いを断りました。そして言ったのです。「ここに居るのが嫌なら、君達が出て行けばいいじゃないか。」

出典：北村世都「社会性の発達」内藤佳津雄・北村世都・鏡直子編『発達と学習 第2版』弘文堂、p.45、2020年

◆参考文献

- マイケル・トマセロ、大堀壽夫・中澤恒子・西村義樹・本多啓訳『心とことばの起源を探る』勁草書房、2006年
- 無藤隆・子安増生編『発達心理学Ⅰ』東京大学出版会、2011年
- 内藤佳津雄・北村世都・鏡直子編『発達と学習 第2版』弘文堂、2020年
- 上田礼子『生涯人間発達学 改訂第2版増補版』三輪書店、2012年

演習2－1　エリクソンの発達段階

エリクソンの理論に基づく発達段階と各段階の心理社会的危機（各発達段階の課題）について、まとめよう。

段階	年齢の範囲	心理社会的危機
期		
期		
期		
期		
期		
期		
期		
期		

演習2－2　運動機能の発達

2歳ごろまでの運動機能の発達についてまとめてみよう。

演習2－3　ピアジェの認知発達理論

ピアジェの認知発達理論に沿って、各段階の特徴をまとめよう。

段階	年齢の範囲	認知機能の特徴
期		
期		
期		
期		

演習2－4　愛着

愛着について空欄に適切な語句を記入して説明文を完成させよう。

- 愛着は、子どもと養育者などの特定の大人との間で、接触による ① や ② に基づく ③ により形成されていく。
- 愛着を形成していく行動は、愛着行動と呼ばれ、生後3か月くらいまでは ④ の大人に愛着行動を示す。
- 生後3～6か月には ⑤ の大人に、より ⑥ な反応を示し始めるようになる。
- 生後6か月から2歳頃の間には、特定の大人との間で愛着が維持されるようになり、愛着対象の大人がいないと探したり、 ⑦ を示したりする。また、愛着対象でない大人には ⑧ が生じるようになる。
- 3歳になる頃から愛着対象の大人の行動を ⑨ できるようになり、離れていても不安が軽減されるようになる。

第3章

老年期の特徴と発達課題

第1節

老年期の定義

学習のポイント

- 老年期の定義の必要性を理解する
- 国内外の老年期の定義を理解する
- 老年期を生物―心理―社会モデルから理解することの意義を理解する

関連項目 ④『介護の基本Ⅱ』▶第1章「介護福祉を必要とする人の理解」

1 老年期の定義

1 なぜ老年期を定義する必要があるのか

老年期を定義することは意外に難しく、定義することによって、よい面もあれば、課題や弊害が生じてくることもあります。たとえば、80歳でも自分を「高齢者」と思わない人がいる一方で、50歳代で老年期特有の病気に罹患しているにもかかわらず、「高齢者」の対象外とされて、不自由な生活を強いられてしまう人もいます。このように、老年期が定義されていることによって、不快な思いをしたり、不便を強いられたりしている人がいることも事実です。

それでは、老年期の定義を決めないとどうなるでしょうか。「老年期」を定義しないままでいると、老年期に自然にみられる心身の老化や、老年期に罹患しやすくなる病気によって生活の不自由を強いられている多くの国民を、国全体として支える施策や体制をつくることさえできなくなります。つまり、支援や福祉の対象にするためには、その対象が「どのような人なのか」という定義を決める必要があります。「老年期」を定義することによってはじめて、それに該当する人々を支援や福祉の対象とすることができるといえるでしょう。

このように高齢者をはじめ、障害者や子どもなど、ある対象を定義することは、支援や福祉が届くようにするために必要なことである一方で、その定義によって生じる弊害を最小限にする私たちの努力が欠かせません。介護福祉士は、老年期の定義を正確に理解したうえで、個々の高齢者の理解においては、自分がつくった高齢者に対する**ステレオタイプ**❶をそのままあてはめてしまうことがないよう留意することが必要です。

❶**ステレオタイプ**
固定的で偏ったものの見方。ステレオタイプにもとづいた行動は差別を、ステレオタイプにもとづいた感情は偏見を生みやすい。

2　さまざまな高齢者の定義

(1) 国際的な高齢者の定義

世界ではどのように高齢者を定めているのかをみてみましょう。WHO（World Health Organization：世界保健機関）による定義をあげることができます。WHOが発表している人口統計資料では、65歳以上を高齢者として統計資料を作成しています。しかし、世界全体の高齢化の状況は国によって大きく異なっています。2010～2015年の平均寿命をみると、日本は83.3歳ですが、世界全体の平均は70.8歳です。しかし、2050年には主要国の高齢化率は40％台に、平均寿命も70歳代後半となって、日本の高齢化率と大差がなくなることが予想されています。

(2) 日本における高齢者の定義

日本は世界のなかでもまれにみる長寿国であるとともに、少子化が進んで高齢社会を迎え、一般的に65歳以上を高齢者としています。内閣府の2021（令和3）年版の高齢社会白書によると日本の**高齢化率**❷は28.8％となっています（2020年10月1日現在）。このような状況の日本では、高齢者をどのように定義しているのか、法律や制度からみてみることにしましょう。

❷**高齢化率**
65歳以上の人口が全人口に占める割合。7％以上が高齢化社会、14％以上が高齢社会、21％以上が超高齢社会という。老年人口比率ともいう。

福祉領域での定義をみると、まず高齢者の介護や福祉の基本となる法律である老人福祉法では、老人の定義は明確にしていないものの、その内容は65歳以上を対象とした福祉について定められていて、事実上65歳以上を老人として位置づけています。介護保険法では、40歳になると被保険者となりますが、65歳未満は第2号被保険者であり、要介護状態になる原因が老化に起因する疾病（特定疾病）によるものである場合にのみ、介護保険制度を利用することができます。一方65歳以上になると、自動的に第１号被保険者に切り替わり、原因にかかわらず要介護状態になったときには介護保険制度を利用することができるようになります。

医療領域での定義をみると、「高齢者の医療の確保に関する法律」（**高齢者医療確保法**）では、65歳以上75歳未満を前期高齢者、75歳以上を後期高齢者と定めています。また2005（平成17）年に制定された「高齢者虐待の防止、高齢者の養護者に対する支援等に関する法律」（**高齢者虐待防止法**）では、高齢者を65歳以上と定義しています。

産業領域では、おもに高齢者の雇用に関する法律のなかで高齢者の年齢について言及されています。「高年齢者等の雇用の安定等に関する法律」（**高年齢者雇用安定法**）では、企業が定年を設ける場合には60歳未満としてはならないことを定め、高年齢者雇用確保措置として、65歳までは本人が希望すれば雇用を継続することを企業に義務づけています。また近年の少子高齢化による労働力不足や就業意欲をもつ高齢者の増加を背景に、70歳までは企業が高齢者に就業の機会をつくることも努力義務となっています（高年齢者就業確保措置）。

これらの法律や制度のなかには、その前身となる制度や法律では、高齢者を事実上55歳として取り扱っていたものもあります。しかし日本の平均寿命や健康寿命が延びてきたことを背景に、現在の日本では、おおむね65歳を高齢者と考えるように変化してきたといえるでしょう。このように今後も老年期の定義は、時代とともに変化していくと考えられます。

2 生物―心理―社会モデルからみた老年期の定義

1 老年期という発達段階

前項では法律や制度でどのように高齢者が定められているのかを概観しました。そして制度のなかでの高齢者の定義は、国や地域、時代などによって、変化してきたこともわかりました。しかし、人は社会のなかで制度などによって定められて高齢者となるばかりではなく、生物学的な身体機能の変化や、心理学的な変化も経験しながら、老年期という人生のなかの１つの段階に到達します。

このように、人を理解するときに生物的側面、心理的側面、社会的側面の3つを統合してみるとらえ方を生物―心理―社会モデルとよびます。

たとえばエリクソン（Erikson, E. H.）のライフサイクル理論では、老年期にはほかの世代よりも残りの人生が少なくなるために、若いときよりも、自分の人生や世の中全体について、まとまりをもってとらえるようになる（統合）か、そうではなくて人生にもこの世の中にも絶望してしまうかの葛藤を経験する段階だと説明しました。この心理社会的な葛藤を通して、統合の感覚が上回る経験をしたときに、人格的な強さとしての「知恵」を獲得していくのです。またレビンソン（Levinson, D.）は、生涯最後の生活構造の大きな変化として60歳頃に老年期への過渡期があるといいます。このころ、身体の衰えを無視できなくなるとともに、老年期に経験しやすい**ライフイベント**❸を経験することで**老性自覚**❹が進みます。そのような状況に適応するために、生活構造を、その後の生活に向けた新しい構造に変えていくことが老年期の課題であると説明しました。

高齢化が進んでいる現在では、老年期を前期高齢期（65～74歳）、後期高齢期（75歳以降）と2つの区分ではなく、後期高齢期を75～84歳として、超高齢期（85歳以降）を加えた3区分にすることも増えてきました。超高齢期という発達段階は、後期高齢者ともまた異なる発達段階ではないか（**老年的超越理論**❺など）と考えられるようになってきています（次章参照）。

このように、老年期という発達段階は、心身の老化と社会的な役割の喪失への適応が課題となる段階であるといえるでしょう。

❸ライフイベント
生活上経験するさまざまな出来事のうち、その人にとってその後大きな影響を与えるような出来事のこと。

❹老性自覚
自分は年をとったという自覚。

❺老年的超越理論
人生の最晩年にあたる、超高齢期に至り、ものの見方や考え方、人生や世界、生命に関する態度などがそれまでと大きく変わって、従来の秩序を超越した状態となるという考え方。pp.182-183参照。

2　生物―心理―社会モデルからみた老年期

老年期を1つの発達段階として考えると、一律に年齢で老年期の段階を区分することができないことがわかります。老年期の発達段階に到達するまでには、それぞれの高齢者の身体的側面、社会的側面、心理的側面が相互に影響し合い、到達の時期にも内容にも個人差が生じるからです。老年期の発達段階を50歳代から経験しはじめる人もいれば、70歳代になっても中年期の発達段階にあると考えたほうがふさわしい人もいるでしょう。それは、どちらかが正しいというわけではなく、その人の身体的状況や社会的状況、心理的状況が相互に影響した結果生じている個人差であり、それぞれの発達のありようだと理解すべきものです。

　このような生物―心理―社会モデルからとらえた老年期という発達段階の理解が、高齢者の個性や尊厳を尊重した支援を行ううえでは役立ちます。法律や制度にもとづいて行われる、さまざまな支援には具体的な年齢定義が必要である一方、個々の高齢者への直接的な支援の場合には、年齢から勝手にその人の状態を推測するようなステレオタイプをもつべきではありません。その人のこれまでの発達を生物―心理―社会モデルで多面的に理解することが、個人を尊重した支援につながると考えられます。

第2節

老化とは

学習のポイント

- 老化・加齢の用語の定義を理解する
- 老化学説の種類と、その内容を理解する

関連項目 ④『介護の基本Ⅱ』▶第1章「介護福祉を必要とする人の理解」

1 老化の特徴

1 老化という用語

老化とは、成熟期以降に生じる、年齢を重ねること（加齢）にともなう身体・生理機能の変化をさす用語として用いられています。このうち、人に共通してみられる身体・生理機能の老化を、生理的老化や正常老化、一次老化といいます。単に「老化」といわれることもあります。

これに対して、加齢にともなって生じるものではあっても、必ずしもだれにでも生じるものではない、病的な状態を引き起こす変化を病的老化、二次老化といいます。また、死の直前に生じる、特有の心身機能の急激な低下を三次老化ということもあります。

2 老化パターン

一次老化では、心身の機能について処理スピードが低下して、若いときよりも行動や認知的な処理に時間がかかるようになります。筋肉量や骨量などは減少していきます。これは病的なものではなく、多くの人に普遍的にみられる現象です。しかし、これがさらに進み、**フレイル**[1]や**ロコモティブシンドローム**[2]にいたると、病気を引き起こすようにな

❶フレイル
pp.113-114参照

❷ロコモティブシンドローム
p.117参照

り、二次老化に進んでしまいます。こうなると、今度は病気によって、心身機能の低下が進むことになります。やがてこの状況が悪化していくと、あるとき急速に心身機能が段階的に低下して、致命的な生命の終末を迎えることになります。

3 老化の特徴

生理的老化には表3－1に示すような特徴があります。スピードに個人差があるものの、その変化は環境によって引き起こされるものではなく、そもそも生物学的にプログラムされた現象であり、不可逆的で、生物にとっては有害な現象です。

4 老化と加齢

おもに身体・生理機能の変化をさす老化という用語と区別して、加齢という用語が使われることがあります。**老化**は、ネガティブな意味で用いられることが多いのですが、**加齢**は単に「年齢が上がる」現象をさす中立的で価値を含まない用語として用いられたり、「歳を重ねたことによるポジティブな変化」を含んだ用語としても用いられたりします。また、加齢は老化とは対照的に、むしろ可塑性をもち、必ずしも喪失を意味しない、心理社会的な年齢変化を示す用語です。

老化から加齢への見方の変化は、人の発達を、単なる「発達」ではな

表3－1 生理的老化の特徴

老化の特徴	説明
内在性	老化現象は、環境因子によって引き起こされるものではなく、遺伝的にプログラムされて必然的に生じる現象であること。
普遍性	生命体にすべて生じる現象であること。
進行性	一度生じた変化は元に戻ることはないこと。
有害性	その個体の機能低下を引き起こして、その個体の生命活動にとって有害である。

出典：Strehler, B.L., *Time, Cells and Aging*, Academic Press. 1962.をもとに作成

く「生涯発達」ととらえる近年の変化とも共通しています。介護福祉士は、老化を知ると同時に、その老化を社会や個人がどのようにとらえているのかについても知ることが必要です。

2 老化学説

古来、人間は不老長寿を願い、そのために多くの努力を重ねてきました。現在の医学や科学の発展の背景には、人々の不老長寿への強い願望があるといってよいでしょう。現在でも、多くの高齢者は**アンチ・エイジング**[3]や介護予防に強い関心を寄せているという事実は、不老長寿が

❸アンチ・エイジング
抗老化ともいわれ、加齢にともなう心身機能の低下を予防するための取り組みのこと。

表3－2　さまざまな老化学説

	学説名	説明
自然崩壊説	消耗説	長年にわたって使用してきた生体の構成物質や細胞が、年齢とともに摩耗して老化が生じるという仮説。
	免疫異常説	免疫細胞の機能低下により異常なたんぱく質が生じたり、誤って自己抗体ができることによって老化が生じるという仮説。
	フリーラジカル説	フリーラジカル（遊離基）が活性酸素になり、活性酸素がたんぱく質や核酸などに障害を与えて、その蓄積によって老化が起こるという仮説。
	代謝調節説	細胞が代謝した結果、老廃物が細胞内に溜まり、細胞の機能が低下することによって老化が起きるという仮説。代謝スピードが速いと老化が進む。カロリー制限によって寿命が延長することの根拠仮説となっている。
遺伝子プログラム説	エラー仮説	DNAからRNAを経てたんぱく質の合成に至るまでの間に、エラーが生じ、その積み重ねによって老化が起こるという仮説。
	プログラム説	遺伝子において老化がプログラムされていると考える仮説。
	テロメア説	細胞分裂の回数を規定する染色体の末端にあるテロメアによって、老化が決まるという仮説。

今なお、私たちにとって共通した願いであることをあらわしているといえます。

それでは現在、生理的な老化のメカニズムはどのように説明されているのでしょうか。これまでいくつかの代表的な老化学説が取り上げられてきました（**表3－2**）。これらの学説は、それぞれが独立してあるわけではなく、相互に関係していますが、全体を統一することがなかなかできないまま、今日に至っています。しかし最近、明らかになってきたこともあります。

1 古典的な老化理論

数ある**老化学説**は、大きく２つに分けられます。１つは、長い期間生きていくうちに、細胞や臓器などがすり減って容量や機能が低下すると考える自然崩壊説です。もう１つは、遺伝子的に老化が組み込まれているという遺伝子プログラム説です。

自然崩壊説では、すべての物質はやがて消滅し、崩壊の方向に進むという原則に従って、人の身体も消耗、崩壊の方向に自然と向くと考えます。細胞も、さまざまな原因で損傷が進むと、やがて自ら消滅していくことがわかっています。これに含まれるものに、消耗説、免疫異常説、フリーラジカル説、代謝調節説があります。

一方、**遺伝子プログラム説**の根拠として**テロメア**[4]が取り上げられることがあります。体細胞は、その種類によって細胞分裂の限界があると考えられています（ヘイフリックの限界）。染色体にあるテロメアは、細胞分裂ごとに短くなることから、細胞分裂の限界回数を決定しているといわれます。そして老化の原因についても、テロメアによって細胞死がプログラムされていると考えられていました。しかし近年では、テロメアによる老化は、がん細胞などのように異常増殖する細胞を生じさせないための生体防御メカニズムと考えられるようになっています。

2 統合理論の構築に向けて

活性酸素は細胞の構造物を傷つけ、老化を進める物質と考えられています。この活性酸素はとくに、私たちが活動するためのエネルギーを生成するプロセス（エネルギー代謝）において、副産物としてつくられて

❹テロメア
染色体の末端にある構造であり、細胞分裂のたびに少しずつ短くなる。染色体の複製の安定にかかわっていると考えられている。

しまいます。そのためエネルギー代謝プロセスをより多く使うことによって、活性酸素は増え、それだけ生体に悪影響を与えて老化を早める結果となります。カロリー摂取の制限がアンチ・エイジングにつながるのは、カロリーを制限することによって、エネルギー代謝プロセスを利用する頻度が減るため、老化を遅らせることができると、このメカニズムから説明できます。

このように、これまで老化について多くの学説が取り上げられてきましたが、フリーラジカルをはじめ、テロメアの役割やアポトーシス（細胞が自ら死滅する現象）の意義の見直しが行われていくなかで、現在は、これらの学説全体を括るような**統合理論**が模索されています。老化に関係のある疾患の遺伝子研究を通して、どのような遺伝子が老化を規定しているのかも、徐々に明らかにされつつあります。

第3節

老年期の発達課題

学習のポイント

- 代表的な発達理論における老年期の発達の特徴を理解する
- 高齢者における人格やセクシュアリティの尊重について理解する
- 喪失体験とその後の心理過程を、支援の視点から理解する

関連項目
①『人間の理解』▶第2章第1節「人間と人間関係」
⑪『こころとからだのしくみ』▶第1章「こころのしくみを理解する」

1 老年期の発達課題

第1節では、老年期という発達段階は、心身の老化と社会的な役割の喪失への適応が課題となる段階だと説明しました。発達のそれぞれの段階に達成されるべき課題がある、ということを明確に示したのは教育学者のハヴィガースト（Havighurst, R. J.）です。ハヴィガーストは、各発達段階における「発達課題」を示し、それらがその時期に達成されることで健康で幸福な社会的成長が期待できると説明しました（第2章第2節参照）。

一方、発達段階のうち老年期について言及した発達心理学者たちの多くは、明確に発達課題を示しているわけではありません。そこで、それらの発達理論のなかで、老年期の発達段階がどのように説明されているのかをみていくことで、それぞれの発達心理学者が、老年期の発達課題をどのように考えていたのかをみていくことにしましょう（**表3－3**）。

1 ハヴィガーストによる老年期の発達課題

ハヴィガーストは、老年期の発達課題を7つにまとめています。そこでは①身体的老化、②退職、③配偶者の死、④経済的減退にそれぞれ適応し、⑤日常生活を再構成して、⑥同年代の友人関係を形成し、⑦祖父

表3－3　さまざまな発達理論における老年期

発達理論	説明
ハヴィガーストによる発達課題	老年期には、以下のような発達課題がある。 ①身体的老化に適応すること ②退職に適応すること ③配偶者の死に適応すること ④経済的減退に適応すること ⑤日常生活を再構成すること ⑥同年代の友人関係を形成すること ⑦祖父母の役割を獲得すること
エリクソンによる漸成図式による発達理論	**第8段階「老年期」** 心理社会的葛藤「統合」対「絶望」　人格的強さ「知恵」 **第9段階** 第1段階から第8段階までのすべての心理社会的葛藤の否定的側面が経験される。その結果、トーンスタムの「老年的超越」の状態にいたる。
ペックによる心理社会的葛藤	元ビジネスマンの老年期には、以下のような3つの葛藤を経験する。 ①「自我の分化」対「仕事－役割への没入」 ②「身体の超越」対「身体への没入」 ③「自我の超越」対「自我への没入」
レビンソンによる発達課題	**老年期の発達課題** 社会とのかかわりと自分自身とのかかわりに新しい形のバランスを見つけること。 **晩年期の発達課題** 死への道のりに慣れ、死を覚悟をもって迎えること。
バルテスによる生涯発達論	老年期には、非標準的要因（個人的な生活経験などの要因）の影響力が、標準歴史的要因（社会的な出来事や社会情勢などの要因）や標準年齢的要因（人が普遍的にもつ成熟による要因）よりも非常に高くなる。

母の役割を獲得することが、老年期の発達課題であると説明されています。

ハヴィガーストによれば、加齢にともなって感覚器官や知覚・認知の機能が低下し、疾患に罹患しやすくなる老年期には、自身の身体をいたわり、補償していくことが必要です。また、仕事の引退にともない、仕事のない生活に慣れて、職業以外での社会的役割や友人関係を見いだして心理的安定を図るとともに、収入減少に対して生涯の経済的安定を見越した対策を立てることも重要となります。生活全般にわたって、これまでとは異なる生活スタイルを確立し、家族のなかの役割についても、たとえば、祖父母の役割を引き受けるなどして、心理社会的安定を得ることがめざされます。

エリクソン（Erikson,E.H.）による老年期の心理社会的葛藤と第９段階

（１）第８段階「老年期」

エリクソンは、人の人格的な発達を８つの段階に分け、それぞれの段階ごとに特有の心理社会的葛藤を経験し、その葛藤解決の積み重ねによって、個々のパーソナリティが形成されていくと説明しました。老年期は８段階ある最後の段階に位置づけられ、統合と絶望の**心理社会的葛藤**を経験していくなかで、知恵という人格的強さを獲得すると説明されています。

エリクソンの理論では、**生物－心理－社会モデル**に基づいて発達をとらえており、人は、生物的過程、心理的過程、社会的過程のそれぞれの過程が相互に影響し合いながら発達すると説明されています。老年期になると、身体の各器官が加齢とともに機能低下し、生物的過程に大きな変化があります。社会的過程でもそれまでの社会から引退したり、身近な知人を亡くしたりという喪失体験に結びつきやすいライフイベントを経験しやすくなります。自我や個人的経験を体制化する心理的過程では、精神機能の低下に加えて、生物的過程や社会的過程それぞれの喪失体験を自分の自我に取り入れて体制化することが求められます。そのため老年期の心理社会的葛藤は「**『統合』対『絶望』**」であるとしています。このように老年期には、生物、心理、社会の各過程における変化を自分の人生の一部として受け入れるとともに、自分の生や死を単に自分のこととしてではなく、歴史のなかで意味づけて、次の世代に続いていく自身の価値を認めていくことを「統合」と説明したのです。

（２）第９段階と老年的超越

晩年、エリクソンは第９番目の段階をあらたに構想していました。第９段階目となる老年後期には、トーンスタム（Tornstam, L.）が概念化した**老年的超越**❶の獲得が課題となるとエリクソンは説明しています。老年的超越を得ると、それまでの価値観への束縛から解放され、表面的な他者とのつきあいに意味を見いださなくなり、より限定された人との深い結びつきを重視するように変化します。また、私利私欲がなくなるとともに、それまでのよい出来事も悪い出来事も、すべて価値ある体験として人生を肯定できるようになり、時空を超越して他者との結び

❶**老年的超越**
p.182参照

つきを経験するといいます。

人生の晩年に、このような老年的超越の状態に至る人がいるのはなぜでしょうか。エリクソンによれば、第9段階では、高齢者がそれまでの人生のなかで発達段階の順番に経験してきた8つの心理社会的葛藤が、まとめて一度に経験されるといいます。そして、かつて経験したことがない複数の葛藤に対する苦悩の先に、老年的超越の状態に至るのだと説明しています。

エリクソンは、老年的超越に至ることが晩年の発達課題だとは言っていません。しかしエリクソンが構想していた第9段階の老年的超越の状態は、迫りくる死や著しい機能低下に直面した晩年の高齢者の適応のありかたを推測する手がかりと考えることができるでしょう。

3 ペック（Peck,R.C.）による老年期の心理社会的葛藤

ペックは、エリクソンの理論を前提として、ビジネスマンを対象にして、中年期と老年期の心理社会的葛藤を、より詳細に検討しています。ペックによれば、老年期には、①「自我の分化」対「仕事－役割への没入」、②「身体の超越」対「身体への没入」、③「自我の超越」対「自我への没入」、という3つの葛藤を経験するといいます。この3つの心理社会的葛藤からは、ペックが高齢期の発達課題を、それまでのように仕事にこだわり続けるのではなく、仕事を超えた活動にやりがいを見いだすこと、また身体機能の低下にこだわるのではなく身体を超えたところに、楽しみや価値を見いだすこと、そして自分にとらわれるのではなく、自分の生命や死を超えて後世に受け継がれていく感覚を受け入れること、と考えていたといえるでしょう。

4 レビンソン（Levinson,D.）による老年期の発達課題

レビンソンは、1920年から1940年代に生まれた10歳代後半から40歳代後半までの男性を対象としたインタビュー調査から、中年期の発達を理論化した発達心理学者です。そのため、老年期については、「暫定的な見解」として発達課題を論じています。

レビンソンは、老年期を60歳代前半から80歳または85歳頃まで、80歳以降を晩年期としてそれぞれ分けて説明しました。そのなかで、老年期の発達課題は、社会とのかかわりと、自分自身とのかかわりに新しい形のバランスを見つけること、晩年期の発達課題は、「死への道のりに慣れ、死を覚悟をもって迎えること」と述べています。レビンソンが、老年期や晩年期における適応を、どちらかといえば**離脱理論**[2]に基づいて考えていたことがうかがえます。

[2] **離脱理論**
pp.178-179参照

5 バルテス（Baltes,P.B.）による老年期の「獲得と喪失」と「非標準的要因」

バルテスは、生涯発達心理学者ですが、それぞれの発達段階を別々に描写するのではなく、生涯にわたる発達的変化が、どのような要因・メカニズムで生じるのかを理論化しました。

ここでは老年期の発達について、老年期には**非標準的要因**がもっとも強く発達に影響すること（第２章第１節参照）、そして老年期には確かに喪失が増えるものの獲得の部分があることが特徴だと述べられています。

非標準的要因が発達に強く影響するということは、老年期には、人それぞれの個人的な経験が発達に大きく影響するということであり、標準的、典型的な発達を想定しにくくなることを意味しています。そのため、青年期までの発達段階のように、社会的に多くの人に共通した価値を反映した発達課題を想定すること自体が難しくなります。そこで老年期には、個々の高齢者が、高齢となった今の「獲得」に焦点をあてて、必要があれば自分がそれまでもっていた価値を変えるなどして、自分なりの納得を得ながら、その人独自のその人らしさを形成していくことが目標となります。

このことは、ユング（Jung, C. G.）が中年期から老年期を「**個性化の過程**」と表現していることや、これまでみてきた老年期の発達段階・発達課題に、新しい価値観への転換が含まれていることとも合致します。

従来のほとんどの理論では、老年期の発達課題は、喪失への適応という側面だけが強調されていました。そしてそれは後述する離脱理論を背景につくられた発達課題だということもできるでしょう。しかしバルテスの理論では、発達課題という考え方自体が老年期には必ずしも適切ではないことを示唆しています。それと同時に、老年期の人を喪失に対処するだけの存在ではなく、若い世代と同様に、老年期の人がもつ獲得の側面に焦点をあてて自己実現を目指していく存在として位置づけています。つまり、従来よりも能動的で肯定的な高齢者像を想定しているという点で、現在の**プロダクティブエイジング**[3]の考え方につながる老年期の発達観だといえるでしょう。

[3] **プロダクティブエイジング**
p.193参照

2 人格と尊厳・老いの価値

1 人格権と尊厳

「人格を無視された」という表現があるように、人格とは、単にその人の性格傾向をあらわす言葉としてだけ使われるわけではありません。この場合の「人格」とは、人が誰でももっている、社会から認められるべき価値をあらわしているといえるでしょう。それは尊厳と言い換えることもできます。

法律では、その人がもつ、生命・身体・自由・貞操などの人の身体的側面に関する利益、および名誉・信用・氏名・肖像などの人の精神的側面に関する利益を総称して人格権といいます。

またその前提として、憲法第13条ではすべて国民は、個人として尊重されることを定めて、生命、自由および幸福追求に対する国民の権利に最大の尊重が必要であることをうたっています。

つまり私たちは誰でも、存在しているというだけで、人格が尊重される権利をもっているのです。これはもちろん高齢者にもあてはまります。人格を尊重し、尊厳を守るためには、人の生存それ自体に等しく価値を認める態度が不可欠です。

2 人格を尊重する態度

誰にでも人格権があるのに、なぜことさらに、高齢者の人格や尊厳について言及する必要があるのでしょうか。それは、とくに支援を必要としている高齢者の人格や尊厳が、必ずしも尊重されていない場合があるからです。

バトラー（Butler, R. N.）は、年齢を理由にした偏った見方を**エイジズム**[4]と呼んで、高齢者に対して社会が偏った見方を多くもっていることを実証的に明らかにしました。たとえば、ほかの世代の恋愛には違和感をもたないのに、高齢者どうしの恋愛には否定的な態度をもつ人は、知らないうちに「高齢者になれば恋愛なんてしないものだ」という誤った考えをもっていると考えられます。また「歳をとれば誰でも無能になっていく」という思い込みも誤りです。これらはどちらもエイジズムだということができます。なぜこのようなステレオタイプな考えが生じてしまうのでしょうか。

若者には、同じ世代のアイドルグループのメンバーそれぞれの個性がはっきりわかり区別がつくのに、中高年者には、みな似たような顔、似たような性格に見えてしまって区別がつかない、ということがあります。このように人間には、自分が属している集団（内集団）のなかの人についてはそれぞれの個人の違いがよくわかるのに、自分が属していない集団（外集団）の人々は、みな同じような性質をもつようにみてしまう傾向があり、これを**外集団均質性効果**[5]といいます。この効果が介護する人にもはたらいて、高齢者一人ひとりの人格を無視した、ステレオタイプなとらえ方や画一的なかかわりに結びついてしまうことがあります。

それではこうした偏った見方をできるだけしないで、高齢者の尊厳を尊重した態度をもち続けるためにはどうしたらよいのでしょうか。

1つには、私たちが偏った見方をもちやすい傾向をもっているという事実を知り、時々意識的に自分の考えを点検することです。また、高齢者の若いころの写真を見せてもらったりすると、目の前の高齢者が、実は最初から高齢者だったわけではなく、介護福祉士として働く支援者同様に、若いときもあり、仕事や家族をもち、個性豊かに生きてきた1人の生活者だというあたりまえのことに、気づけることがあります。このように、その高齢者に対する介護福祉士の見方が、「高齢者」という自分とは異なるカテゴリから、自分と同じ「**生活者**」というカテゴリに変わっていくことで、高齢者1人ひとりの尊厳に配慮することができるようになり、尊厳を大切にした支援に近づくことができるのです。

[4]エイジズム
pp.172-173参照

[5]外集団均質性効果
自分が属していない集団（外集団）は自分が属する集団（内集団）と比べて、集団内での差異を過小に見積もってしまう心理的傾向。

3 高齢者における「老い」の価値転換

多くの理論において、老年期には、それまでの価値観とは別の価値観を獲得していく高齢者の様子が示されていました。価値観の大きな変化の１つに「老い」についての見方の変化があります。

高齢になると、皮膚が張りを失い、しわが増え、身長も縮み、背筋が曲がってきます。外見の変化だけではなく、物覚えが悪くなったり、老眼が進んで近くのものが見えにくくなってきたり、主観的にも歓迎しにくい変化があらわれると、老性自覚が進むといわれています。そして多くの人がこうした変化を先延ばししたいと思っています。しかし人は誰１人として、老いを避けることはできません。こうして「老い」に向き合うことになったとき、「老い」を否定的にとらえてばかりいると生きる気力を失ってしまいます。

しかし実際には、高齢者のほとんどが気力を低下させているわけではなく、社会に適応しています。それは多くの高齢者が「老い」を肯定的にとらえ、それまでに考えていたよりも前向きにとらえるように価値観を変化させていくからのようです。このような**価値転換**が、老年期の発達を支えています。

4 社会からみた「老い」の価値

高齢者自身が「老い」の価値を変化させるだけではなく、社会も時代とともに緩やかに「老い」のとらえ方を変化させています。その変化は、**エイジング**（加齢）に関する用語の変遷によく示されています。

たとえば、アンチエイジングとは、加齢に対抗し、より健康的に生きようとする志向をあらわしていますが、この志向の背景には加齢、つまり「老い」を否定的にとらえる見方があります。しかし、老いを否定的にとらえない、プロダクティブエイジングという考え方もあります。プロダクティブエイジングの提唱者バトラーは、有償労働だけではなく、相互扶助やセルフケアなどの活動はすべて生産的な活動だとして、プロダクティビティと呼びました。そして人が生涯にわたってプロダクティビティを発揮することが重要だと説明しています。つまり、プロダクティブエイジングでは、若者が生産的で高齢者が非生産的であるのではなく、若い時のプロダクティビティと高齢になってからのプロダクティビティとでは、それが発揮される状況や場面が異なるに過ぎず、どちらかの価値が高いということはないと考えているのです。

このように、社会の「老い」に対する見方には、老いを否定的なものとして遠ざけようとするものから、老いを積極的に意味づけようとするもの、老いを認めて適応しようとするものまでさまざまです。また時代や地域によっても異なります。しかし日本をはじめ、国際的に急速に高齢化が進んできた今日、国際社会全体が「老い」を、これまでよりも肯定的で能動的なものとしてとらえるように変化してきたといえるでしょう。

3 喪失体験とは

1 喪失

「高齢期には喪失体験が多い」といわれることがあります。確かに若いころに比べると、体力も低下しますし、友人の死に直面する機会も増えます。経済的に収入が減少する人も多いでしょう。しかし、老年期において「老い」への意味づけが変化するように、一見すると「喪失」のようにみえる出来事を、高齢者自身は喪失と考えていないこともあります。反対に、思わぬものに喪失を感じる高齢者もいます。ある高齢者は、若いころに集めた音楽テープを、勝手に子どもたちに捨てられてしまったことでひどく落ち込んでしまったといいます。子どもたちからみれば、もう聞くこともできない、古ぼけた、価値のない音楽テープでも、その高齢者にとってはとても心理的に価値のある思い出の品だったのです。子どもたちが、その高齢者の喪失体験を想像できなかった例だといえるでしょう。

このように、物理的な喪失と心理的な喪失は必ずしも一致しません。「**喪失体験**」は心理的な喪失のことです。ですから、高齢者の喪失体験を、周囲の者が勝手に判断することはできません。喪失体験について考えるときには、「同じ出来事でも、喪失体験になるかどうかは、個々の高齢者によって異なる」ということを念頭におく必要があります。このことを前提に、喪失体験についてより詳細にみていくことにしましょう。

2 喪失体験となりやすいライフイベント

老年期におきやすいライフイベントのうち、喪失体験に結びつきやすいと考えられるライフイベントを**表3－4**に示しました。これらのライフイベントは、高齢者のストレッサーとなって心身のストレス反応をもたらし、病気や抑うつ状態を引き起こしやすいものです。

高齢者は、心と身体と社会的状況や経験が大きく関係し合っています。生物－心理－社会モデルをもとに考えると、高齢者は若者よりも、心身のストレスが、容易に身体機能の低下に結びつきやすいことがわかります。

喪失体験の後に、深刻なストレス反応を引き起こさないためには、他者との交流や相談が有効な**コーピング**[6]となることが知られています。

6コーピング
ストレス反応を低減することを目的として人が行うさまざまな対処のこと。生じた否定的な情動を和らげる情動焦点型コーピングと、生じている問題そのものの解決を目指した問題焦点型コーピングがある。

表3－4 喪失体験に結びつきやすい老年期のライフイベント

領域	喪失体験に結びつきやすいライフイベント
友人関係	友人との死別 友人の施設への入所
家族関係	家族との死別（とくに配偶者） 家族との別居・同居 家族関係の悪化 家族の介護
仕事・職業	退職や職業生活の引退 組織のなかでの地位や役割の変更
生活環境	住み慣れた自宅の処分や引っ越し 施設への入居 使い慣れた設備の変更やリフォーム
その他	病気への罹患や悪化 事故 犯罪被害 入院生活 閉経・性機能の低下 物忘れによる失敗やトラブル

閉じこもりがちな高齢者では、他者との交流がなくなり、人に相談する機会自体が極めて少なくなります。日ごろから閉じこもりがちだと、普段はとくに問題がなくても、ひとたび身体的に不調が生じたり、心理的に不安定になったりすると、それがきっかけとなって、急速に身体、心理、社会のそれぞれの側面が機能低下して、時にはそれが生命の危機につながる可能性があります。

3 死別への適応

（1）フロイト（Freud,S.）の悲嘆過程

フロイトは精神分析の理論のなかで、死別後の心理過程について考察しています。フロイトは死別後の心理状態を悲哀といい、この悲哀が癒されて、心が平穏な状態に戻っていく過程のことを**悲嘆過程（モーニング・プロセス**：mourning process）といいました。悲嘆過程では、①対象を失った事実を理解し、受け入れて対処する段階、②失った対象への愛情を引き上げる段階、③情緒生活の再開の段階、の３つの段階を進むとされました。当初は失った事実を認められず（否認）、まるで生きているかのような感覚に襲われます。そして徐々に失った事実を理解しはじめ、時間が経つと、その対象に対する強い情緒が沸き起こり、これが「悲嘆」として経験されます。しかし、多くの人がその後に正常な情緒的生活を取り戻していく、という過程です。フロイトは、このような悲嘆を中心とした心理的な過程を、回避せずに経験していくことで、悲嘆から回復していくことができると考え、これを**グリーフワーク**と名づけました。愛着（アタッチメント）理論を説いたボウルビィ（Bowlby, J. M.）は、愛着対象の喪失という点からグリーフワークを研究し、近親者を失ったときの成人の反応には①無感覚な段階、②失った人物を思慕し探し求める段階、③混乱と絶望の段階、④さまざまな程度の再建の段階、という順序性があることを明らかにしています。

このように悲嘆を段階でとらえる段階モデルは、悲嘆のなかにある人への支援において、状態に合わせた心理的支援が重要であることや、悲嘆が必ずしも「悲しみ」として経験されるわけではなく、無感覚や「怒り」の感情として経験されることがあることを示した点では大きな功績があります。一方、段階が示されたことで、その段階が早く進むようにと、悲嘆への直面化こそがより適応的であり、悲嘆を回避することは病

的であるという誤った認識が支援者のなかに生まれていきました。

（2）新しい悲嘆過程のとらえ方

フロイトの精神分析に基づいた悲哀や悲嘆過程の考え方は、その後の研究の発展によって、定義しなおされ、現在では、当初の理論よりももっと複雑で、他者とのかかわりの重要性を取り入れた、新しい悲嘆理論が用いられるようになっています。ハグマン（Hagman, G.）は、悲哀を、重要な他者が死別したことに対するきわめて多様な反応だと定義しました。そして、悲嘆過程では、失った対象との関係の意味と感情の変容が含まれ、その目標はその人物がいなくても生きていくことを認める一方で、同時に亡くなった人との関係性が亡くなったあとも今なお続いていくことを保証することだと説明されています。また悲嘆からの回復には個人差がきわめて大きいこと、他者や社会的環境が果たす役割の重要性についても指摘しています。

（3）喪失体験後の悲嘆への支援

これらをふまえて、現在、病的悲嘆に陥った人への支援の考え方は、**表3－5**のように考えられています。ここでは病的悲嘆と呼んでいますが、**表3－5**でも説明されているように、病的にみえる反応も、その人にとっては死別という喪失体験が「意味をもち続け、失った対象に対する愛着を保持しようとする方略がうまくいかない」状態だと理解することが大切です。そして、たとえば配偶者を失った高齢者への支援の目標は、死別の事実を認めて、配偶者に向けていた愛着をほかの何かに向けるようにすることにあるのではなく、死別した配偶者に向けた愛着がこれからの生活においても価値あることと考えることができるように意味を探すこと、そして残された人の今後の人生のなかで、死別した配偶者の意味が再構成されることになるでしょう。悲嘆のなかにある高齢者が、ゆっくりと本音を話す場があり、それを誰かがていねいに聴いて、その悲嘆を共有しながら、残された高齢者にとって、配偶者の生きた歴史の意味や価値を、自分の今後の人生に見いだすことができることが目標となるのです。

（4）死別体験へのコーピングの二重過程モデル

悲嘆過程をストレスからとらえたモデルに、二重過程モデルがありま

表3－5　病的悲嘆への支援の考え方

・死別に対する反応は人それぞれで独自である。
・支援者が『病的反応』と呼んでいるものは、病的というよりも、意味をもち続け、失った対象に対する愛着を保持しようとする方略がうまくいかないことである可能性が高い。
・死別後には、意味の危機が生じ、この意味によって個人の生活に構造と実態が与えられる。
・悲嘆感情とは、個人の心理的な過程が外にあらわれてきたものではなく、何らかのメッセージを伝達しようとするその人の努力である。
・悲哀は、本来、他者とともに経験するものであり、死別から生じる問題の多くは、その人が、誰かほかの人と一緒に悲嘆を経験することができなかったことから生じている。

出典：R.A.ニーマイアー編、富田拓郎、菊池安希子監訳『喪失と悲嘆の心理療法』金剛出版、pp.25-41、2007年より作成

す。

死別を体験した人は、愛着を向けていた対象の喪失に心理的に対処しなければならないだけではなく、それに加えて、死別後に生じた、生活上の大きな変化にも対処していかなければなりません。配偶者に先立たれた男性高齢者では、死別後に死亡リスクが高くなることが知られていますが、その背景には、心理的ストレスだけではなく、生活上の大きな変化によるストレスがあることも考えられます。

こうした観点から、ストローブとシュト（Stroebe, M. S. & Schut, H.）は、死別体験のあとの心理過程について、死別へのコーピングに関する二重過程モデルを提唱しています（**図3－1**）。このモデルでは、喪失志向コーピングと回復志向コーピングという2つのコーピングを想定しています。そしてそれぞれのコーピングについて、今はどちらを重視してコーピングするのか、あるいはコーピング自体を回避してコーピングをしないのかを、本人自身が「揺らぎ」ながら決めることができるもので、揺らぐことがむしろ適応的だと述べています。

高齢者の喪失体験への支援においても、二重過程モデルからは多くの示唆をえることができます。1つは、悲嘆からの回復にはグリーフワークだけではなく、生活の立て直しに向けたコーピングが必要であること

図3－1　死別へのコーピングに関する二重過程モデル

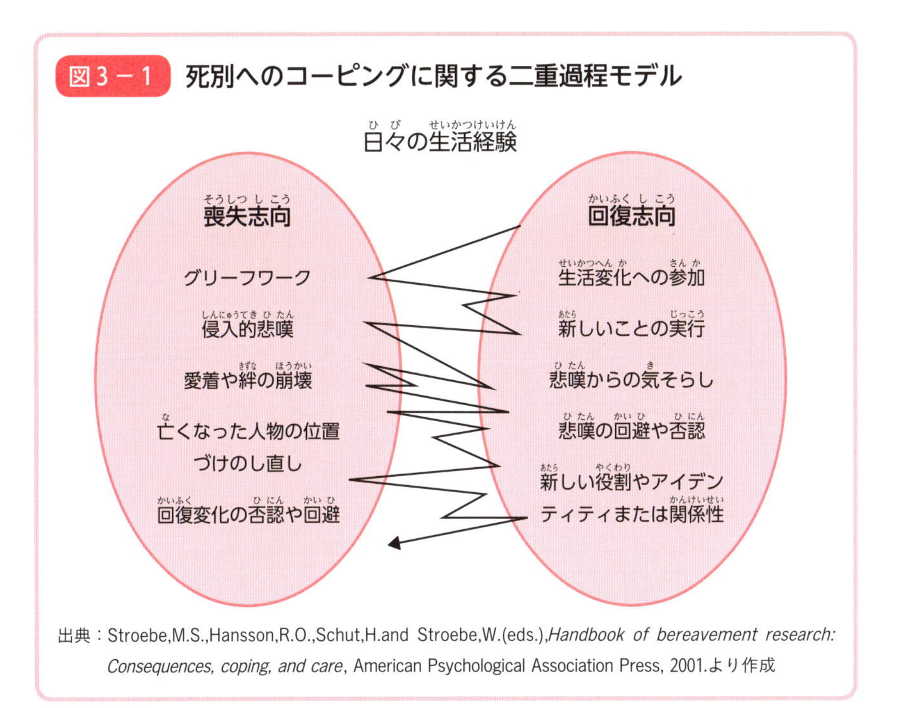

出典：Stroebe,M.S.,Hansson,R.O.,Schut,H.and Stroebe,W.(eds.),*Handbook of bereavement research: Consequences, coping, and care*, American Psychological Association Press, 2001.より作成

です。とくに高齢者では若年者よりも、心と身体と社会の各側面が密接に関係していることをふまえると、心理的支援のみならず生活面での支援が欠かせないといえるでしょう。もう1つの重要な示唆は、コーピングをするかしないか、今は**喪失志向**と**回復志向**のどちらに焦点をあてるかについて、高齢者自身が迷いながら決めていくことの重要性が示された点です。無理に悲嘆に直面化させることは、悪影響があることも実証されています。焦らず、高齢者それぞれのペースに合わせて伴走していくような態度が支援者に求められます。

4　セクシュアリティ

1　セクシュアリティとその権利

セクシュアリティとは、性についてのあらゆる面を含んだ、きわめて広い概念です（**表3－6**）。WHOはセクシュアリティの定義について、すでに1970年代には検討を開始していますが、2021年1月現在、確定した定義を示していません。しかし2002年には性の健康についての会議を

表3－6 WASによるセクシュアリティの定義

セクシュアリティとは、生涯を通じて人の中心的な側面をなすもので、セックス、ジェンダー・アイデンティティ（性自認）とジェンダー・ロール（性役割）、性的指向、エロティシズム、よろこび、親密さ、生殖が含まれたものである。セクシュアリティは、その人の思考、幻想、欲望、信念、態度、価値観、行動、実践、役割、および人間関係を通して経験され、表現されるものである。セクシュアリティは、これらの次元のすべてを含みうるが、しかしそのすべてが常に経験され表現されるわけではない。セクシュアリティは、生物学的、心理学的、社会的、経済的、政治的、文化的、倫理的、法律的、歴史的、宗教やスピリチュアリティの要因の影響を受ける。

表3－7 WASによる性の権利

性の権利は、国際的な法律や人権に関する文書、およびその他の合意文書において、すでに認知されている人権に含まれるものである。それらはすべての人々に対する、強制・差別・暴力からの解放の権利を含んだものである。それは以下の点を目指したものである。

- 性や生殖に関する健康ケアサービスにつながることを含んだ、より高いレベルでの性の健康の標準化
- 性に関する情報を求め、提供され、知らされること
- 性教育
- 身体的な高潔さの尊重
- パートナーを選ぶこと
- 性的活動を行うかどうかの決定
- 合意の上での性的関係
- 合意の上での結婚
- 子どもをもつかどうか、いつもつかを決めること
- 満足した、安全で喜びのある性生活の追求

これらの人権が、責任をもって行使されるためには、すべての人々がその他の権利を尊重することが必要である。

開催して仮の定義を定め、これを受けて開催された「性の健康世界学会（World Association for Sexual Health：WAS)」の会議において、性の健康や性の権利宣言が採択されました（**表3－7**）。ここでは**セクシュアル・ヘルス**（性の健康）を、性に関する身体的、心理的、社会的

に幸福（well-being）な状態であり、生涯にわたって誰もが性についてそれを安全に楽しむことができ、他者からの強制、差別、暴力を受けるべきものではないと規定し、ほかの人権とともに尊重しなければならない権利として性の権利を位置づけています。

またセクシュアリティはいろいろな形で表現されます。必ずしも生殖を目的とした行為だけを指すわけではなく、生活のなかでさまざまな形で表現されるものです。そのためセクシュアリティが不健康な状態になれば、生活全般にわたって不調をきたすと考えられます。

高齢者のセクシュアリティは、エイジズムの影響を受けやすく、高齢者が性的な関心をもつこと自体が社会から非難されることもあり、性の権利が尊重されているとはいえない状況にあります。

2 性機能とセクシュアリティの加齢変化

性機能は加齢にともなって低下しますが、低下の仕方には性差と個人差があります。性ホルモンは思春期に急上昇したあと、ほかの身体機能の老化と同様にゆるやかに減少します。特に女性では、40歳代以降ははっきりと減少しはじめ、膣分泌物が減少して性器がぜい弱になるため、性交渉が苦痛になることもあります。閉経後の50歳代後半では過半数が性交困難だという報告もあります。一方男性の性機能は女性と比較すると維持される傾向があります。

このように性機能の老化に性差があるため、高齢期にはパートナーとの間で性への嗜好や欲求の不一致が生まれやすくなります。性的欲求不満は中高年すべての年代で男性のほうが女性よりも強い傾向がみられます。女性は50歳代後半で欲求不満を覚える人が大きく減り、これは閉経にともなうホルモンの影響が大きいと考えられています。一方男性は、このような大きな変化はなく、70歳代後半であっても3人に1人が不満をもっているという調査もあります。

3 施設入所者のセクシュアリティとその保障

(1) 施設における高齢者のセクシュアリティの保障

あなたは、施設入所者同士の恋愛や性交渉について、どのような考えをもっているでしょうか。

施設で暮らしていても、性の権利を誰しももっていることに変わりはありません。施設に入所している高齢者同士の恋愛や性交渉も、双方が合意のもとであればそれを尊重すべきです。同様に、入所者が自分の部屋でマスターベーションをしていたり、裸の写真などをもっていたりすることに気づいたからといって、それ自体を職員が問題視する必要はありません。本来、セクシュアリティの嗜好はさまざまで、自分の部屋でそれを楽しむことはその人の権利だからです。私たちは自覚のないままに、セクシュアリティをめぐるエイジズムをもってしまいがちです。セクシュアリティが、本質的に人の権利として認められていることを再認識することが必要です。

（2）セクシュアリティにまつわるトラブル

入所者個人のセクシュアリティを保障しなければならない一方で、多くの入所者がいれば、その数だけセクシュアリティの感じ方が存在します。そのため、時にはセクシュアリティのあり方をめぐって施設のなかでトラブルになってしまうことがあります。

たとえば、一方的に、ある入所者から性的関係を求められて不安や恐怖を訴える入所者がいれば、職員は、その人の性を拒む権利を守らなければなりません。また、職員に向けられる入所者のセクシュアリティのなかには、受け入れがたいものもあります。

受け入れがたい性の要求を受けたら、「受け入れられない」「嫌だ」ということをはっきりと伝える必要があります。職員が拒むときはもちろんですが、性を要求されて困っている入所者がいる場合には、嫌だという気持ちを相手に自分で伝えることができるように、職員も支援していくことが望まれます。望まないセクシュアリティを拒むこと自体が権利として保障されているからです。

（3）安全で他者の権利を侵さないセクシュアリティ表出

セクシュアリティの表出の仕方には、直接肌に触れずに行われる情緒的なコミュニケーションから、握手などのスキンシップ、より密着度の高い抱擁、そして性器への接触を求めることまで、程度はさまざまです。それらをどこまで受け入れるのかも人それぞれ異なっています。

ほかの入所者の前で性的な行為があるときは、自分の部屋などプライバシーが守られる場所での性的行為をさりげなく認め、セクシュアリティを我慢してもらうのではなく、安全でほかの人の権利を侵さずに、性の権利を守ることを第一に考えることが大切です。

　また、セクシュアリティが、生活全般にわたって表現されうることを再認識し、施設で暮らす高齢者それぞれの生活の質を維持でき、とくに他者との情緒的な交流やコミュニケーションが得られるような生活環境をつくる工夫をしていくことが望まれます。このように、入所者の健康なセクシュアリティは、生活の質の向上と深く結びついています。

第4節

老年期をめぐる今日的課題

学習のポイント

- 少子高齢化によって生じる「老年期」の変化を理解する
- さまざまな世代の高齢者が、どのような時代背景に生きてきたのか概要を学ぶ

関連項目
②『社会の理解』 ▶第1章「社会と生活のしくみ」
④『介護の基本Ⅱ』▶第1章「介護福祉を必要とする人の理解」

1 日本の高齢化

1 少子高齢化の課題

日本の高齢化率は、世界のなかでも類をみない高さです。日本の総人口は2010（平成22）年ごろにピークを過ぎ、その後は減少に転じています。そのうえ、少子化傾向が続くことや寿命が今後も延び続けることもあり、人口に占める高齢者の割合は上がり続け、今後数十年は高い状態が続くことが予想されています。

このように高齢化が進んだことで、いろいろな課題が生じています。

これまでよりも社会で働くことができる人が減り、人手不足が始まっています。労働人口が少なくなるので、より少ない人数で子どもや高齢者を支えなければならなくなっています。また、社会保障制度も従来のままでは、ひずみが生じてしまいます。さらに、老年期になると認知症を患う人も増え、認知症の人とその家族を社会がどのようにして支えるのかも大きな課題となっています。高齢者のみの世帯が増加した現在、単身の高齢者の閉じこもりや孤独死への対策も注目されるところです。

さらに、高齢化が急速に進んでいるということも、問題を大きくしています。社会のしくみを高齢社会にふさわしいものに、短期間に変えていく必要があるからです。世界に目を向けると、日本に続いて、諸外国

も急速な高齢化が予想されていることから、日本が高齢社会にどのように対処するのかに、世界中が注目しているといえるでしょう。

2 地域での生活の継続をめざして

少子高齢化を受けて、日本は現在、地域包括ケアシステムのもと、高齢になっても地域でできるだけ長く暮らし続けるためのさまざまな方策がとられています。医療や介護が必要な人も、これからは今まで以上に地域で生活できるようにしくみを整えていく必要があります。

ただし、地域といっても、そのつながりの程度やしくみのあり方は、地域によって大きく異なっています。隣の家に誰が住んでいるのか知らない、ということがあたりまえになっている地域もあれば、町内会長の主導で住民全員が参加する行事が行われている地域もあります。そのため、それぞれの地域でどのような地域社会をつくっていくのかを率直に話し合わなければなりません。このような話し合いの場の１つに、地域ケア会議があります。地域にどのようなケア体制が必要なのかを、それぞれの地域ごとに話し合っていくのです。これからの介護福祉士は、こうした場面で、高齢者の自立支援のために必要な提案をしたり、意見を述べたりすることも求められています。そのためにも、高齢者を一律に弱者とみなすこと自体を見直し、従来の高齢者に対するステレオタイプやエイジズムから離れて、一人ひとりの高齢者の状況やニーズを把握することが必要です。

2 現在の高齢者の多様性を理解する

これまでみてきたように、老年期は個人差や多様性が大きくなります。このことに加えて、寿命が延びた結果、高齢者といっても多様な年代が含まれていることが個人差を大きくさせています。つまり、高齢者のなかには数十年も生まれた年が離れている人たちが含まれているということです。たとえば、カラーテレビの放送がはじまった1960（昭和35）年に５歳だった人は、2021年には66歳になり、高齢者となります。一方でこの時に25歳だった人は、2021年には86歳です。どちらも高齢者ですが、５歳で経験した人よりも、25歳で経験した人のほうが、カラーテレビの放送の始まりを記憶にとどめているでしょう。人が過去に経験した出来事に関する記憶は自伝的記憶といわれますが、経験した出来事が均一に記憶されているのではなく、10代から20代頃の出来事をより多く思い出すことが、レミニセンス・バンプとして知られています（第4章第2節参照）。

このことから、同じ高齢者でも、その人が自分の人生を振り返るとき、思い出される社会的出来事が異なり、それだけ影響の受け方も違っていることを理解する必要があります。

コラム　現在の高齢者が生きてきた時代背景

バトラーは、高齢者が思い出話に花を咲かせることには、積極的で適応的な意味があり、心理的安定や生活の質の向上に役立つことを指摘し、回想法を提唱しました。

高齢者の回想を傾聴する際、高齢者がどのように暮らしてきたのかについての個人的な歴史だけではなく、その生きてきた時代背景を知ることで、高齢者の考え方や大切にしていることについて理解しやすくなることがあります。

また、ひとくちに高齢者といっても、年齢には幅がありますから、生まれた年が違えば、経験してきた時代背景も異なるでしょう。**表3－8**に、高齢者の歩んできた時代を代表する出来事や文化を一覧にしました。レミニセンス・バンプを考慮すると、同じ高齢者でも、印象に残っている社会的出来事に違いがあることがうかがえます。

表3－8 高齢者が歩んできた時代

西暦	和暦	主なできごと	話題・流行	流行歌	ラジオ・映画・テレビ
1918	大正7年	シベリア出兵始まる スペイン風邪大流行		浜辺の歌 宵待草	
1919	8年		カルピス	東京節 靴が鳴る	
1920	9年	戦後恐慌始まる 日本初のメーデー（東京・上野）開催	初の国勢調査	叱られて 十五夜お月さん	
1921	10年	尺貫法からメートル法へ		青い眼の人形 赤い靴 どんぐりころころ	
1922	11年	未成年者飲酒禁止法公布 アインシュタイン来日	赤玉ポートワイン グリコ	聞け万国の労働者	
1923	12年	虎ノ門事件 関東大震災	正チヤンの冒険 子どもマンガかるた	船頭小唄 シャボン玉	
1924	13年	皇太子裕仁親王ご成婚 排日移民法施行		あの町この町 ストトン節	
1925	14年	普通選挙法成立 日本初のラジオ放送開始	モボ・モガ	からたちの花 あめふり	
1926	大正15年 昭和元年	大正天皇崩御 明治神宮外苑（野球場）開場	一銭玩具（ビー玉・おはじき）	この道	
1927	2年	兵役法公布 浅草ー上野間に初の地下鉄	日月ボール（けん玉）	ちゃっきり節 赤とんぼ	
1928	3年	大相撲ラジオ実況放送開始 特別高等警察（特高）が全国配置	チャンバラごっこ	船出の港 私の青空	ラジオ「ラジオ体操」開始
1929	4年	上野松坂屋にエレベーターガール登場 世界恐慌始まる	アッパッパ	東京行進曲	
1930	5年	日本初の電気式信号機（日比谷）	紙芝居「黄金バット」	祇園小唄 すみれの花咲く頃	
1931	6年	リンドバーグ夫妻来日 満州事変勃発 東京飛行場（羽田空港）開港		丘を越えて 酒は涙か溜息か こいのぼり	
1932	7年	チャップリン来日 五・一五事件	「のらくろ」玩具	影を慕ひて	
1933	8年	国際連盟脱退 皇太子誕生 昭和三陸地震・津波M 8.1	ヨーヨー ゴム縄跳び	東京音頭 島の娘	
1934	9年	忠犬ハチ公像完成（渋谷） 東北地方大凶作 ベーブ・ルース来日 室戸台風	組立模型 サロンパス	赤城の子守歌 国境の町	映画「にんじん」

西暦	和暦	主なできごと	話題・流行	流行歌	ラジオ・映画・テレビ
1935	10年	眠り病（流行性脳炎）が蔓延 築地中央卸売市場開場		二人は若い 明治一代女	
1936	11年	二・二六事件	アルマイトの弁当箱	東京ラプソディ ああそれなのに	映画「祇園の姉妹」
1937	12年	ヘレン・ケラー女史来日 支那事変	戦争玩具 ミゼット（小型カメラ）	別れのブルース 人生の並木道	
1938	13年	国家総動員法公布 軍需用品の民間使用が禁止（さまざまな代用品）	木炭車	雨のブルース 支那の夜 旅の夜風	映画「愛染かつら」 映画「モダン・タイムス」
1939	14年	横綱「双葉山」69連勝 第二次世界大戦勃発	赤紙・白紙召集 空襲 学童疎開 配給通帳制	一杯のコーヒーから	
1940	15年	西成線列車脱線火災事故 国民服令制定 日独伊三国同盟	隣組	誰か故郷を想わざる	映画「駅馬車」 映画「小島の春」 TV「夕餉前」日本初のTVドラマ
1941	16年	真珠湾攻撃 太平洋戦争勃発 国民学校令（義務教育 8 年制）		めんこい仔馬 たきび	映画「戸田家の兄妹」
1942	17年	ミッドウェー海戦 ガダルカナルの攻防 多くの女性が「もんぺ」姿に		新雪 森の水車	映画「元禄忠臣蔵」
1943	18年	学徒動員（中学生以上の学生動員）始まる 女子挺身隊の動員	防災頭巾	お使いは自転車に乗って	映画「無法松の一生」 映画「姿三四郎」
1944	19年	B29による本土初襲撃 学童疎開始まる	同期の桜		
1945	20年	広島・長崎に原爆投下 終戦 GHQ	終戦放送 闇市 青空教室 紙製玩具（着せ替え人形・福笑いなど）	ラバウル小唄 お山の杉の子	
1946	21年	日本国憲法公布 南海道地震M8.0	空缶玩具 カムカム英語	東京の花売り娘 リンゴの唄 かえり船	映画「カサブランカ」 映画「我が道を往く」
1947	22年	シベリア抑留者の帰国事業開始 浅草花やしき再開園 教育基本法・学校教育法 100万円宝くじ発売 学校給食開始	ブギ・ウギ 絵物語「黄金バット」	とんがり帽子	映画「荒野の決闘」 映画「断崖」

西暦	和暦	主なできごと	話題・流行	流行歌	ラジオ・映画・テレビ
1948	23年	帝銀事件	フリクション玩具	異国の丘 憧れのハワイ航路	映画「酔いどれ天使」
1949	24年	国鉄三大ミステリー事件		銀座カンカン娘 青い山脈 長崎の鐘	映画「晩春」 映画「青い山脈」 ラジオ「上方演芸会」開始
1950	25年	聖徳太子の1000円札発行	きいちのぬりえ	東京キッド 水色のワルツ イヨマンテの夜	映画「羅生門」 映画「また逢う日まで」
1951	26年	第1回NHK紅白歌合戦	パチンコ	上海帰りのリル ミネソタの卵売り	映画「麦秋」 映画「イヴの総て」
1952	27年	サンフランシスコ平和条約 日本人初のボクシング世界タイトル 一般家庭用「小型冷蔵庫」本格発売開始	食用玩具「風船ガム」	テネシー・ワルツ リンゴ追分	映画「風と共に去りぬ」 映画「生きる」 映画「第三の男」
1953	28年	バカヤロー解散 国産第1号「白黒テレビ」発売 NHK・日本テレビ本放送開始	街頭テレビ	君の名は 雪の降るまちを 街のサンドイッチマン	映画「ライムライト」 映画「東京物語」 TV「NHKプロ野球中継」開始
1954	29年	集団就職列車の運行開始 初のプロレス日本選手権	ミルク飲み人形 ゴジラ 貸本屋	お富さん 高原列車は行く	映画「ローマの休日」 映画「七人の侍」 映画「二十四の瞳」
1955	30年	森永ヒ素ミルク中毒事件 国産第1号「電気洗濯機」発売 「自動式電気釜」販売開始 神武景気	三種の神器（白黒テレビ、洗濯機・冷蔵庫） 押し屋	月がとっても青いから この世の花 ガード下の靴みがき	映画「エデンの東」 映画「浮雲」 映画「夫婦善哉」
1956	31年	日本住宅公団が入居者募集開始 国際連合加盟	ホッピング	ケ・セラ・セラ リンゴ村から 若いお巡りさん	映画「狂った果実」 映画「ビルマの竪琴」 TV「東芝日曜劇場」開始
1957	32年	東京都人口が世界都市第1位に 5000円札、100円硬貨発行	赤胴鈴之助 赤ザヤの刀	東京だよおっ母さん 有楽町で逢いましょう チャンチキおけさ	映画「喜びも悲しみも幾年月」 映画「フランケンシュタインの逆襲」

西暦	和暦	主なできごと	話題・流行	流行歌	ラジオ・映画・テレビ
1958	33年	関門トンネル開通 初の電車特急「こだま」運転開始（東京大阪6時間50分） 10000円札発行 東京タワー完成 岩戸景気	フラフープ ロカビリー	夕焼けとんび 無法松の一生 星は何でも知っている	映画「戦場にかける橋」 映画「嵐を呼ぶ男」 映画「大いなる西部」 TV「私は貝になりたい」
1959	34年	ミッチーブーム（皇太子結婚） 週刊少年サンデー、マガジン創刊 伊勢湾台風		黒い花びら 南国土佐を後にして 僕は泣いちっち	映画「十二人の怒れる男」 映画「人間の条件」 TV「おかあさんといっしょ」開始
1960	35年	安保闘争 カラーテレビ本放送開始 ベトナム戦争	ダッコちゃん人形 家付き、カー付き、婆抜き	誰よりも君を愛す アカシアの雨が止む時	映画「ベン・ハー」 映画「アパートの鍵貸します」 映画「悪い奴ほどよく眠る」
1961	36年	世界発の有人宇宙船	ガガーリン「地球は青かった」	上を向いて歩こう スーダラ節 君恋し	映画「ウエスト・サイド物語」 映画「用心棒」
1962	37年	三河島事故 キューバ危機 東京都の人口1000万人突破	青田買い 現代っ子	可愛いベイビー いつでも夢を	映画「キューポラのある街」 映画「ハスラー」 映画「椿三十郎」 TV「愛染かつら」 TV「キューピー3分クッキング」開始
1963	38年	吉展ちゃん誘拐殺人事件（日本初の報道協定） 米ケネディ大統領暗殺 オリンピック景気	巨人、大鵬、卵焼き アニメ「鉄腕アトム」	こんにちは赤ちゃん 見上げてごらん夜の星を 高校三年生	映画「アラビアのロレンス」 映画「天国と地獄」 映画「大脱走」
1964	39年	海外旅行自由化 東京オリンピック 富士急ハイランド開園 東海道新幹線開業、東京モノレール開通、首都高速開通	ワッペン	アンコ椿は恋の花 愛と死をみつめて	映画「マイ・フェア・レディ」 映画「愛と死をみつめて」 映画「砂の女」
1965	40年	東京に初のスモッグ警報発令 電子ジャー登場 いざなぎ景気	アニメ「オバケのQ太郎」 エレキギター	愛して愛して愛しちゃったのよ 柔 函館の女	映画「007／ゴールドフィンガー」 映画「サウンド・オブ・ミュージック」 映画「赤ひげ」 TV「のど自慢素人音楽会（現：NHKのど自慢）」開始

西暦	和暦	主なできごと	話題・流行	流行歌	ラジオ・映画・テレビ
1966	41年	ビートルズ来日 第一次交通戦争 常磐ハワイアンセンター開業	新三種の神器（3C：カラーテレビ、クーラー、自動車） 特撮「ウルトラマン」	骨まで愛して 霧氷 今日の日はさようなら	映画「007／サンダーボール作戦」 映画「メリー・ポピンズ」 映画「白い巨塔」 TV「銭形平次」開始
1967	42年	公害対策基本法公布	ミニスカート リカちゃん人形	帰ってきたヨッパライ ブルー・シャトウ 真っ赤な太陽	映画「007は二度死ぬ」 映画「夕陽のガンマン」 TV「意地悪ばあさん」開始
1968	43年	3億円事件 1000万円宝くじ発売 小笠原諸島が日本に返還	大学紛争 人生ゲーム アニメ「巨人の星」	三百六十五歩のマーチ 恋の季節 伊勢佐木町ブルース	映画「俺たちに明日はない」 映画「2001年宇宙の旅」
1969	44年	東大安田講堂事件 アポロ11号月面着陸	野球拳 アニメ「ひみつのアッコちゃん」	黒ネコのタンゴ いいじゃないの幸せならば 白いブランコ	映画「真夜中のカーボーイ」 映画「男はつらいよ」 TV「サザエさん」開始 TV「水戸黄門」開始
1970	45年	日本万国博覧会開催（大阪） よど号ハイジャック事件 歩行者天国実施（東京、銀座、新宿など）	「タイガーマスク」関連玩具 ボウリング	今日でお別れ 白い蝶のサンバ 知床旅情	映画「明日に向って撃て！」
1971	46年	ニクソンショック 三里塚闘争	「仮面ライダー」関連玩具	また逢う日まで 戦争を知らない子供たち 私の城下町	映画「小さな恋のメロディ」 映画「ある愛の詩」
1972	47年	あさま山荘事件 千日デパート火災 日中国交正常化 上野動物園でパンダ公開（ランラン、カンカン） 札幌オリンピック	スマイルバッジ	女の道 結婚しようよ どうにもとまらない	映画「ゴッドファーザー」 映画「男はつらいよ 柴又慕情」
1973	48年	ハイセイコー人気 巨人V9 大洋デパート火災	オセロゲーム ノストラダムスの大予言	神田川 私の彼は左きき	映画「仁義なき戦い」 映画「燃えよドラゴン」

西暦	和暦	主なできごと	話題・流行	流行歌	ラジオ・映画・テレビ
1974	49年	セブンイレブン１号店開店 長嶋茂雄引退 連続企業爆破事件	ジグソーパズル 超能力（ユリ・ゲラー） オカルト	襟裳岬 あなた 恋のダイヤル6700	映画「エクソシスト」 映画「日本沈没」
1975	50年	ベトナム戦争終戦 国鉄スト権奪還ストライキ 三億円事件時効	黒ひげ危機一髪	およげ！たいやきくん シクラメンのかほり 港のヨーコ・ヨコハマ・ヨコスカ	映画「エマニエル夫人」 映画「タワーリング・インフェルノ」

◆参考文献

- United Nations, 'World Population Ageing 2017', *Department of Economics and Social Affairs Population Division*, 2017.
- Neimeyer,R.A. ed., *Meaning Reconstruction and the Experience of Loss*, APA, 2001.
- ロバート・A・ニーマイアー編、富田拓郎・菊池安希子監訳『喪失と悲嘆の心理療法――構成主義から見た意味の探求』金剛出版、2007年
- 北川公路「老年期のセクシャリティ」『駒澤大学心理学論集』第６巻、2004年
- 日本性科学会セクシュアリティ研究会『カラダと気持ち ミドル・シニア編――40～70代セクシュアリティ1000人調査』三五館、2002年
- 日本老年医学会編『老年医学テキスト 改訂第３版』メジカルビュー社、2008年
- 下仲順子編『高齢期の心理と臨床心理学』培風館、2007年
- WHO,'Defining sexual health:report of a technical consultation on sexual health, 28-31 January 2002, Geneva', WHO, 2006.

演習3－1 「喪失」と「喪失体験」

高齢者にとって「喪失」と「喪失体験」はどのように意味が違いますか。２つの用語の意味の違いをまとめよう。

演習3－2 バルテスの発達理論による老年期の特徴

バルテスの発達理論から老年期の特徴について、空欄に適切な言葉を入れてみよう。

バルテスは人の発達に影響する要因として、［①　　］的要因・［②　　］的要因・［③　　］的要因の３つをあげた。このうち、老年期には［④　　］的要因がもっとも強く発達に影響する。また、バルテスは老年期も、他の発達段階と同様に［⑤　　］の側面があることが特徴だと述べている。

このことから、高齢者は若年者よりも［⑥　　］が大きくなるため、自分の喪失の側面ではなく［⑦　　］の側面に目を向け、自分なりの納得を得ていくことが、心身の健康や適応にとって重要だと考えられる。

第4章

老化にともなうこころとからだの変化と生活

第1節

老化にともなう身体的な変化と生活への影響

学習のポイント

- 加齢にともなう生理機能の全体的な低下について理解する
- 加齢にともなう身体機能の低下を系ごとに学び、それらが日常生活にどのような影響を及ぼしているかを理解する

関連項目 ⑪『こころとからだのしくみ』▶第2章「からだのしくみを理解する」

1 加齢による生理機能の全体的低下

人は、生まれてから時間の経過とともに成長し、老い（老化）を経て、死を迎えます。人の生理的な機能は、成長していく過程のなかで、機能を最大限に発揮したあと、少しずつ低下していきます（図4－1）。これは、人が生きる過程においてほとんどすべての人にみられ、生理的老化と呼ばれています。

生理的老化は少しずつ生じるため、全体的な恒常性を維持する機能は保たれているといわれています。しかし、臓器の予備力が低下するため、疾患にかかったときや急激に障害を受けたときの回復力や、適応力が低下します。また、ストレスを受けたときには、**免疫機能**[1]が十分発揮できないなど、防衛力が低下します。生理的老化がいちじるしく進行し、病的な状態を引き起こすものを病的老化といいます。

[1] **免疫機能**
体液性免疫（抗体をつくって身体を守る）と、細胞性免疫（T細胞が抗原を除去する）がある。

1 恒常性を維持する機能

人の身体には、体内の生理的機能と外部環境のバランスを調整する能力があります。たとえば、体内水分量の体液バランスを維持したり、体温などを一定に保つ能力です。この能力を恒常性の維持（ホメオスタシ

図4－1　加齢にともなう生理機能の変化

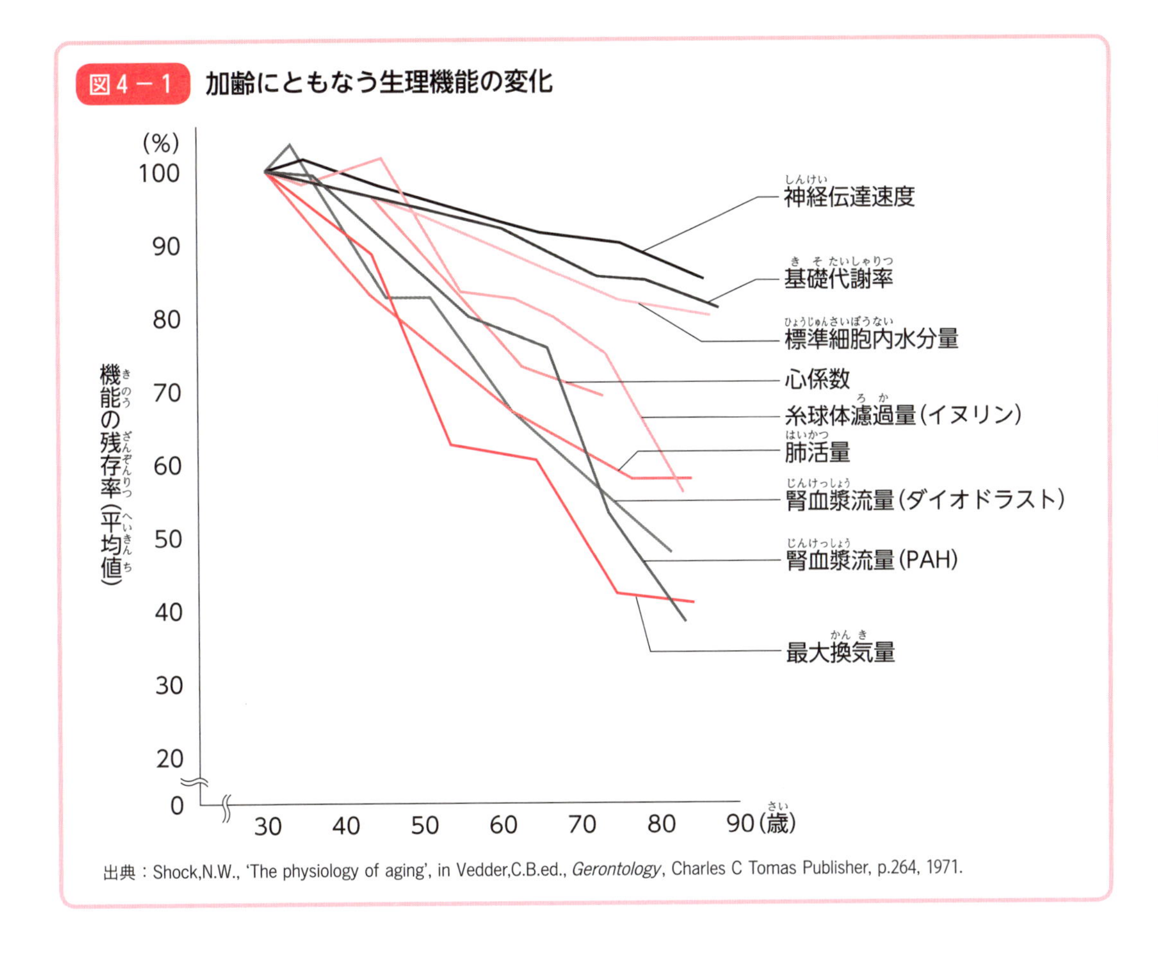

出典：Shock,N.W., 'The physiology of aging', in Vedder,C.B.ed., *Gerontology*, Charles C Tomas Publisher, p.264, 1971.

ス）といいます。

生理的老化は徐々に生じるため、全体としての恒常性は維持されますが、加齢とともに、恒常性にかかわる機能が低下すると、さまざまな影響を及ぼします。たとえば**熱中症**[2]や**脱水症**[3]を起こしやすくなります。

恒常性を維持するためには、予備力、回復力、適応力、防衛力などの力がはたらきます（図4－2）。

❷**熱中症**
pp.281-284参照

❸**脱水症**
p.285参照

2　予備力

予備力とは、その人に備わっている体力や生理的機能の最大の能力と、日常的に使っている能力の差のことであり、身体に蓄えられているゆとりの能力のことです。この能力が十分にあれば、**ストレッサー**[4]が加わってもある程度まで対処できますが、加齢とともに予備力は低下します。たとえば、暑さや寒さに耐えられない、階段を上ると息切れがするなどが起こります。

❹**ストレッサー**
ストレスを引き起こす物理・化学的刺激や環境刺激、心理・社会的因子。暑さや寒さ、大切な人との離別、環境の変化など。

図4－2　加齢にともなう4つの力の変化

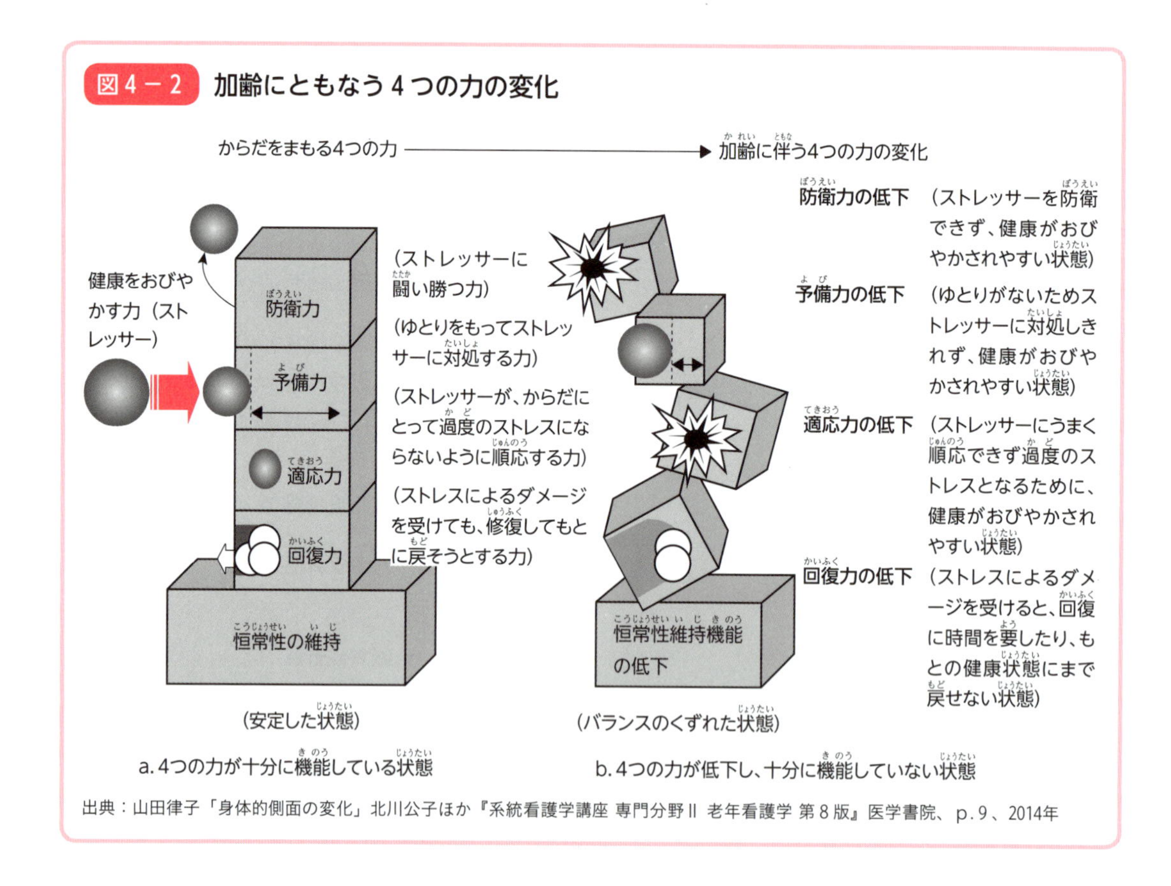

出典：山田律子「身体的側面の変化」北川公子ほか『系統看護学講座 専門分野Ⅱ 老年看護学 第8版』医学書院、p.9、2014年

3　回復力

回復力とは、何らかのストレスを受けたときに、修復してもとに戻そうとする能力のことです。加齢とともに回復力は低下します。たとえば普段しないような無理をすると回復に時間がかかり、病気になるとなかなか治りにくくなります。回復力は、本人の意欲や意思が大きく影響します。また、その人を取り巻く環境が整備されているかどうかも関係します。したがって回復力は個人差が大きいといえます。

4　適応力

適応力とは、ストレッサーが身体にとってストレスにならないように、順応していく能力のことです。加齢とともに適応力は低下します。たとえば、入院や施設入居、引っ越しなどにより、生活環境が変化することにより不安感や心理的なストレスが高まり、新たな病気や症状があらわれる場合があります。また、高齢者では、病気に対する反応が一般成人と異なり、症状や経過が定型的な形であらわれにくい（非定型的）という特徴があります。**心筋梗塞**❺では「無痛性」、**肺炎**❻では「無熱性」が有名ですが、気づかないうちに進行していることもあります。これらは病気への適応力の低下が原因であると考えられます。

5 防衛力

防衛力とは、健康をおびやかすストレッサーを回避したり、たたかったりすることにより、身体の恒常性を保つ能力のことです。加齢とともに防衛力は低下します。たとえば**皮膚のバリア機能**❼の低下によって、外界からの微生物が侵入しやすくなります。また、免疫機能が低下するため、細菌やウイルスなどの**病原体**❽に対する抵抗力が弱くなります。

6 フレイル

（1）フレイルとは

フレイルとは、高齢者の筋力や活力が低下した段階のことで、日本老年医学会が2014（平成26）年５月に提唱しました。今後、後期高齢者の多くが、フレイルという「段階」を経て徐々に要介護状態にいたると考えられています。フレイルの段階は、しかるべき介入によって再び健全な状態に戻るという可能性が含まれています。そのため、フレイルにおちいった高齢者を早期に発見し、適切な介入を行うことで、生活機能の維持・向上をはかることが期待されています。

厚生労働省の報告では、「加齢とともに心身の活力（運動機能や認知機能等）が低下し、複数の慢性疾患の併存などの影響もあり、生活機能が障害され、心身の脆弱性が出現した状態であるが、一方で適切な介入・支援により、生活機能の維持向上が可能な状態像」[1)] とされており、健康な状態と日常生活でサポートが必要な要介護状態の中間を意味します。高齢者においてはとくにフレイルにおちいりやすいことがわかっています。

（2）フレイルにいたるとどうなるか

フレイルの状態になると、死亡率の上昇や身体能力の低下につながり

❺心筋梗塞
動脈硬化などで心臓を取り囲む冠動脈がふさがって血液が届かなくなり、心臓の筋肉が壊死を起こす。

❻肺炎
気道を通して侵入した細菌やウイルスなどの病原体が肺内で増殖し、炎症が引き起こされた状態。

❼皮膚のバリア機能
身体の全表面を覆っている皮膚は強靱で弾力性に富み、外部からの刺激などに対して身体の内部を保護し、内部の水分などが体外に流出するのを防いでいる。こうしたはたらきが皮膚のバリア機能である。

❽病原体
生体に寄生して病気を起こさせる原生動物・細菌・ウイルスなどの生物。

ます。病気にかかりやすくなったり、入院が必要になるなど、ストレスに弱い状態になります。健康な人は風邪をひいた場合、発熱や倦怠感はあるものの数日もすればよくなります。しかし、フレイルの状態になっていると風邪をこじらせて肺炎を発症したり、発熱のためにふらついて転倒し骨折をしたりする可能性があります。また、治療のために入院したものの、環境の変化に対応できず、自分がどこにいるのかもわからなくなることや、結果的に寝たきりになってしまうこともあります。

2 身体的機能の低下と日常生活への影響

1 骨格系・筋系の機能の変化と生活への影響

（1）骨の変化

加齢にともない、骨を破壊する細胞（破骨細胞）のはたらきが活発になり、骨の強さを示す骨密度が低下し骨がもろくなってきます。女性の場合、更年期になると女性ホルモンが減少するためいちじるしく低下します（図４－３）。その結果、**骨粗鬆症**[9]を起こしやすくなります（図４－４）。合併症である骨折は、高齢者の生活の質に大きく影響するため、骨折の予防が重要です。また脊椎の変形により、前屈みで腰が曲がった姿勢になりやすくなります（図４－５）。さらに、加齢とともに脊椎骨が退行性変化を起こします。このため腰痛や下肢痛、しびれが起こりやすくなり、痛みをかばうような歩き方になります。バランスを崩さないように注意することが大切です。

[9] **骨粗鬆症**
pp.202-204参照

（2）関節の変化

加齢にともない、**関節軟骨**[10]のコラーゲン線維が硬くなり、軟骨基質の水分が減少します。関節軟骨に負荷が集中すると、コラーゲン線維が損傷し関節軟骨の変性が起こります。変形した軟骨は関節を動かすことによってすり減り、関節の痛みや関節の運動制限が起こります。

[10] **関節軟骨**
骨の関節面をおおっている、スムーズかつ強靱で弾力性のある組織。構成成分として70%が水分で、その他コラーゲン、グルコサミン、コンドロイチン、ヒアルロン酸が含まれる。

（3）筋肉の変化

加齢にともない、筋が伸び縮みする力が低下します。筋線維の萎縮が

図4－3　骨量の加齢変化

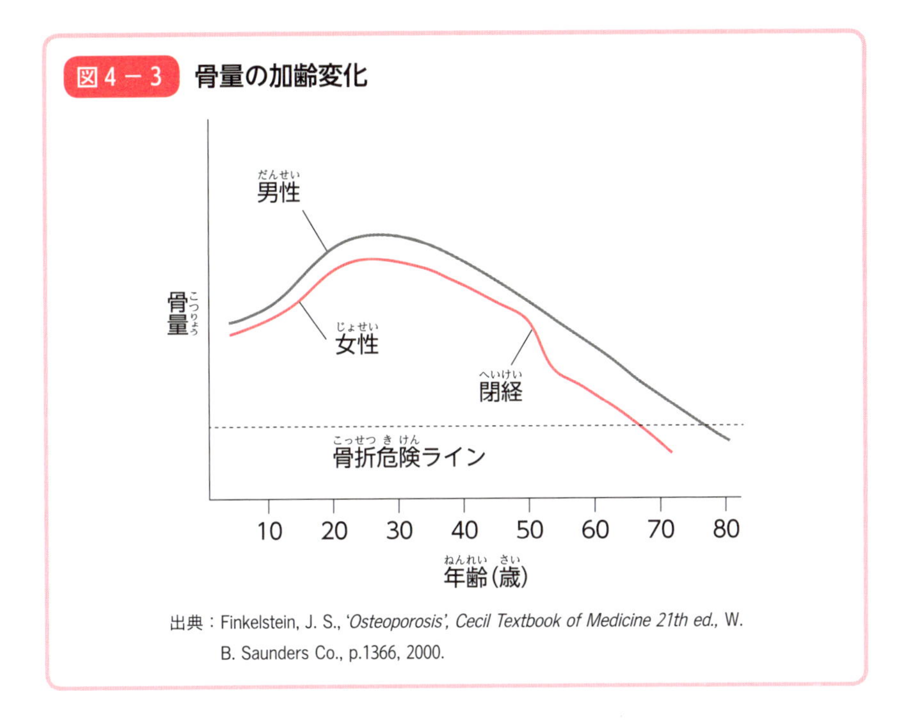

出典：Finkelstein, J. S., *'Osteoporosis', Cecil Textbook of Medicine 21th ed.*, W. B. Saunders Co., p.1366, 2000.

図4－4　骨粗鬆症の年齢別発症率

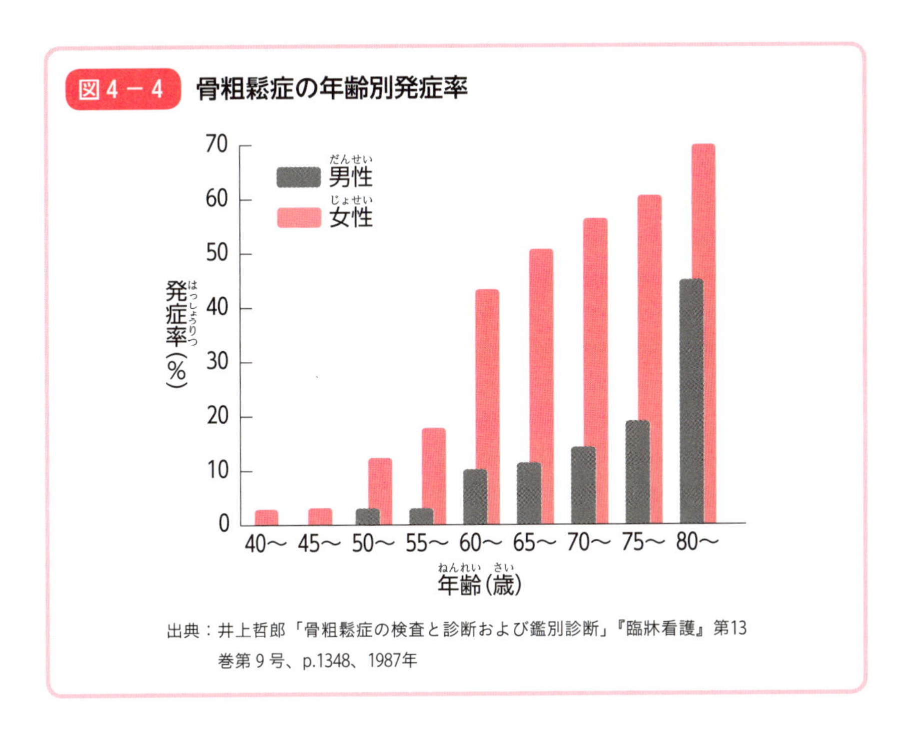

出典：井上哲郎「骨粗鬆症の検査と診断および鑑別診断」『臨牀看護』第13巻第9号、p.1348、1987年

進み、筋力を発揮できなくなります。栄養状態が悪い場合は、さらに筋量は減少し、筋萎縮、筋力低下、持久力も低下します。また靭帯の石灰化により柔軟性も低下します。

高齢になっても下肢に比べて上肢の筋量は維持されています。大腿伸

図4－5　脊椎圧迫骨折による姿勢の変化

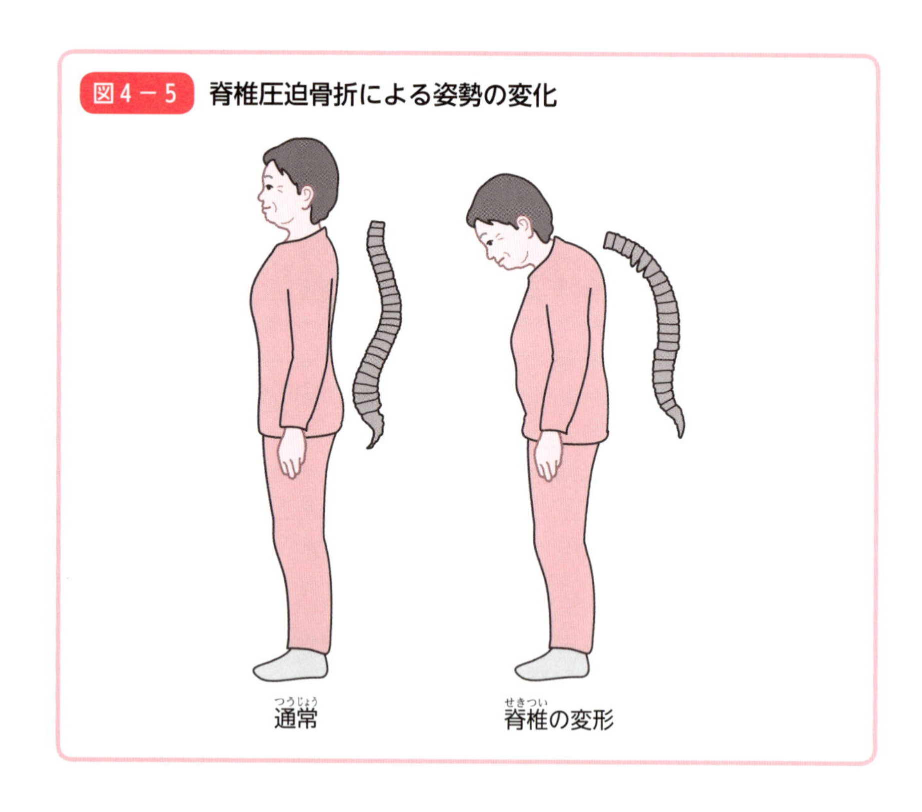

筋群は、加齢とともに減少します。

（4）生活への影響

加齢にともなう柔軟性、バランス力、関節の変化等によって、転倒の可能性が高くなります。高齢者の転倒は骨折につながりやすく、寝たきりになる場合もあります。また、反射的な姿勢をとりにくく、けがや事故につながることもあります。一度転倒を経験した高齢者は、転倒に対する恐怖心をもち、そのことがまた転倒につながるといわれています。恐怖心や痛み、運動器系の障害などがある場合、外出を控えてしまい行動範囲が狭まることもあります。社会との関係が希薄にならないよう注意が必要です。

コラム　ロコモティブシンドローム

ロコモティブシンドローム（運動器症候群）は2007（平成19）年に日本整形外科学会が提唱しました。運動器の障害により移動機能の低下をきたした状態をいいます。運動器は骨や関節、筋肉、神経で構成され、それぞれが連携して身体を自由に動かすことができます。しかし高齢者は、複数の運動器の障害が影響し合い、立つ、歩く、走る、座るなど、日常生活に必要な移動機能が徐々に低下し、要介護状態を引き起こす危険性が高いといえます。

ロコモティブシンドロームの原因には、骨粗鬆症、変形性関節症、脊柱管狭窄症などの運動器の疾患と、筋力低下、持久力低下、バランス能力低下などの加齢などによる運動器機能不全があります。

ロコモティブシンドロームの概念図

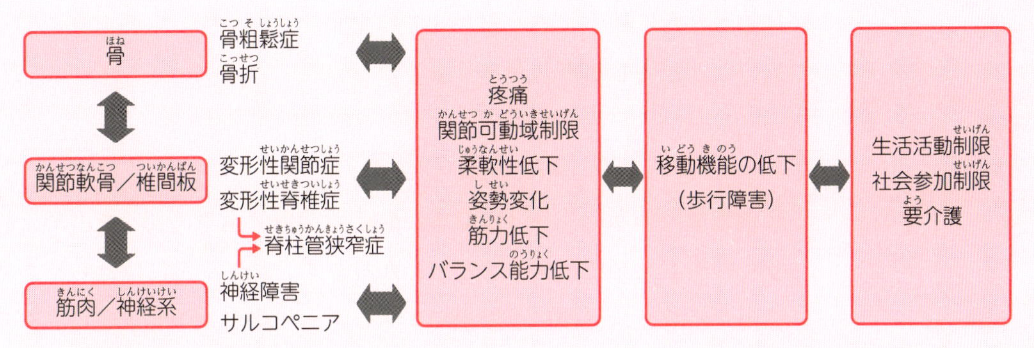

出典：公益社団法人日本整形外科学会「ロコモティブシンドローム――いつまでも自分の足で歩くために（ロコモパンフレット2015年度版）」

コラム　サルコペニア

サルコペニアとは、加齢にともなう骨格筋量の減少と骨格筋力の低下のことをいいます。1989年にローゼンバーク（Rosenberg, I.）によって提唱されました。加齢にともなう筋肉量の減少は、上肢や体幹部と比べると下肢が顕著で、85歳以上では18～24歳の成人の約65%まで減少すると報告されています。また、年齢が高くなるほど、サルコペニアの有病率は増加し80歳以上では約50%にサルコペニアが認められるといわれています。加齢のみを原因とする一次性サルコペニアと、活動・疾患・栄養を原因とする二次性サルコペニアがあります。

2 脳・神経系の機能の変化と生活への影響

（1）脳の重量の減少

成人の脳の重量は、1200～1500 g ですが、20～50歳代をピークに脳の重量は減少します。**アルツハイマー病**[11]や**ピック病**[12]などの病気によって脳の萎縮がいちじるしく進行する場合もあります。

⓫アルツハイマー病
認知症の原因疾患として代表的な疾患の1つ。アルツハイマー型認知症では脳における異常な変化が認められるようになり、慢性的かつ不可逆的な経過で記憶力や思考力の低下をきたす。

⓬ピック病
退行変性疾患の1つ。前頭葉、側頭葉など限局的に萎縮する。人格障害、認知障害、言語障害、感情障害、行動異常、判断力障害などがみられる。50歳代に好発し、若年性認知症の原因疾患の1つとされる。チェコの精神科医ピック（Pick, A. P.）が1898年にはじめて症例を報告した。

（2）脳神経細胞の減少

大脳皮質には約140億の神経細胞（ニューロン）があります。神経細胞は細胞体と神経線維からなっています。中枢神経は多数の神経細胞が神経線維にあるシナプスで接し、神経伝達物質を放出して受け取った情報や刺激をほかの細胞に伝達しています。神経細胞の数やこのはたらきが加齢とともに低下するといわれています。このため、もの忘れや抑うつ気分などが生じる場合があります。

（3）脳の代謝のはたらきの低下

脳の重量は体重の2～3％ですが酸素消費量は全身の20%を占め、脳は多くの酸素を必要とすることがわかります。脳が正常にはたらくためには、グルコース（糖）と酸素のエネルギー代謝が欠かせません。グルコースと酸素は血流により、脳に運ばれます。加齢にともない脳の代謝が低下すると、脳の血流は減少します。

（4）脳神経のはたらきの低下

人間には、12対の脳神経があり、見る、聞く、味わうなどのはたらきをしていますが加齢によりはたらきが低下します。

（5）体温維持機能の変化

人間の体温は、ほぼ37℃に保たれています。これは、細胞がもっとも活動しやすい温度といわれています。通常、体温は一定に保たれていますが、これは熱の産生（産熱）と熱の放散（放熱）のバランスが保たれているからです。

体温の調節には、大脳や間脳の**視床下部**[13]が指令を出しています。衣類を選んだり、室温を適温に調節するのは大脳の指令です。視床下部は自律神経やホルモンの中枢で、体温が一定に保たれるように調節します

⓭視床下部
間脳の一部で、視床の下側にあり、脳下垂体につながる部分。自律神経系の中枢で、体温調節・物質代謝の調節・睡眠・生殖など、生命維持にもっとも重要な統御機能をもつ。

（図4－6）。

熱の産生は骨格筋で行われ、筋肉が収縮することにより熱を発生します（図4－7）。寒いときには、血管を収縮させることにより熱が奪われることを防ぎます。また筋肉を動かすこと（**シバリング**[14]）で熱を産生したりします。さらに、体温の上昇を防ぐために、末梢血管を拡張したり、発汗によって熱を放出します。

汗をかかないでいるとうつ熱状態になり、熱中症を起こすことがあります。

高齢者の場合、基礎代謝や骨量、筋肉量の低下などにより体温にもさまざまな影響がみられます（表4－1）。

⑭シバリング
「身ぶるいする」という意味。熱の出始めに寒気がして身体がふるえる状態のことを指す。また、寒いときに口がガタガタふるえることもシバリングという。

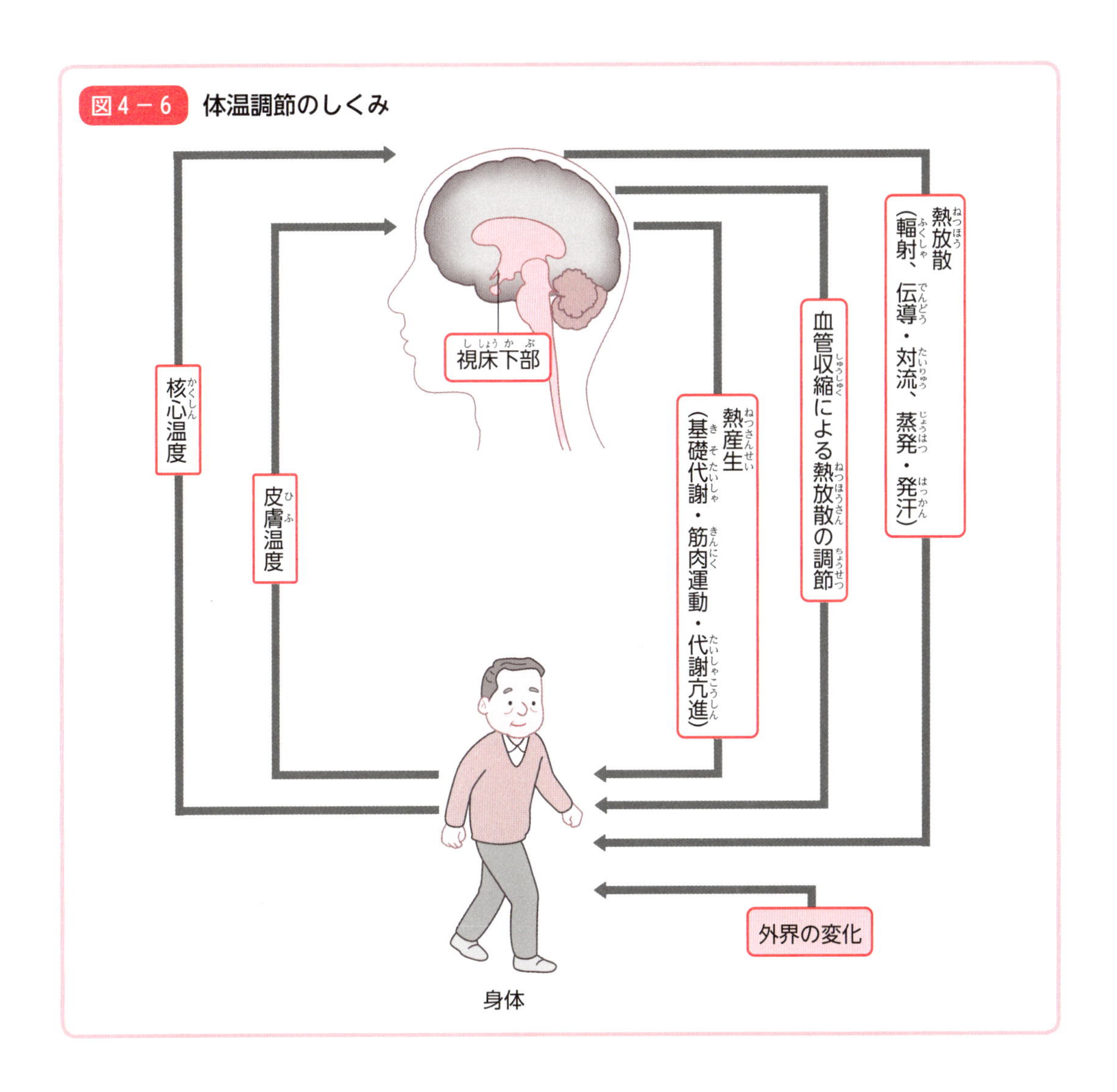

図4－6 体温調節のしくみ

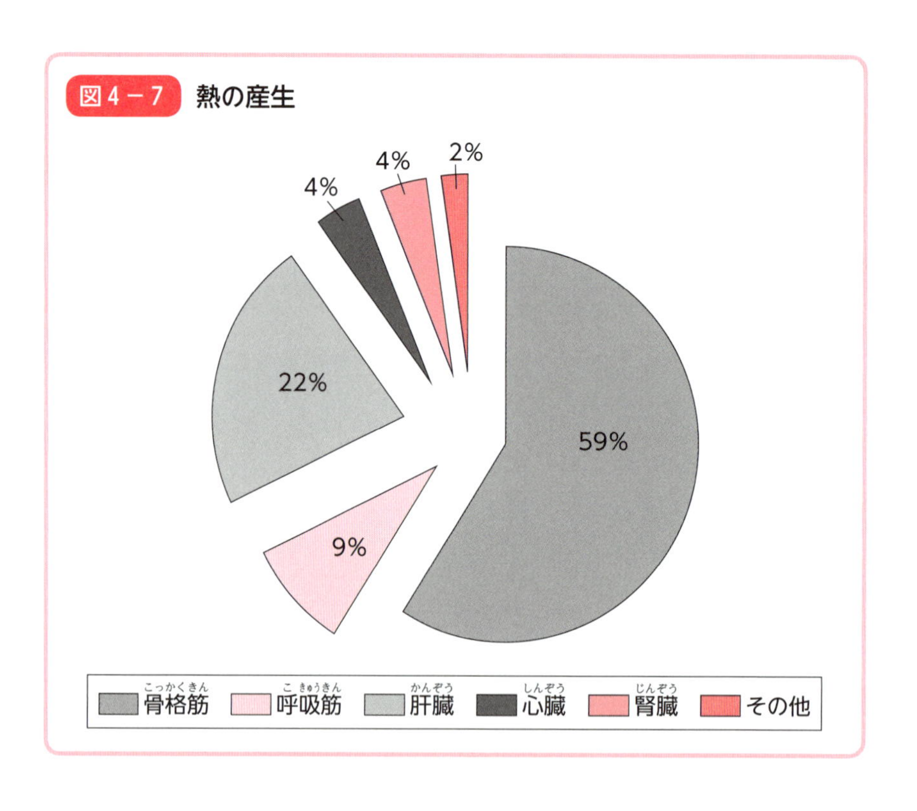

表4－1 高齢期の体温の特徴

① 高齢になると基礎代謝が低下し、30～40歳代と比較すると、男性で20%、女性で15%前後熱産生量の低下がみられる。
② 筋肉量が減少し、熱産生が減少する。
③ 末梢血管の収縮反応が遅くなり、熱の放散が起きやすく低体温になる。
④ 骨量や筋肉量が減少し、活動の低下につながり、骨格筋による熱産生が減少する。
⑤ 暑さ、寒さを感じにくく、反応するのにも時間がかかるようになる。
⑥ 体温調節中枢の機能が低下し、発汗をうながす自律神経から汗腺への指令が遅れる。
⑦ 高温の環境におかれた場合の核心温（身体深部の温度）の上昇度が若い人より大きくなり、熱中症にかかりやすくなる。

（6）末梢神経系の変化

加齢にともない末梢神経の伝導速度は遅くなります。刺激を受けてから反応するまでの時間（反応時間）の遅れは視覚・聴覚や筋力の低下など複合的な要因によって生じます。複雑な運動ほど反応時間が遅くなり、動作が緩慢になります。また自律神経は加齢変化が大きく、血圧の調節作用の低下、肺のガス交換作用の低下、胃酸・消化液分泌量の低下、膀胱収縮作用低下による排泄障害、発汗・発熱体温調節機能低下、嚥下機能の障害などが起こりやすくなります。

（7）生活への影響

もの忘れが起こりやすくなります。もの忘れは病気ではなく、加齢とともに生じ、人や物の名前が思い出せないなど体験の一部を忘れることです。本人はもの忘れを自覚しています。

脳・神経系の加齢変化により、**記銘力**⑮が低下しやすいといわれており、さまざまな情報を記憶することが困難になります。また脳内の情報処理に時間がかかります。さらに神経反射の低下により、とっさの行動がとりにくくなります。たとえば、バランスを崩して転びそうになったときに、すぐに手を前に出すことができず転倒しやすくなります。また知覚反射の遅れもみられるようになり、沸騰したやかんに触れてしまった場合に、反射的に手を離すことができず、やけどにつながることがあります。

⑮**記銘力**
新しく体験したことを覚える能力。

3　感覚器系の機能の変化と生活への影響

（1）視覚機能の変化（図4－8）

視覚は人間の活動において大切な役割を果たします。物の形や大きさ、色、動きなど、外界からの情報の約80％は視覚によるといわれています。

人間の視力は40歳ごろから低下し、75歳を過ぎると急速に低下していきます。視力低下の原因は、水晶体の弾力性の低下や、毛様体筋の萎縮による調節力の低下、光を通す機能（透過性）の低下によるものです。このことにより、近くのものがぼやけて見える、細かい字がかすんで見えにくい、少し暗くなると新聞が読みづらいなどの訴えを聞くことがあります。これを老視といいます。老視は適切な眼鏡の使用によって解消

図4－8　視覚系の変化

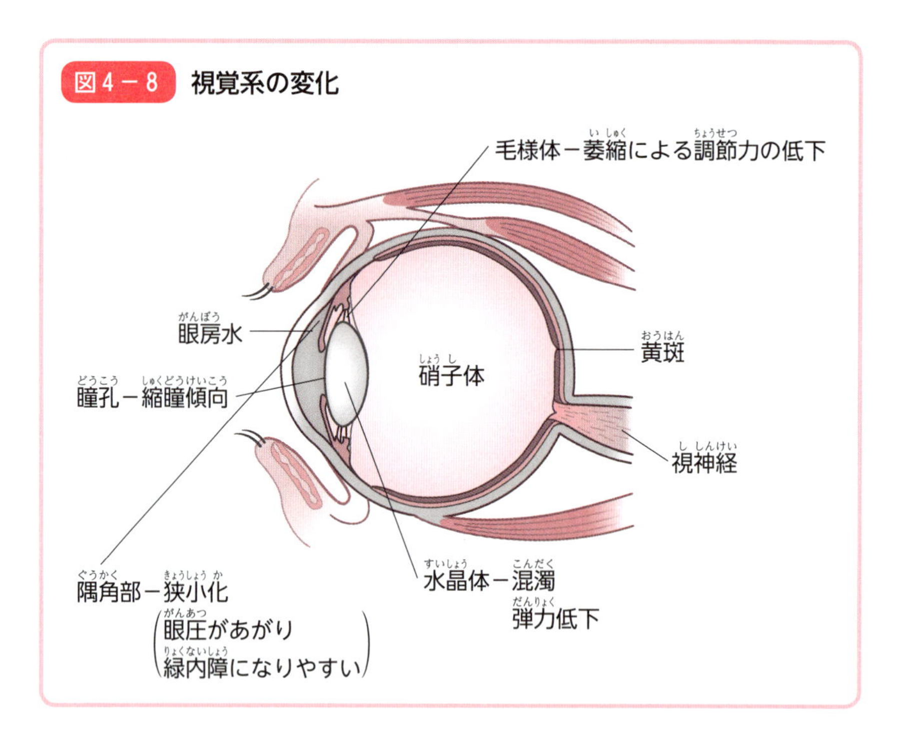

できます。

視野も加齢にともなって狭くなります。加齢にともなう視野の縮小は、**網膜**[16]の神経細胞の減少による感度低下や**視覚伝導路**[17]の機能低下、その他、**眼瞼下垂**[18]や**円背**[19]などが影響しています。とくに上側の見える範囲が狭くなるため、高い場所などにある表示の見落としが多くなります。

光覚は光の明暗を識別する力のことをいいます。加齢とともに**明暗順応**[20]の時間は延長します。暗順応の低下により、明るい場所から急に暗い部屋に入ったときなどに調節に時間がかかります。また暗い場所から明るい場所への移動は羞明が強くなります。

色を判断する色覚は、水晶体の変性によって起こり、透過率が低下し色が黄色みを帯びてくすんで見えたりします。白色と黄色の区別、青色と紫色、青色と緑色の区別などが困難になります。赤色や橙色は目にとまりやすいといわれています。

（2）聴覚機能の変化（図4－9）

聴覚は、他者との音声言語によるコミュニケーションや、音楽を聴く楽しみ、危険の認識など、大切な役割を果たしています。

加齢にともなう聴力の低下は50歳ごろからはじまり、65歳を越えると

⑯網膜
網膜は眼球壁のもっとも内側にある厚さ約0.2mmの透明な膜組織。光（視覚刺激）を感じ取り、それを視覚情報に変換するという重要な役割をもっている。

⑰視覚伝導路
右目と左目の視覚の情報は、右半分の視野は両眼の網膜の左半分に投影され、左半分の視野は両眼の網膜の右半分に投影され、視神経を伝わって脳へ行く。さらに、左右ともに眼球の左側の情報は大脳の左半球に、右側の情報は右半球に伝えられる。

⑱眼瞼下垂
目を開いたときに上まぶたが下がってしまい、黒目に当たる部分が隠されてしまう状態をさす。垂れ下がった上まぶたにより目の一部がおおわれることになるため、視野が狭くなるといった機能障害をもたらすことがある。

⑲円背
脊柱後彎症。さまざまな原因によって、本来は腹部のほうに凸である脊柱が、後方に凸に変形してしまう（背中が丸くなる）病気の総称。

⑳明暗順応
光の強さに対する眼の調節作用。網膜の光感受性が明所で低下（明順応）し、暗所で増大（暗順応）すること。

いちじるしくなるといわれています（図4－10）。もっとも大きな変化は内耳にあらわれ、聞こえにくいだけでなく、音がゆがんで、はっきりと聞こえなくなります。このような難聴を**感音性難聴**といい、高齢者の難聴の多くを占めます。周波数の全領域にみられますが、とくに高音域

図4－9　聴覚系の変化

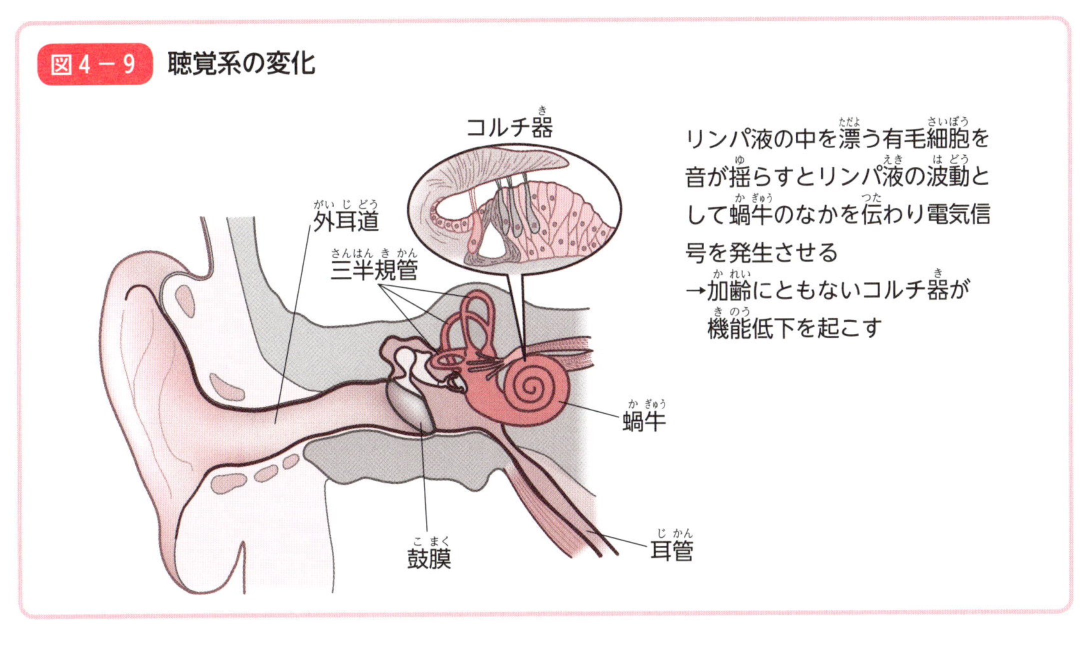

図4－10　加齢による聴力レベルの変化

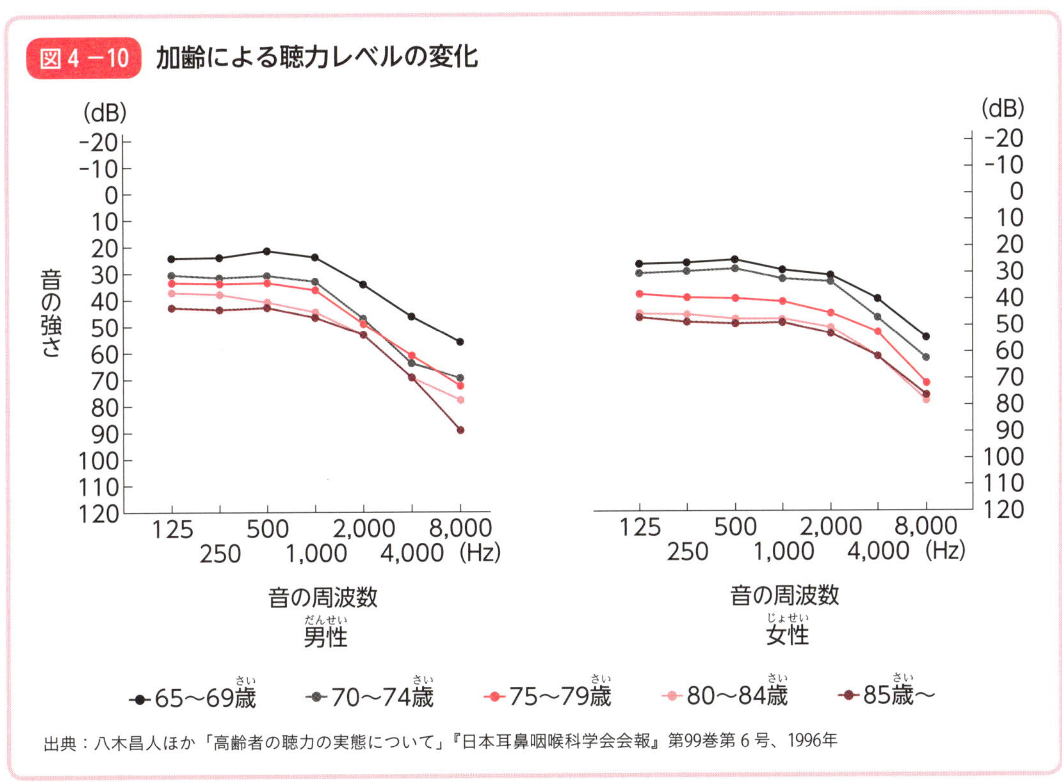

出典：八木昌人ほか「高齢者の聴力の実態について」『日本耳鼻咽喉科学会会報』第99巻第6号、1996年

での聴力低下がいちじるしくなります。低音域は部分的に聞き取ることが可能ですが、一部の高音域が聞き取りにくいため、本人は「変に聞こえる」と感じていることが多いようです。また「1時（いちじ）」や「7時（しちじ）」などの似たような音の聞き取りが悪くなったり、どの方向から音や声が聞こえているのかわかりにくくなったりします。

外耳や中耳の何らかの原因による難聴を、**伝音性難聴**といいます。この難聴は、音が小さく聞こえる状態になるため、**補聴器**[21]の使用により、聞こえやすくなります。

21 補聴器
普通の大きさの声で話される会話が聞き取りにくくなったときに、はっきりと聞くための管理医療機器。

（3）平衡感覚の変化

内耳は**平衡感覚**の機能もになっています。内耳にある前庭と三半規管が担当しています。小脳と連動し、身体の各部の位置関係や回転などの調節を行っています。また身体を移動させるときに、姿勢の維持も行っています。加齢とともに平衡感覚の維持が困難になり、バランスを崩したり転倒しやすくなります。

また、前庭、三半規管、小脳の調節が乱れて、めまいを起こしやすくなり、事故や転倒の危険性につながります。めまいには、**浮動性めまい**[22]、**回転性めまい**[23]、**頭位性めまい**[24]、一過性の脳虚血によるめまいなどがあります。

22 浮動性めまい
身体がフワフワ浮いているような感じ、あるいはユラユラ揺れているような感じのめまいのこと。

23 回転性めまい
「目が回る」「天井がグルグル回る」などと表現されるめまいのこと。内耳と視覚と筋肉からなる、身体のバランスを保つ平衡機能の異常により起こる。

24 頭位性めまい
頭を右あるいは左に傾けて横になることで誘発されるめまいのこと。

（4）嗅覚の変化

加齢とともに嗅覚の機能もおとろえます。腐敗した臭い、ガスの臭いなどに気づきにくくなります。このことによる安全面への配慮が重要です。

（5）味覚の変化

舌の上にある味蕾で味を見分けます。加齢とともに味蕾が減少し、味覚に変化が生じます。高齢者の場合、濃い味のものを好むようになります。しかし近年の研究で、味覚は味蕾の減少にほとんど左右されず、酸味、塩味、甘味、苦みの味の影響はごくわずかであるという報告もあります。味覚に影響を及ぼす原因として、義歯の不具合、唾液の減少、口腔内の清潔の状態、喫煙、疾患や内服薬などがあげられます。

(6) 皮膚機能の変化

皮膚は全身をおおい、身体の内側と外側を分けています。保湿機能とバリア機能をもち、体内の水分が失われないように、また外界から病原微生物が侵入しないように防いでいます。加齢とともに皮膚は薄くなり、弾力を失ってきます。汗腺の数も減少し、外気温に対して、適切に反応できなくなります。

皮脂膜も薄くなり、皮膚が乾燥しやすくなります。皮膚の乾燥は**ドライスキン**[25]といわれ、皮膚のバリア機能が低下し、傷つきやすくなり、細菌が侵入しやすくなります(**図4－11**)。

脂肪組織も薄くなり、しわやたるみもみられるようになります。

また皮膚感覚は、温度覚、触覚、**振動覚**[26]、痛覚などから成り立っています。加齢にともない、皮膚にある感覚受容器(感覚点)の機能が低下し、外界からの刺激に対しての反応が低下します。また、加齢にともなう体温調節機能の低下、寒冷刺激に対する知覚の低下などが、適応力の低下につながります。

高齢者の場合、痛覚の知覚変化は複雑です。普段からあちらこちらに痛みがある場合が多く、身を守る役割を果たしている痛みを感じないまま過ごしていることもあります。

[25] ドライスキン
皮膚の柔軟性が低下し、かたく、もろくなり水分量が減少した状態。

[26] 振動覚
皮膚感覚の1つで触れている物の振動を感じる感覚。

図4－11 正常な皮膚とドライスキン

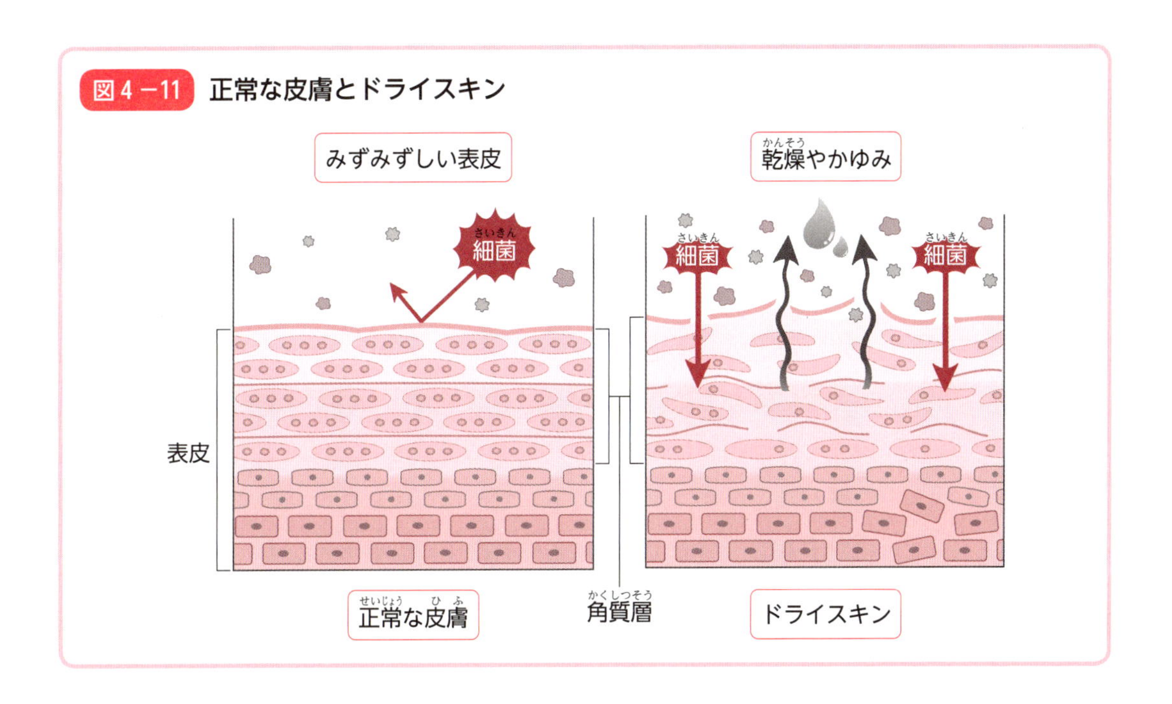

（7）生活への影響

視覚・聴覚機能の変化によりえられる情報が限られてきます。このことにより正しい情報がえられず危険を回避できないこともあります。また、視覚機能の変化における調節力の低下や視野の狭窄によって、歩行時の転倒の危険性が高まります。

高齢者とのコミュニケーションにおいて、声の大きさや高さ、話す速度、文章の長さ、非言語的コミュニケーション、会話に適した静かな環境、内容が伝わっているかどうかの確認が重要です。

皮膚機能の変化によるドライスキンは、皮膚にかゆみを生じます。かくことによってさらにドライスキンを悪化させることになります。また、生理的な原因だけでなく、環境、入浴時のお湯の温度、ナイロン製品などもドライスキンの原因になります。皮膚機能の変化は日常的に全身の状態を観察することが大切で、けが、低体温、やけど、褥瘡の発生などに注意することが必要です。

4 血液・循環器系の機能の変化と生活への影響

（1）血液の変化

血液は**骨髄**[27]でつくられます。加齢とともに造血機能のある赤い骨髄が減少します。高齢になると赤血球の数は減少しますが、白血球はほとんど変化がありません。赤血球の**ヘモグロビン**[28]は、酸素を組織に運ぶ役割をしていますが、赤血球の減少によって、十分な酸素を運ぶことができず、疲労しやすい、身体がだるいなどの訴えが多くなり、活動量の減少につながることもあります。

（2）血管壁の変化

加齢により、血管の内壁にコレステロール等が沈着して**プラーク**[29]を形成し、動脈硬化を起こしやすくなります（図4－12）。動脈硬化は血管壁が厚くなり、弾力が低下してかたくなります。そのため血液の流れに対する抵抗が増すことにより高血圧になる傾向があります。動悸やめまい、ふらふらする、頭痛、息切れ、気分が悪いなどの症状をともなうときは、治療が必要な場合もあります。血管壁の変化は、生活習慣も大きく関係します。

[27]骨髄
骨の中心にある腔所や海綿質の小腔を満たす、細胞と血管に富んだ軟らかな組織。元来は赤色で、赤血球・白血球・血小板をさかんにつくるが、年齢とともに脂肪に置換されて黄色くなり機能を失う。

[28]ヘモグロビン
脊椎動物の赤血球中に含まれる、たんぱく質のグロビンと鉄を含む色素ヘムとが結合した色素たんぱく質。

[29]プラーク
コレステロールや脂肪が内膜に柔らかい沈着物となってたまり、それが厚くなってできた血管のこぶのようなもの。粥腫ともいう。

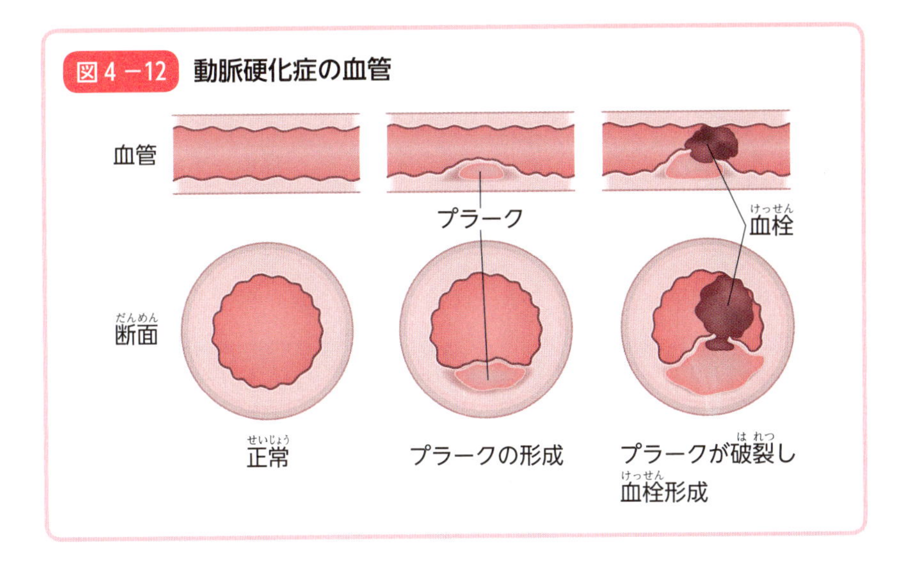

図4－12 動脈硬化症の血管

(3) 血圧の変化

加齢により、**収縮期血圧**[30]の上昇、**拡張期血圧**[31]の低下がみられます。また血圧の変化を調整するはたらきの低下によって、上昇や下降に対応するために時間を要します。したがって、高齢者の場合、急に起こしたり姿勢を変えることによって、起立性低血圧を起こす場合があるため注意が必要です。

(4) 血液を送るしくみ

上大静脈の血液は重力に従って心臓に戻ります。しかし下大静脈の血液は重力に逆らって心臓に戻らなければなりません。そのため下大静脈に並行して走る動脈の拍動や下肢筋肉の収縮の力をえて心臓に戻ります。静脈には弁が付いており血液の逆流を防いでいます（図4－13）。

加齢にともない、**下肢静脈瘤**[32]ができることがあり、静脈炎や血栓を起こすこともあります。足の運動やマッサージ、弾力包帯の使用等などにより血行をうながす必要があります。とくに臥床している時間が長い場合は、足首の運動や膝の曲げ伸ばしなど、レッグパンピング（下肢の筋ポンプ作用）に準じた下肢の運動を行い、血流をよくすることが重要です。

(5) 左心室の肥大

加齢にともない心臓の筋肉が厚くなり、ポンプ機能の役割をになう左

30 収縮期血圧
心臓が収縮したときの血圧。血液が心臓から全身に送り出された状態で、血圧がもっとも高くなるため、最高血圧とも呼ばれる。

31 拡張期血圧
心臓が拡張したときの血圧。全身を循環する血液が肺静脈から心臓へ戻った状態で、血圧がもっとも低くなるため、最低血圧とも呼ばれる。

32 下肢静脈瘤
下肢の静脈にある弁の機能が低下し、静脈血が逆流して、血管がこぶのようにふくらんだ状態。

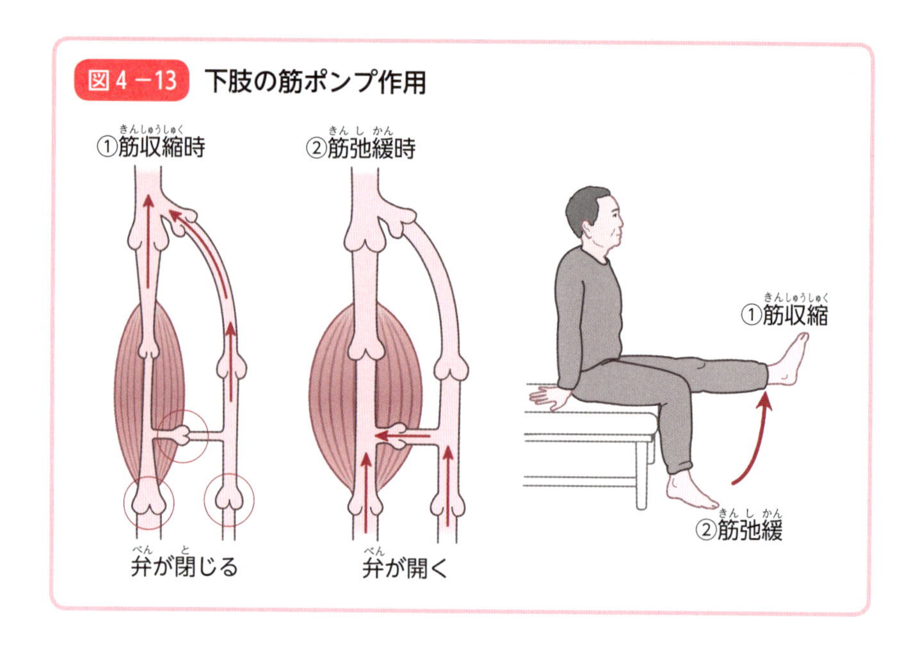

心室の心臓の筋肉が厚くなります。

（6）心拍出量の低下

心臓が1分間に送り出す血液の量を心拍出量といいます。1回あたり約70mlの拍出量です。心拍数が60回の場合は、4.2l/分です。安静時の心拍出量は、成人とあまり変わりませんが、高齢者では運動時でも**最大心拍数**㉝が上がらないため、1分間の心拍出量は増加しません。

㉝最大心拍数
個人が運動量を増加させていったときに可能な最大の心拍数。

（7）生活への影響

運動時に息切れしやすく、強い運動や長時間の運動は持続しにくいといえます。また、最大心拍数が上がらないと、全身への酸素の供給が不足するため、強い運動を持続する力は低下します。

また、血管の弾力性が低下しているため、毛細血管が損傷しやすく、皮下出血を起こしやすくなります。打撲やけがに注意が必要です。

5 呼吸器系の機能の変化と生活への影響

（1）ガス交換機能の低下

肺胞㉞における血液とのガス交換を外呼吸といい、血液と組織の間で酸素と二酸化炭素の交換を行うことを内呼吸といいます。加齢にともな

㉞肺胞
肺のなかで気管支が枝分かれをくり返し、その末端がブドウの房のようになった袋状の部分。

い、肺胞の数の減少、肺胞の弾力性の低下がみられます。そのため、酸素と二酸化炭素のガス交換機能が低下し、**血中酸素分圧**㉟が低い状態になります（**図4－14**）。このため、運動時の息切れが起こります。

㉟**血中酸素分圧**
動脈血酸素分圧（PaO2）のこと。動脈血中にある酸素の量を示している。

（2）呼吸筋の筋量の低下

呼吸に必要な筋肉を呼吸筋といいます。横隔膜、大胸筋、僧帽筋、胸鎖乳突筋、腹筋などです。加齢とともに全身の筋量が減少してくると、呼吸筋の筋量も減り、呼吸する筋力も低下します。これにより、肺での酸素と二酸化炭素の交換（換気）がうまくいかなくなります。さらに、痰を出すには腹圧をかける必要がありますが、筋力の低下により力が入らず、痰が出しにくくなることもあります。

（3）呼吸機能の関連するその他の変化

加齢とともに姿勢は前かがみになります（前傾姿勢）。脊柱が前屈し、胸郭の前後径が広がります。そのため横隔膜が変形し（横隔膜がピンと張られた状態になる）、収縮による上下運動が制限されます（**図4－15**）。息を大きく吸ったり、吐いたりすることに影響し、呼吸が浅くな

図4－14　血中酸素分圧の加齢変化

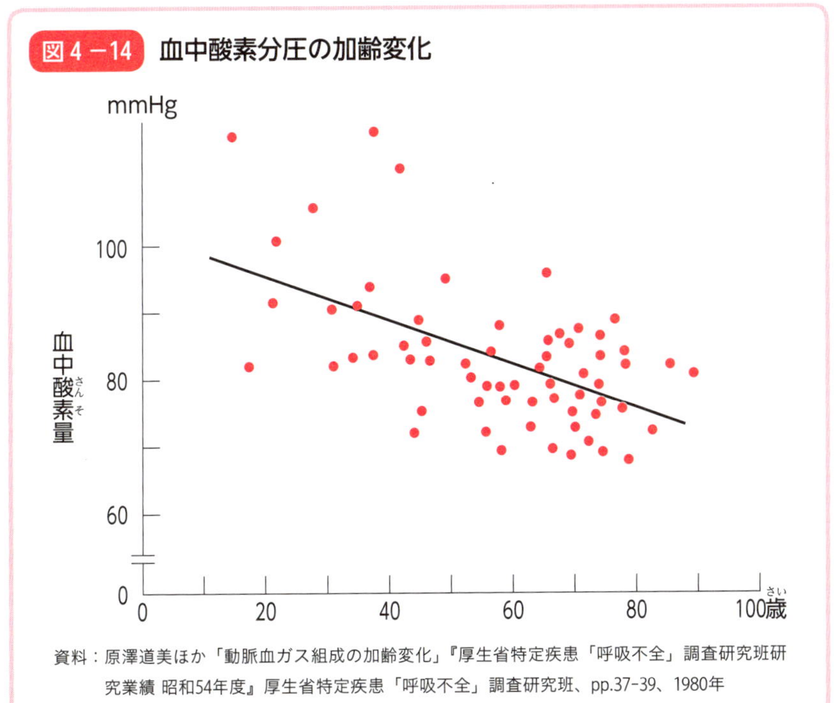

資料：原澤道美ほか「動脈血ガス組成の加齢変化」『厚生省特定疾患「呼吸不全」調査研究班研究業績 昭和54年度』厚生省特定疾患「呼吸不全」調査研究班、pp.37-39、1980年

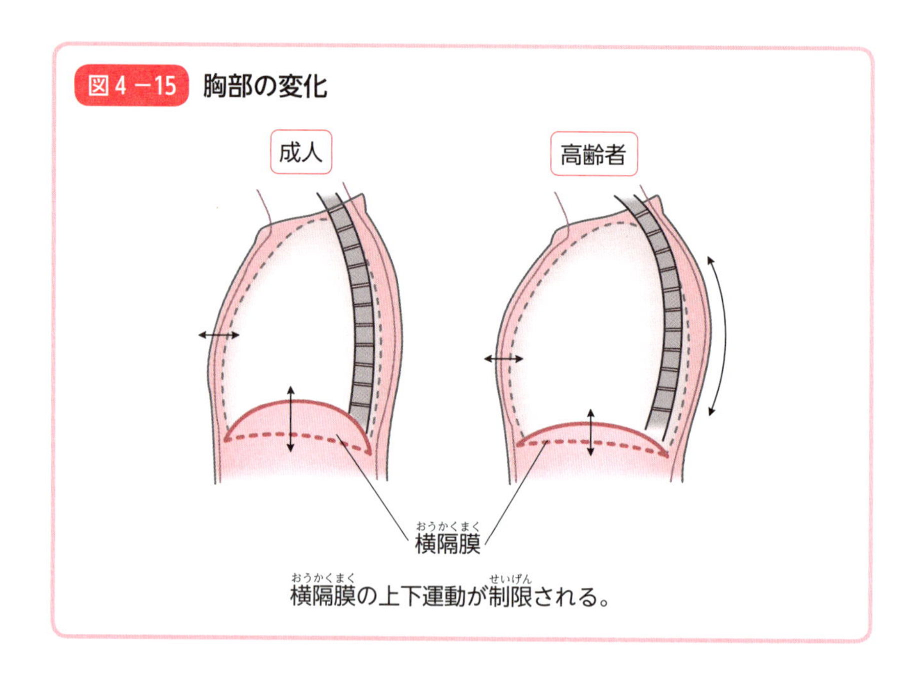

図4－15　胸部の変化

りがちです。また肺活量も減少し、予備力の低下も加わり、軽い運動でも息切れが生じやすくなります。

（4）生活への影響

呼吸機能や酸素飽和度の低下によって、運動時の息切れが起こります。長時間の歩行が困難になり、途中で休憩しながら歩くようになります。また、呼吸運動の制限によって、動作時の息切れや呼吸困難が生じ、努力性の呼吸による疲労感もみられます。さらに、食事を摂取すると胃が膨大し、横隔膜が圧迫されて呼吸運動がさまたげられるため、食後に息苦しさを訴えることもあります。**咳嗽反射**[36]も低下します。

36 咳嗽反射
咳嗽とは咳のこと。異物が気管に入り込んだ際に、強く呼気を出すことで異物を喀出する生体防御反応のことである。

6　消化器系の機能の変化と生活への影響

（1）咀嚼機能の変化

咀嚼とは口に入れた食べ物をかみくだくことです。かみくだくための歯は、加齢とともに摩耗し、もろくなります。歯の老化は**エナメル質**[37]の産生が減少することで、表面にさまざまな物質が付着し、黄ばんで汚れた感じになります。また冷たさや熱さに対して過敏になります。さらに唾液の分泌量、咬筋力（図4－16）、口唇や頬の筋力低下も影響します。

37 エナメル質
歯の表面をおおう、無機成分に富む（97％）組織。歯牙のエナメル芽細胞から生成される。人間の組織のなかでもっとも硬い組織で、内部の象牙質や歯髄を保護している。

図4－16　咬筋群

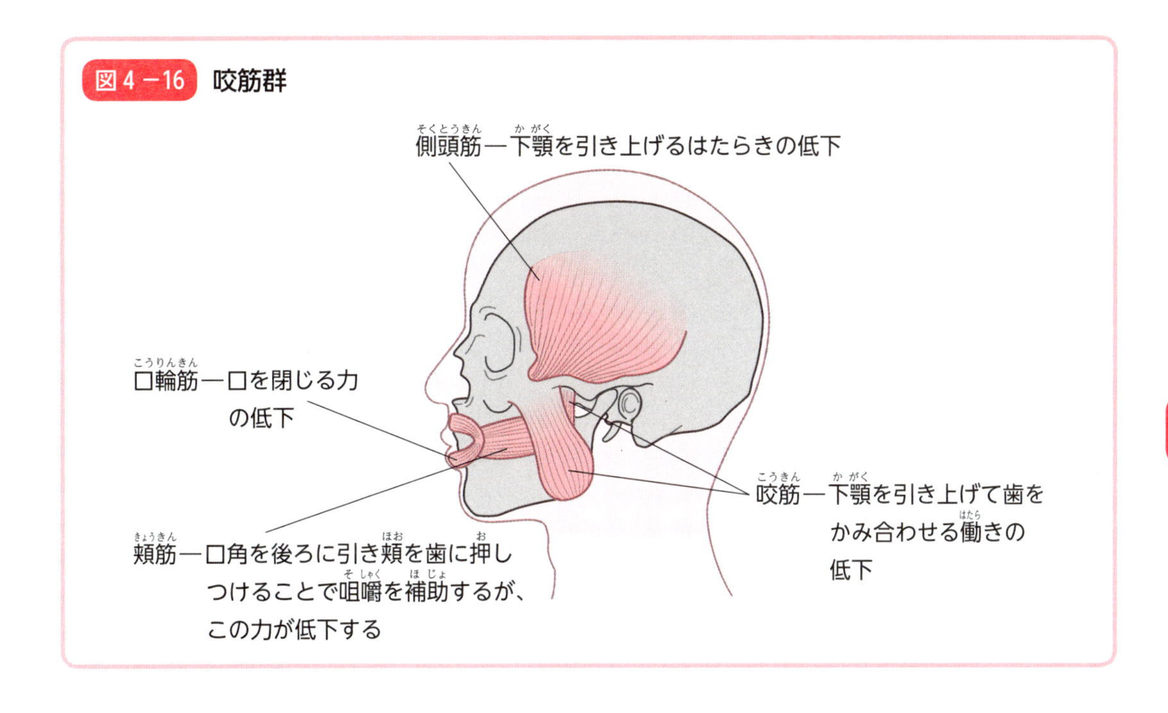

歯肉がやせおとろえたり、**歯周病**[38]により歯が抜けやすくなり、義歯にせざるをえないことも起こります。

38 歯周病
歯をとりまく組織にかかわる病気の総称。歯槽膿漏、歯肉炎・歯周炎など。

（2）嚥下機能の変化

嚥下とは、咀嚼を終えて食塊となった食べ物が、食道を通って胃に送られる一連の過程のことです。

嚥下反射は延髄の嚥下中枢で行われているため、自分の意思でコントロールできません。嚥下時、咽頭からの嚥下反射によって食塊が食道に送り込まれるときには、喉頭が挙上し喉頭蓋が気管の入り口を閉鎖します（図4－17）。その後食道の**蠕動運動**[39]によって食塊は食道内を通過し、噴門にいたります。食塊が逆流しないように、上部食道括約筋が閉鎖し嚥下が終了します。

加齢にともない、舌骨を前上方に引き上げる筋群（舌骨上筋群）、喉頭蓋を閉鎖する筋群（舌骨下筋群）の筋線維の萎縮や緊張の低下が起こります。さらに、靱帯が緩むことにより、舌骨や喉頭の位置が下がることによって喉頭の閉鎖が弱まり、誤嚥しやすくなります。また咳嗽反射が低下し、誤嚥が起こってもむせにくい状態になります。

39 蠕動運動
消化管の一部がくびれて、それがしごかれるように次々に伝わっていき、食べ物を口側から肛門側へと移動させる運動。これにより、食べ物はまぜあわされながら、先に送られていく。

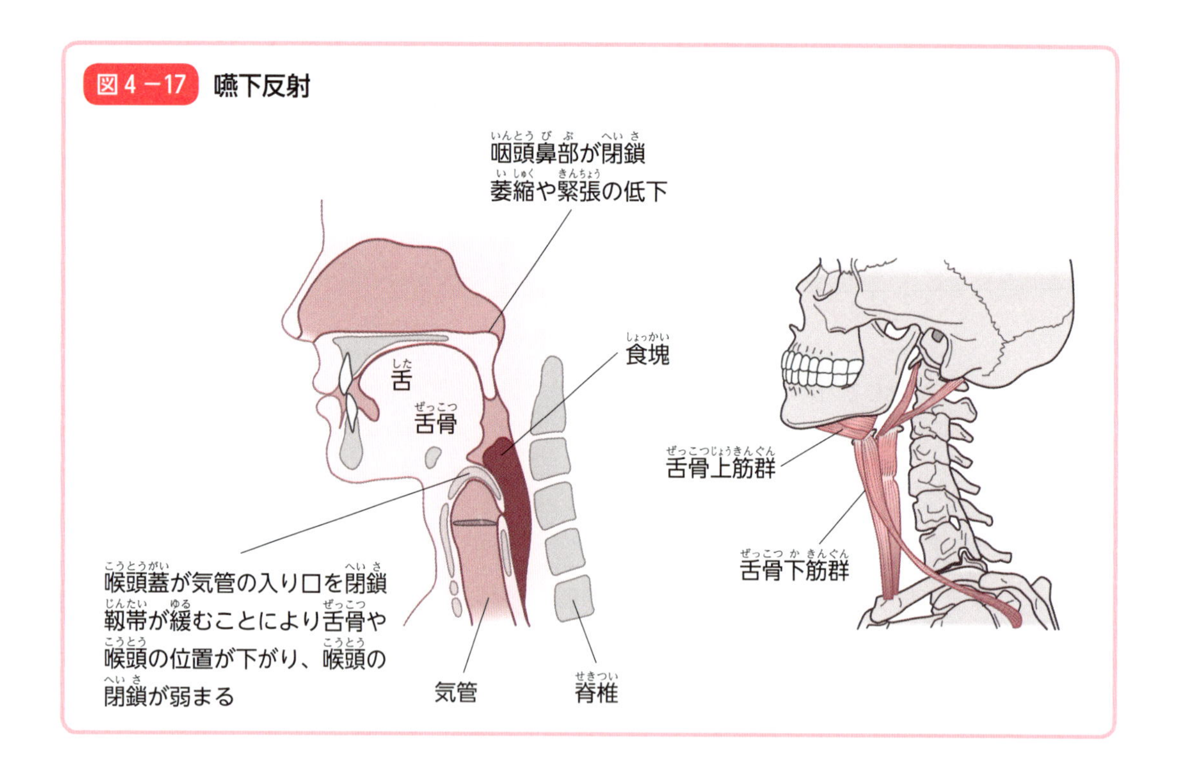

図4－17 嚥下反射

（3）消化吸収機能の低下（図4－18）

食べ物の栄養素を吸収できる形に分解する過程を消化といい、水分や栄養素を消化管壁の細胞膜を通して、血管やリンパ管中に取り入れることを吸収といいます。

加齢にともない、消化液の分泌が減少し、胃壁の運動や腸管の蠕動運動が低下することにより、消化管内での食べ物の停滞時間が延長します。このことが、高齢者の便秘や下痢の原因になっています。

（4）生活への影響

生活への影響は、歯の欠損や義歯が合わないことなどによる唾液の分泌不足により、消化酵素が不足し、食欲低下や消化不良にもつながります。このことが低栄養、体重減少を起こしやすくします。また、咀嚼機能、嚥下機能の低下により、食事に時間がかかるようになります。さらに、腸の蠕動運動の低下により、**腹部膨満**[40]や便秘を起こしやすくなります。

[40] **腹部膨満**
腹部のガスなどによってお腹が張っているように感じること。

図 4 −18　消化機能の変化

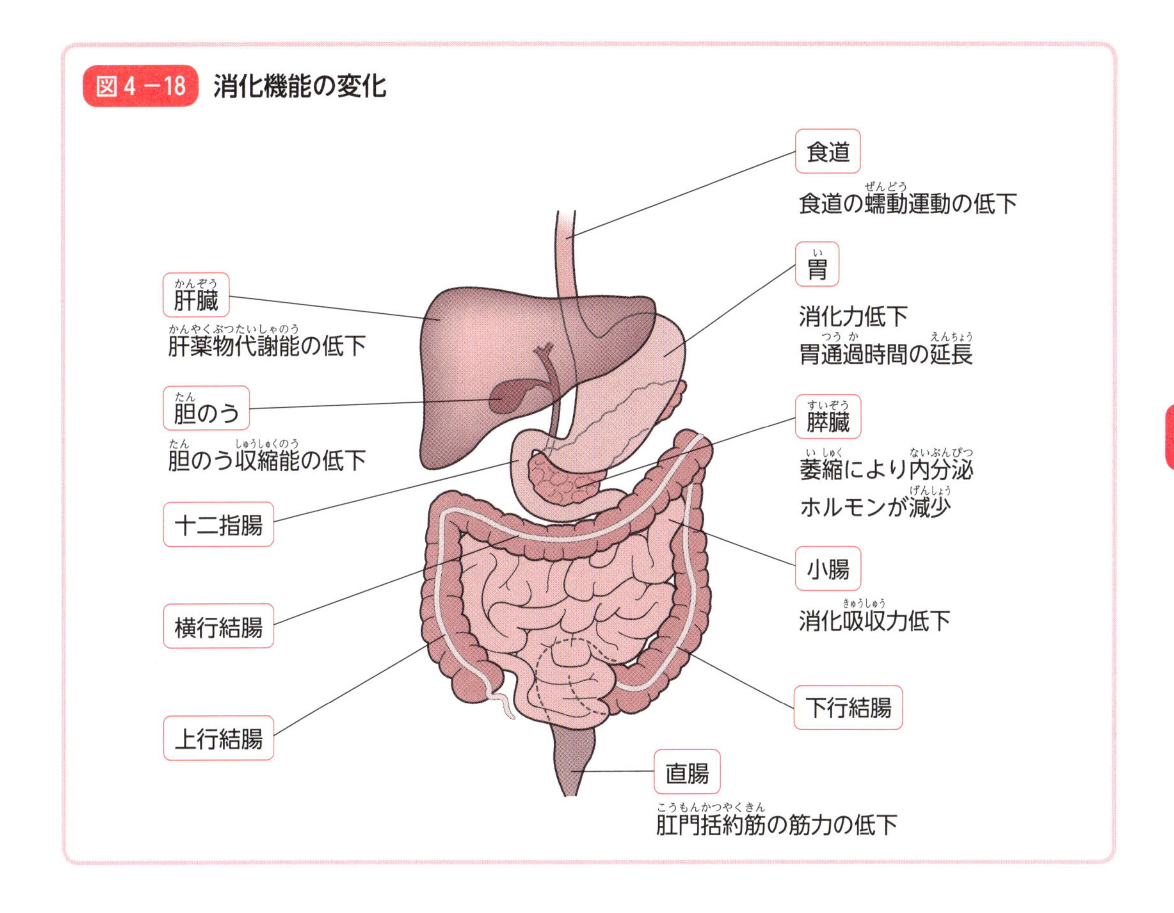

7　腎・泌尿器系の機能の変化と生活への影響

（1）腎臓の変化（図 4 −19）

腎臓は、血液中の老廃物をろ過し、水分とともに尿として排出します。腎臓の機能が低下すると、老廃物や薬物が排出されなくなり体内にたまります。また加齢とともに、**腎血流量**[41]、**糸球体ろ過量**[42]、尿の濃縮力が低下するため、尿回数が増加したり、脱水を起こしたり、塩分が失われやすくなります。さらに、腎臓は恒常性維持に重要なはたらきをしているため、電解質バランスも崩れやすくなります。

（2）膀胱の変化（図 4 −19）

加齢とともに膀胱は収縮力が低下し、尿を出し切れなくなり残尿を起こしやすくなります。また膀胱容量も少なくなり、膀胱内に十分にためることができず頻尿が起こります。高齢者の場合、夜間につくられる尿量が増加するため、夜間頻尿が起こりやすくなります。

41 腎血流量
腎臓に流れる血液量のこと。腎臓には、心臓から送りだされる血液の約20%が流れ込んでおり、臓器の重量あたりの血液流出入量としては、心臓の約 5 倍、脳の約 8 倍もあり、臓器のなかでもっとも血液の流れる量が多い臓器である。腎血流量は毎分 1 〜 1.2 lにもなる。

42 糸球体ろ過量
フィルターの役目を果たす糸球体が 1 分間にどれくらいの血液をろ過し、尿をつくれるかをあらわす。

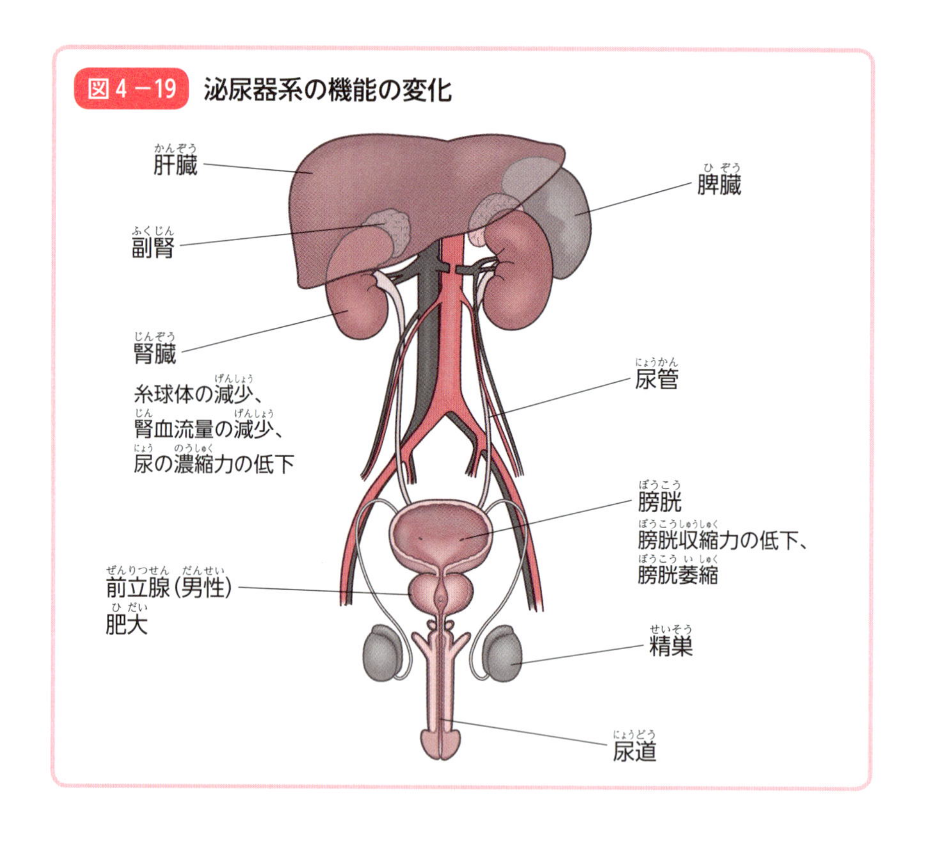

図４－19　泌尿器系の機能の変化

（３）尿道の変化

女性の場合、**骨盤底筋群**[43]の弾力の低下、尿道の長さが３～４㎝と短いことにより尿失禁が起こりやすくなります。男性の場合、尿道の長さは16～18㎝と長く膀胱の出口は前立腺に囲まれています。加齢とともに、前立腺が肥大すると尿道を圧迫して、排尿困難を起こしやすくなります。

[43] **骨盤底筋群**
骨盤の底にあって膀胱や直腸などを支えている筋肉の総称。尿道・肛門などを締める役割も果たし、筋力が低下すると失禁が起こりやすくなる。

（４）生活への影響

生活への影響は、就寝後の排尿回数の増加が、不眠の原因になることがあります。また残尿により、尿路感染も起こしやすくなります。

高齢者に多く生じる失禁は、いくつかの種類がありますが、それぞれ原因が異なります。失禁があるからといって、安易におむつを使用すると、自尊心を傷つけ、生活の質の低下につながることがあるため、注意が必要です。

腎臓のろ過機能の低下により、尿量が増加し脱水を起こしやすくなります。脱水の初期では、何の訴えもないことがあるため注意が必要です。高齢者はトイレの心配があり、水分を控えがちになりやすいため、こまめに水分摂取を行う必要があります。

8 生殖器系の機能の変化と生活への影響

女性では、膣と周囲組織が萎縮して萎縮性膣炎（老人性膣炎）や、膣分泌液の低下による外陰部掻痒症や感染症が起きやすくなります。また加齢にともない子宮が萎縮したり、**子宮下垂**[44]や**子宮脱**[45]も増加します。卵巣の重量は30歳代より減少しはじめ、閉経期では２分の１、80歳代では３分の１にまで萎縮します。卵胞も加齢にともない減少し、閉経すると生殖機能は消失します。しかしセクシュアリティは喪失するわけではありません。

男性では、加齢にともない精巣が萎縮します。精子は生涯生成されますが、数と運動性は減少します。勃起するのに時間がかかり、射精量も減少します。

[44]子宮下垂・[45]子宮脱
子宮が本来の位置よりも下がる状態のうち、子宮の下降が軽度で膣の外に脱出しない状態を子宮下垂、子宮下降の状態が進むと、子宮脱の状態になる。

9 内分泌・代謝系の機能の変化と生活への影響

（１）代謝にかかわるホルモン

糖質・脂質代謝にかかわる成長ホルモンなどが低下すると、筋肉量の減少による筋力や運動能力の低下が起こります。そのため、内臓脂肪の蓄積が進み、脂質異常症などの生活習慣病の引き金になります。

カルシウム代謝にかかわる**カルシトニン**[46]が低下すると、骨のカルシウム遊離が促進され、骨量が減少します。

甲状腺ホルモンの分泌が低下すると、倦怠感、易疲労感があらわれます。

[46]カルシトニン
甲状腺から分泌されるホルモン。骨のカルシウム放出を抑制し、尿中へのリン酸排出、腸管でのカルシウム吸収を促進する。

（２）体液や電解質の調整にかかわるホルモン

夜間睡眠中の抗利尿ホルモンの分泌が低下すると、尿の濃縮機能が低下し頻尿が起こります。また水分の保持力の低下で脱水が起こりやすくなります。

（３）性ホルモン

1 女性ホルモン

卵胞ホルモン（エストロゲン）は、30歳代後半から40歳代まで徐々に低下し、閉経とともに急激に下降します。ほてり・のぼせ・動悸・発汗などの症状があらわれ、更年期障害とよばれています。また骨量も減少するため、骨粗鬆症を起こしやすくなります。

2 男性ホルモン

男性ホルモンの**テストステロン**は、加齢とともに分泌が低下します。これにより、性能力の低下や筋力低下、抑うつ状態が起こってきます。

（4）生体リズムにかかわるホルモン

松果体[47]で分泌される**メラトニン**[48]は、睡眠中に多く分泌され、朝になると低下し生体のリズムの調整に関係しています。加齢にともない屋外での活動量が低下し、日光にあたる機会が減少することにより、睡眠障害が起こりやすくなります。

10 免疫系の機能の変化と生活への影響

細菌などの病原体から、人体を守るために備わっているしくみを**免疫**といいます。人体に悪影響を及ぼす病原体が侵入しても、悪さをしないように免疫機能がはたらき、ダメージを与えないように活動を抑えます。高齢者はさまざまな身体機能の低下が起こりやすく、免疫機能も低下し、感染症や悪性疾患にかかりやすくなります。免疫機能が低下する原因は、**T細胞**[49]の産生を担当する**胸腺**[50]の萎縮、**リンパ球**[51]をたくさん含む**脾臓**[52]の萎縮が、他臓器と比較して早く進むためと考えられています。免疫機能が低下しないよう、規則正しい生活、栄養バランスのとれた食事、十分な睡眠と適度な運動をすることなどが重要です。

[47] 松果体
左右大脳半球の間にある卵形の小体。内分泌器官の1つで、視床の上部に属している。ノルアドレナリン、ヒスタミンなどのほかメラトニンと呼ばれるホルモンを分泌する。

[48] メラトニン
メラトニンは脳の松果体から分泌されるホルモン。日中は光刺激により分泌が抑制され、夜間になるとさかんに分泌され、明暗周期に敏感に反応した日内変動、概日リズムを示す。

[49] T細胞
骨髄で生成されたリンパ球が胸腺に移送されて成熟したもの。B細胞とともに免疫反応に重要なはたらきをする。

[50] 胸腺
リンパ節に似た構造をもち、T細胞とよぶ細胞性免疫を受けもつリンパ球の分化・増殖に関与する器官。人間では胸骨の後ろ側、左右の肺の間の前部にある葉状の腺組織。幼時に発達するが思春期以降は退縮する。

[51] リンパ球
白血球の1つ。骨髄で生成され、リンパ節・胸腺などで分化・成熟・増殖し、免疫を担当する。B細胞（Bリンパ球）・T細胞（Tリンパ球）がある。

[52] 脾臓
胃の左側にあるリンパ系の臓器。リンパ球の生成、老朽赤血球の破壊、血液の貯留などの機能をもつ。

表4－2　加齢にともなう身体機能の変化と日常生活への影響

器官	身体機能の変化	日常生活への影響
骨・関節・筋系	・副甲状腺ホルモン機能の低下→骨組織の変性と萎縮→骨量（骨密度）の減少 ・骨の中のカルシウムの減少 ・椎間板の縮小→胸椎の後方への彎曲の増大（後彎症） ・関節軟骨の弾力の低下・関節の変形 ・関節液の減少 ・骨格筋の減少・筋線維の硬化	・骨粗鬆症、骨折しやすい ・関節可動域の減少 ・関節の痛み ・動かさないと拘縮が起こりやすい ・安定性のない遅い歩行 ・動作が緩慢 ・反射的な防御姿勢が困難 ・手の巧緻性の低下
脳・神経系	・脳細胞の減少と変性萎縮→脳重量の減少 ・脳血管の硬化→脳動脈硬化→脳血流量の減少 ・シナプス伝達機能の低下 ・ホメオスタシスの維持能力の低下 ・ドーパミン分泌量の低下	・認知機能の低下 ・脳内の情報処理に時間がかかる ・外部からの刺激に対する反応の鈍麻（敏捷性の減弱、協調運動や早い変換運動の作業が困難） ・防衛力、予備力、適応力、回復力の低下 ・パーキンソン病の症状が出現
感覚器系	【視覚】 ・水晶体の退化・変性 ・毛様体筋の萎縮 →水晶体の厚さの調整力の低下 ・水晶体の白濁 ・視野が狭くなる	・老視 ・明暗順応の低下 ・視力の低下 ・羞明感 ・黄色が白味を帯び、紺色と黒色の区別がつきにくい ・ものにぶつかる、近くのものを探せない
	【聴覚】 ・蝸牛内の感覚細胞（ラセン器や基底膜の弾性変化 ・聴力の低下（高音域から） ・語音弁別能力、方向感覚弁別能力の低下	・人の声が聞き取りにくく、聞き逃したり、聞き間違いが起こる ・音を区別しにくい、どの方向から音がするかわかりにくい ・危険を察知しにくい
	【平衡感覚】 ・小脳の神経細胞減少、末梢の自己受容器の機能低下 ・平衡機能の低下	・不安定な歩行 ・転倒しやすい

感覚器系	【味覚】 ・味蕾の減少 ・味覚（甘味、塩味）の低下	・味付けが濃くなりやすい ・味気なく食欲低下につながりやすい
	【嗅覚】 ・鼻粘膜の萎縮 ・嗅細胞の減少、嗅神経の変性	・臭いへの反応が鈍く、危険物質への反応が鈍くなる
	【皮膚感覚】 ・表在感覚、深部感覚の低下 ・寒冷刺激や熱産生能力の低下 ・表皮の萎縮、真皮の弾力性の変性 ・皮下脂肪の減少 ・末梢神経線維の減少・変性 ・エクリン腺の密度の低下 ・膠原線維の変性など → ・皮膚受容体の変化 ・温度核の知覚低下	・外的な刺激に対する反応の低下により、危険の回避が遅れる ・発汗減少 ・低体温や高体温を起こしやすい ・低温熱傷を起こしやすい ・適応力の低下 ・しわ、たるみ、乾燥、皮膚の色素沈着、かゆみ ・爪の硬化・変性
循環器系	・心筋収縮力の低下→心拍出量の低下→予備力の低下 ・刺激伝導系の変性→心拍リズムの不整 ・血管壁へのアテローム形成、血栓形成、血管の肥厚・硬化（弾力性の低下）→心肥大、動脈硬化 ・弁膜の肥厚・硬化・石灰化 ・赤血球減少 ・造血・止血機能低下	・労作時動悸、息切れ、呼吸困難 ・不整脈の頻度の増加 ・収縮期血圧の上昇 ・大動脈弁閉鎖不全、僧房弁閉鎖不全 ・貧血になりやすい ・疲労感やだるさの訴え ・出血しやすい、止血しにくい
呼吸器系	・肺組織細胞の減少→肺の縮小、弾力性の低下 ・胸骨、肋骨の硬化、呼吸筋の弾性減弱→呼吸運動の抑制→肺活量の低下、残気量の増加→酸素分圧の低下 ・気管、気管支粘膜の脆弱化 ・喉頭内の声帯の萎縮	・ガス交換が不十分になり呼吸が苦しい ・労作時動悸、息切れ、呼吸困難 ・痰や異物の喀出力の低下 ・大きな声を出しにくい
消化器系	【口腔】 ・歯の脱落、歯根の露出、歯垢や歯石の沈着、歯周組織の老化による歯の保持力低下	・咀嚼力の低下、食べにくい ・口内炎、口臭、口腔内乾燥 ・飲み込みにくい

消化器系	・咬合機能の低下 ・唾液腺機能の低下→口腔内清浄力の脆弱化 ・咽頭の機能低下 【食道・胃】 ・食道の蠕動運動の低下→食塊の食道通過の遅延 ・胃の蠕動運動の低下、消化作用と胃内容物の排出作用の減退 ・消化液の分泌減少 ・大腸の蠕動運動の低下 ・栄養分や水分の吸収能力の低下 ・肝臓での代謝、解毒、胆汁産生機能の低下	・食物が喉につかえた感じ ・食道への逆流、消化吸収能力の低下 ・胃のもたれ、消化不良 ・便秘や下痢 ・脱水症状を起こしやすい ・薬物などの連続投与、過剰投与による中毒症状
腎・泌尿器系	・腎の重量の減少（ネフロンの減少）、腎動脈の硬化→腎血流量の低下→糸球体ろ過量の低下→腎機能低下 ・膀胱の萎縮、平滑筋の線維化、弾性の減少 ・神経伝達鈍麻による膀胱の膨張感の減弱 ・尿道括約筋の弛緩 ・男性：前立腺の肥大	・尿の濃縮作用の低下により尿回数が増加 ・脱水を起こしやすく、塩分も失われやすい ・薬物の排泄力低下 ・頻尿、夜間頻尿、残尿、尿失禁、排尿困難
性殖器系	【男性】 ・精巣の縮小、精子の減少 ・男性ホルモンの分泌減少 【女性】 ・卵巣縮小、閉経 ・女性ホルモンの分泌減少	・勃起能力の低下 ・射精量減少 ・潤滑液分泌時間の延長、量の減少
内分泌・代謝系	・性ホルモンの分泌低下 ・エストロゲンの減少 ・メラトニンの血中濃度の減少 ・基礎代謝量の減少 ・耐糖能の低下 ・コレステロールと中性脂肪の増加	・更年期障害の出現 ・骨粗鬆症→骨折しやすい ・睡眠障害 ・熱産生の低下 ・糖尿病になりやすい ・血圧の上昇、動脈硬化の進展
免疫系	・免疫機能の低下	・感染症や悪性腫瘍にかかりやすい

◆引用文献

1）厚生労働科学研究費補助金厚生労働科学特別研究事業「後期高齢者の保健事業のあり方に関する研究」研究代表者 鈴木隆雄、2015年

◆参考文献

- 高橋龍太郎『図解・症状からみる老いと病気とからだ』中央法規出版、2002年
- 田中越郎『イラストでまなぶ人体のしくみとはたらき 第２版』医学書院、2011年
- 中島紀恵子ほか『系統看護学講座 専門20 老年看護学』医学書院、2005年
- 北川公子ほか『系統看護学講座 専門分野Ⅱ 老年看護学 第９版』医学書院、2018年
- 正木治恵・真田弘美編『老年看護学概論 改訂第２版』南江堂、2016年

演習4－1　老化にともなう身体的な変化と生活への影響

この節における重要語句を理解するため、空欄に適切な言葉を入れよう。

1．恒常性を維持するためには、予備力、①、適応力、②などの力がはたらく。
2．高齢者では、病気に対する反応が一般成人と異なり、症状や経過が定型的な形であらわれにくい特徴がある。心筋梗塞では③、肺炎では④が有名である。
3．フレイルとは、高齢者が⑤や⑥が低下した段階のことである。
4．加齢にともない、骨を破壊する細胞のはたらきが活発になり、骨の強さを示す⑦が低下し骨がもろくなる。女性の場合、更年期になると女性ホルモンが減少するためいちじるしく低下し⑧を起こしやすい。
5．筋肉の変化において、⑨伸筋群は、加齢とともに減少する。
6．高齢者の転倒は⑩につながりやすく、寝たきりになる場合もある。
7．ロコモティブシンドロームとは運動器の障害により⑪機能の低下をきたした状態をいう。
8．サルコペニアとは、加齢にともなう⑫の減少と骨格筋力の低下のことをいう。
9．成人の脳の重量は1200～⑬グラムであるが、加齢にともない減少し、脳の⑭も減少する。
10．脳神経系の加齢変化により、⑮が低下しやすいといわれている。
11．加齢にともなう視野の縮小は、⑯の神経細胞の減少による感度低下や視覚伝導路の機能低下などが影響している。
12．高齢者の難聴の多くは⑰難聴であり、とくに⑱域での聴力低下がいちじるしくなる。
13．高齢者の皮膚感覚機能の変化に対して日常的にけが、低体温、やけど、⑲の発生などに注意することが重要である。
14．血液は⑳でつくられる。赤血球の㉑は、酸素を組織に運ぶ役割をしている。
15．加齢により、血管の内壁にコレステロール等が沈着し、㉒をおこしやすくなる。
16．血圧は、加齢により㉓血圧の上昇、㉔血圧の低下がみられる。
17．肺胞における血液とのガス交換を㉕といい、血液と組織の間で酸素と二酸化炭素の交換を行うことを㉖という。
18．高齢者は、呼吸機能や酸素飽和度の低下によって、運動時の㉗が起こりやすい。また㉘反射も低下する。

19. 高齢者は、歯肉がやせ衰えたり、[㉙]により、むし歯や歯が抜けたりしやすくなり、[㉚]にせざるを得ないこともある。

20. 加齢にともない、舌骨上筋群、舌骨下筋群の筋線維の萎縮や緊張の低下が起こる。さらに、靭帯が緩むことにより、舌骨や喉頭の位置が下降することによって[㉛]の閉鎖が弱まり、[㉜]しやすくなる。

21. 高齢者は、消化吸収機能の低下にともない、[㉝]、体重減少を起こしやすい。

22. 加齢とともに、[㉞]、糸球体ろ過量、尿の濃縮力が低下するため、[㉟]が増加しやすい。

23. 高齢者はトイレの心配があり、水分を控えがちになりやすいため、こまめに水分摂取を行い[㊱]を防ぐ。

24. 松果体で分泌される[㊲]は、睡眠中に多く分泌され、朝になると低下し生体のリズムの調整に関係している。

25. 細菌などの病原体から、人体を守るために備わっているしくみを[㊳]という。

26. 免疫機能が低下する原因は、T細胞の生産を担当する[㊴]の萎縮、リンパ球をたくさん含む[㊵]の萎縮が進むためと考えられている。

27. 皮膚の乾燥は[㊶]といわれ、皮膚の[㊷]機能が低下し、傷つきやすくなり、細菌が侵入しやすくなる。

28. 通常、体温は一定に保たれているが、熱の[㊸]と熱の放散のバランスが保たれているからである。

29. 体温の調節には、大脳や間脳の[㊹]が指令をだして調節している。

30. 汗をかかないでいるとうつ熱状態になり、[㊺]を起こすことがある。

第2節

老化にともなう心理的な変化と生活への影響

学習のポイント

- 老化による認知機能・知的機能の変化について理解する
- 老化によるパーソナリティ（性格）の変化について理解する
- 老化による適応や動機づけへの影響を理解する

関連項目 ⑪『こころとからだのしくみ』▶第1章「こころのしくみを理解する」

1 認知機能の変化

1 知覚[1]機能の変化と心理的影響

(1) 視覚機能の変化

外界の「見えやすさ」は視力だけで決まるのではありません。視覚情報を処理する速さ、明るさに対する感度（暗い場面での視覚）、動体視力（動くものを見ること）、近視力（距離が近い物を見ること：老眼）、視覚探索（目標物をほかの情報のなかから探すこと）等の低下を高齢者自身が感じているという研究結果が示されています[1]。

全般的な視覚機能の低下は、見間違いが増えることにつながります。とくに**老眼**が進行することで近い距離への焦点が合いにくくなり近視力が低下し、手元で細かい物を見ることが難しくなるので、細かい作業は若い頃に比べて速くできなくなったり、難しくなったりする場合もあります。また、本や新聞が読みにくくなることで、「読む」という知的な生活習慣が変化する場合があります。できていた日常の作業や知的な生活習慣をあきらめてしまうことは、知的好奇心や社会的関心が低下することにつながりやすくなります。

[1] 知覚
視覚では光、聴覚では音を感覚として得ているが、実際に私たちの主観的体験では、視覚では形、文字等が、聴覚では音声、音楽等が、意味がある情報として理解できることが多い。このように意味があることが了解できるという意味で心理学では知覚という用語が用いられる。

暗いところでの見えにくさや暗順応の低下は、家の中から外に出るときなど急に暗い場所に移動したときも、その後に暗いなかを歩くときにも見えにくさを経験しているということです。見えにくさは夕方の薄暗い場面でも生じており、段差でのつまずき、障害物や自動車への接触などに十分に注意を払う必要があります。

そのほかには、駅の掲示物から目的の情報を探すような視覚探索が難しくなるなど、高齢者は通常の視力ではとらえられない「見えにくさ」を経験しており、そのことが行動の自由度を制限していることを知っておく必要があります。視覚は、環境からの情報獲得に大きな役割を果たしているため、視覚機能の低下は生活に大きく影響を与えます。高齢社会においては、見えにくいものは文字を拡大し見やすくする（新聞や雑誌、掲示など）、細かい作業を必要とする器具を改良して使いやすくする、転倒を防ぐために気づきにくい段差をなくす、薄暗いなかでも見えやすい色や形などを自転車や自動車に用いるなど、環境を調整することを考えていく必要があります。一方で、できなくなったことばかりに注目することは、さまざまな行動への意欲低下を引き起こす可能性があります。周囲の人は、間違いやできないことばかりを指摘したり、動作をいそがせたり、若い人と比べたりすること等によって、できないことを強調しすぎないことが大切です。

（2）聴覚機能の変化

高齢者の聴覚機能の低下は、単に音への感度が低下する（小さな音が聞こえにくくなる）だけではないことを理解する必要があります。高齢者の聴力低下は、**感音性**❷であることが多いのが特徴です。感音性の聴力低下の特徴は、音を大きくすれば健聴者と同じように聞こえるのではなく、聴覚の質的な変化が生じることです。音を大きくしすぎると、かえって聞き取りにくいという現象（補充現象）が生じる場合もあります。会話が聞き取りにくくなることが特徴であり（**語音明瞭性**❸の低下）、雑音が多い場面ではなおさら聞き取りにくくなります。このような会話の聞き取りにくさは、コミュニケーション上の困難につながり、話しかけたほうは相手が理解していると思っていても、聞いている高齢者側は聞きとれていなかったり、誤解していたりする場合があります。うなずきなどで了解を示している場合であっても、あとでコミュニケーションの不整合が判明することもあります。このような聴覚機能の低下

❷**感音性**
pp.123-124参照

❸**語音明瞭性**
人間の発声する言語は物理的には単なる空気の振動であるが、そこに含まれる非常に多くの情報を内耳から神経系において、取り出すことで言語として認識可能である。

によるコミュニケーション不全の状態は、社会的交流を避けるような行動につながる可能性があります。

高齢者に対するコミュニケーション法として、耳元で大きな声で話をするという対応がよくみられますが、感音性の聴力低下がある高齢者に対しては必ずしも有効なコミュニケーション法とはいえません。大きすぎる声で話されるとかえって聞こえにくいことも多く、周囲にすべてが聞こえてしまうような話し方をされることで自尊心が損なわれることもあります。声の大きさよりもはっきり・ゆっくりと話すことが有効です。また、補聴器を使用することによって聴力が改善される場合もあるため、本人の意向をふまえたうえで使用の検討が欠かせません。一方で補聴器を使っても健聴者と同じように聞こえるわけではないことも、コミュニケーション上の留意点として知っておく必要があります。

音は、見えない範囲からの自動車や人の接近を感知し、危険回避のためにも重要な情報といえます。聴覚機能の低下はこうした危険回避力の低下にもつながりやすいことにも注意が必要です。

（3）注意機能の変化

注意とは、さまざまな活動をする際に必要な情報だけに着目し、不必要な情報は無視する情報選択の機能です。何かに集中して見るときのように1つの対象に対して注意を向ける場合（**選択的注意**）、運転のときのように複数の対象に注意を分散させなければならない場合（**分散的注意**）など多様なはたらきが含まれています。また、視覚や聴覚的な情報だけでなく、思考や動作も影響があり、考え事をしていると情報の見落としをする現象も注意機能に関係しています。

老化によって、複数のことを同時に遂行することが難しい、気が散りやすくて集中しにくい、集中が続きにくい、いったん集中するとほかのことに気が回らないなど、注意機能を必要とする日常生活上の行動に難しさが生じやすくなっていきます。注意機能を評価するためのさまざまな課題においても、老化によって注意機能が低下しがちであることが示されています。

1 情報量が多いことによる影響

鉄道の路線図から目的地の駅を見つけるときのように、多くの情報があるなかから必要な情報を見つけ出す場合に、ほかの情報に邪魔されてしまうことで、必要な情報を見つけにくくなります（視覚的探索）。視覚的探索についての評価は、たとえば、多くの文字がランダムに散りばめられている画面から、標的となる文字を探索する課題等が用いられています。この課題では、高齢者グループは、背景に散りばめられた文字数が多くなるほど若年者グループよりも探索時間が遅くなり、複雑な視覚的探索が難しくなるという結果が示されています[2)]。ただし、探索の標的となる文字が、背景の不必要な文字と比べて、特徴が明確に異なる場合（色が違うなど）には、高齢者グループと若年者グループとの探索速度の差は小さくなることから、探索する情報を背景から見つけやすくすることが視覚的探索を容易にするために有効といえます。

2 複数のことを同時に行うことによる影響

複数のことを同時に行うことによって、片方あるいは両方の作業がうまくいかなくなってしまうことも注意機能の低下と関係があります。たとえば、見ることや聞くことなどの課題を歩行しながら行うと、高齢者グループでは若年者グループよりも、歩行することによって課題の成績が低下する傾向があります[3)]。また、課題に注意を集中すると歩行に影響が生じてしまいます。情報の取得や作業を同時に行わないように配慮することが必要であり、とくに未知の課題を同時進行しないことなどに配慮することが有効だといえます。

3 環境による影響

物が散らかっていたり、音がうるさい場面では気が散ってしまい、作業がはかどらないといったことが起きやすくなります。これは不必要な情報を注意の対象から抑制することが難しくなることによるものと考えられています。不要な情報を抑制する課題としてよく用いられているのは、着色した色名の漢字（例：「青」という文字を青色や赤色に着色する）を視覚的に提示して、着色された色名をすばやく言う課題（**ストループ課題**❹）です。この課題では、文字が表す色と着色された色名が異なると、同じ場合に比べて、着色された色名を言うまでの時間がかかる現象が起きます（**ストループ効果**）。ストループ効果は、高齢者グループのほうが若年者グループよりも大きくなることが報告されています[4)]。高齢者は、自動的に取り込まれる不必要な情報を抑制して注意を向けないことが難しくなることで、情報を収集したり、作業を行ったりすることに対する妨害が生じやすくなるといえます。読み物や作業等をするときには、静かな環境や不要な物を片付ける等環境を整え、不要な情報がない状態で行ったほうが影響が少なくなるといえます。

❹ストループ課題
実際に課題を行う際には、1文字を提示してその色名を発声するまでの時間を測る方法もあるが、その時間は非常に短いため、多くの文字を用いて、すべての文字の色名を発声し終わるまでの合計時間を測定する方法が用いられている。

2 記憶機能の変化と心理的影響

歳をとると「記憶力が悪くなった」ということをよく聞きます。しかし、記憶機能はいくつかの異なる機能の集合体であることがわかっています（図4－20）。加齢にともなう記憶機能の変化を細かくみていきましょう。

（1）短期記憶・ワーキングメモリ

短期記憶とは、ほんの数秒程度、限られた容量のことを覚えておく記憶です。短期記憶の容量を確かめる課題としては、3－6－1のように、数字を約2秒に1つずつ音声や文字で提示し、全部の数字が提示されたら、順番に復唱する**数唱課題**⑤（順唱課題）がよく用いられます。数字の個数を増やしていき、何個まで復唱できるかを調べます。この課題を用いると、60歳代、70歳代でもその前の年代に比べ、復唱できる数字の個数はそれほど変化しないことから、短期記憶は加齢にともなう低下が小さいと考えられています[5)]。

短期記憶のなかでも、計算しながら途中の結果を覚えておく、文を読みながらその前の内容を覚えておく、といった複雑な知的活動の途中において使われている記憶をワーキングメモリといいます。ワーキングメモリの課題は、短期記憶の課題と同じように3－6－1のように数字を約2秒に1つずつ提示しますが、全部の数字が提示されたら、今度は数字を逆から順番に復唱する逆唱課題がよく用いられます（正答は1－6－3）。順唱課題と同じように数字の個数を増やしていき、何個まで復唱できるかを調べます。その結果は、多くの研究で高齢者は若年者に比

⑤数唱課題
短期記憶の課題のように提示された数字や文字を提示順に再生する課題を順唱課題という。それに対して、提示された順番と反対の順番で再生する課題を逆唱課題という。

図4－20　記憶の分類

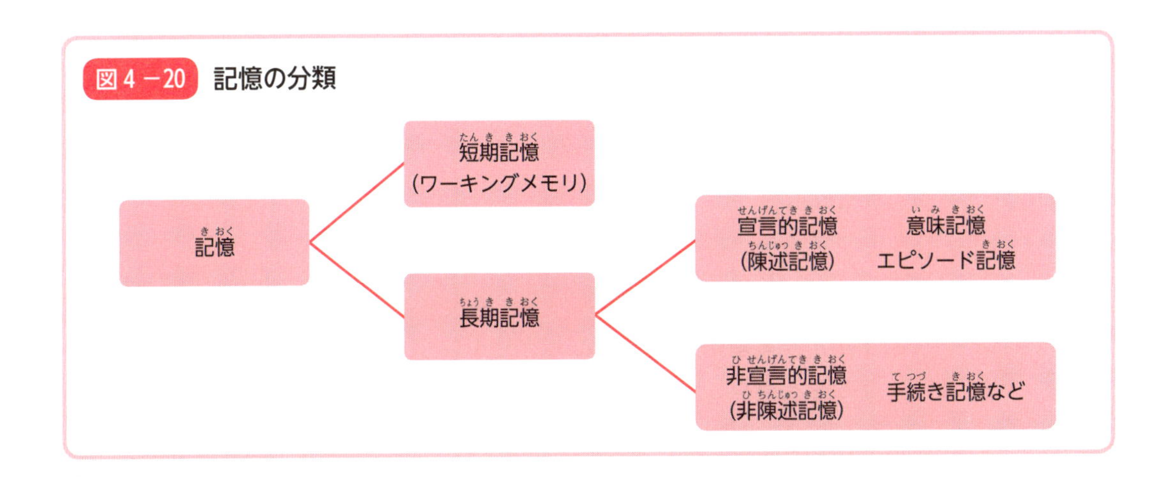

第4章　老化にともなうこころとからだの変化と生活

べて逆唱できる数字の個数が少なくなり、高齢者のなかでも加齢にともない逆唱できる個数が低下していきます。その結果から、ワーキングメモリは加齢にともない、大きく低下しやすい記憶と考えられています。

(2) 長期記憶：宣言的記憶

長期記憶のなかでも言語的な記憶を**宣言的記憶**（陳述記憶）といいますが、言葉の意味やさまざまな知識に関する**意味記憶**と個人の経験や出来事に関する**エピソード記憶**に分類されています。意味記憶は、単語の意味や「太陽は東から昇る」「月は地球の衛星である」といった一般的知識があてはまります。こうした文章を読んで理解できるのも、意味記憶のはたらきが大きいといえます。一方で、エピソード記憶は、「昨日の晩御飯に○○を食べた」「先週末に映画を観に行った」などの個人的経験として思い出されるような記憶です。

意味記憶については、個人の名前や使用頻度が低い単語を中心に、わかっているけれど名称が出てこないという現象（**TOT現象**❻）が生じやすくなるという報告があります[6)]。しかし、全般的には意味記憶の機能は老化によってあまり低下しないと考えられており、高齢者にとって知識を活用することは得意な分野といえます。

しかし、エピソード記憶は老化にともない低下しやすいことがわかっています。エピソード記憶は、個人的経験の記憶を対象とすると調べにくいので、単語等を複数個覚えてもらい、その後一定の時間をあけてから、覚えていた単語を報告する方法（再生課題）や別に用意した単語のリストから覚えた単語を選択する方法（再認課題）などが用いられています。代表的な研究例での結果を**図4－21**に示しました。再認課題では年代差が小さいですが、記憶した内容をそのまま再現する再生課題では加齢にともない再生できる個数が減っています。とくに60歳代の高齢者グループでは覚えた単語を思い出せる量が20歳代の半分近くに減っています。しかし、忘れやすいという実感があるにしても、エピソード記憶がそんなにいちじるしく低下しているということには疑問が出されました。その後の研究で、覚えたことがらを思い出しやすくすることが重要であり、覚えるときに単語だけでなく短文等をつけて、思い出すための手がかりを増やす、覚えるときや思い出すときにもっと時間をかける、使用する単語を高齢者に馴染みのあるものにするなどの工夫をすると、高齢者グループのエピソード記憶課題の再生個数が向上することがわか

❻TOT現象
TOTはtip-of-the-tongueの略。

図4－21　エピソード記憶の年代別比較

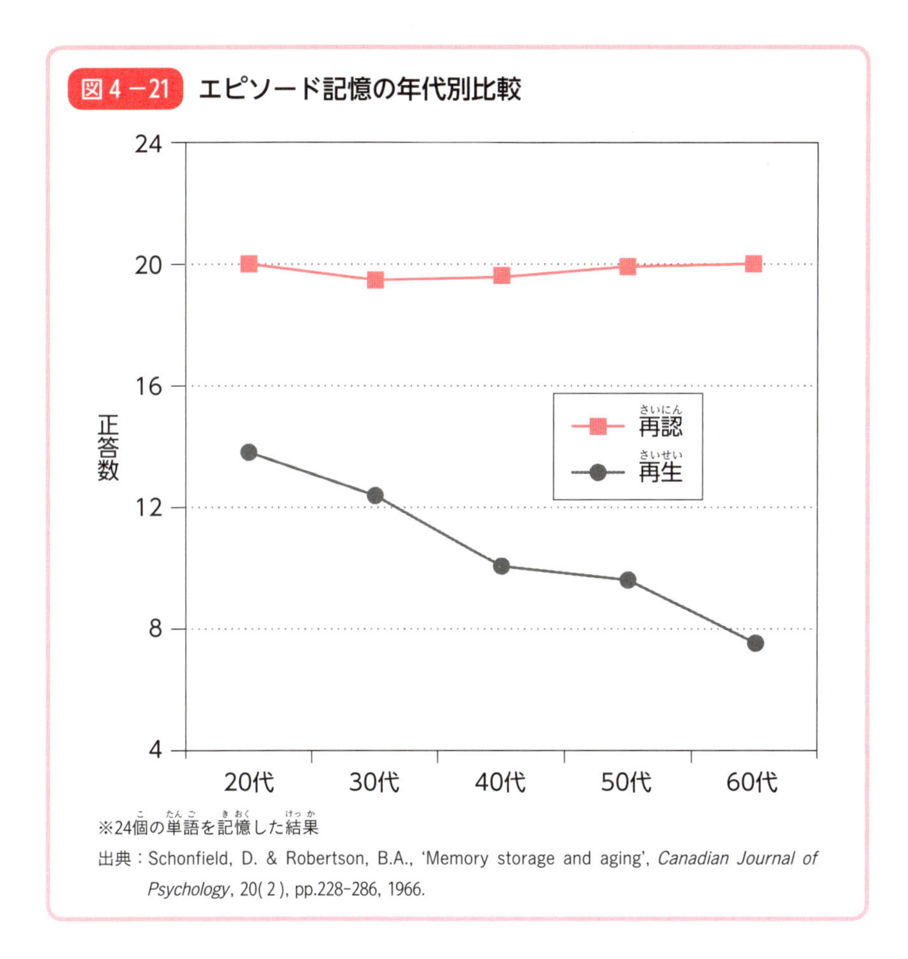

※24個の単語を記憶した結果

出典：Schonfield, D. & Robertson, B.A., 'Memory storage and aging', *Canadian Journal of Psychology*, 20(2), pp.228-286, 1966.

りました。

こうした工夫は記憶成績を向上させるとはいえ、やはり多くの研究で高齢者グループのエピソード記憶の再生成績は、若年者グループに比べて低くなっているようです。「歳をとると記憶力が悪くなる」という場合の多くはエピソード記憶の低下をさしていると考えられますが、**図4－21**の結果ほどの低下ではなく、覚え方や思い出し方に工夫をしたり、こまめにメモをするなどの記憶の補助となる工夫をしたりすることで、うまくエピソード記憶の機能を補うことができると考えられます。

（3）非宣言的記憶：手続き記憶

非宣言的記憶（非陳述記憶）とは、言葉によらない**長期記憶**のことです。代表的なものは**手続き記憶**です。手続き記憶は技能の記憶であり、たとえば、自転車に乗ることや、車の運転など練習して習得した技術です。スポーツ、音楽、ものづくり等さまざまな領域で経験によって習得された技能が相当します。手続き記憶は加齢によってあまり低下しないと考えられています。感覚機能の低下や運動機能の低下によって、その技能を若いころと同じようには再現できない場合もあります。手順や判断などは記憶を活用できることも多く、急かさずゆっくり取り組めることも大切です。

（4）自伝的記憶

自伝的記憶とは、「○年前に△△ということがあった」「○歳のころに△△をしていた」などの自分の生涯にわたる経験や事件などに関する記憶のことです。エピソード記憶に含まれるものといえます。高齢者の自伝的記憶に関する研究では、人生のなかで思い出されるエピソードを自由に話してもらいます。その結果を年代別に整理してみると、やはり最近の出来事に関する出来事がもっとも多く話されるという結果が得られます。現在から時間が離れるほど思い出される件数は減っていき、0～5歳ごろの出来事は極端に減ります。しかし、その途中の10代～20代のころの出来事は思い出される頻度が高まることがわかっています[7]。この頻度の経過をグラフにすると、10代から20代ごろのあたりがちょうどこぶのように表現されることから、**レミニセンス・バンプ**と呼ばれています（図4－22）。

図4－22　自伝的記憶の再生量の模式図

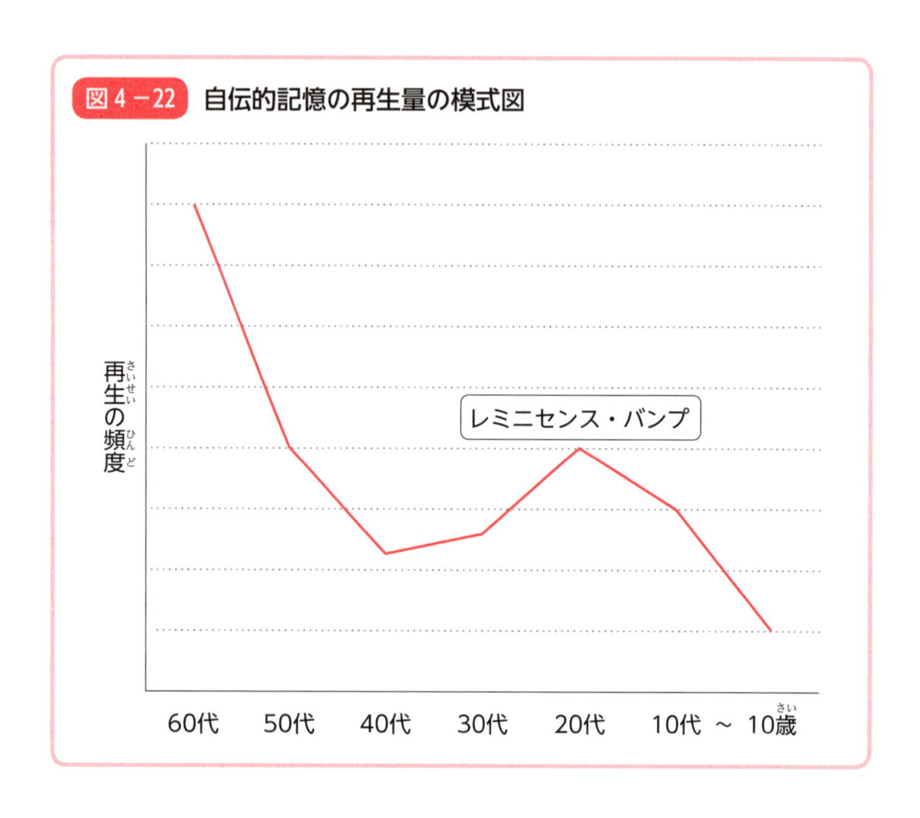

2 知的機能の変化と心理的影響

さまざまな認知機能が集まり、人間の知的活動を支えています。知的機能のいわばパーツである認知機能については、老化によって低下が大きいもの、それほど低下しないものがあることがわかりました。ここでは、その総合的な機能である知的機能についてみていきましょう。

（1）古典的研究

1960年代ごろまでは、老化による知的機能の低下は非常に大きいものと考えられていました。知能を測る道具である知能検査を実際に使用し、多くの多世代の人の知能検査の得点を世代別に平均を求めた研究結果では、知的機能は20歳代ごろにもっとも高くなり、以降は低下していくことが示されていました。とくに老年期には大きく低下し、70歳代の人の平均は、20歳代の人の平均と比べるといちじるしく低くなるという研究成果が示されていました[8)]。

（2）結晶性知能と流動性知能

一方で、ホーン（Horn, J. L.）とキャッテル（Cattell, R. B.）は、知能検査のさまざまな尺度について検討を行い、計算や知識等の経験や教育に基づくものを**結晶性知能**、空間認識や語の流暢性（言葉を速く話したり書いたりすること）等の感覚や運動に基づくものを**流動性知能**として分類することを提唱しました。結晶性知能は、過去に経験で得た知識を活用して問題解決する能力であり、流動性知能はその場で新しい問題を解決する能力といえます。ホーンとキャッテルは14～61歳の参加者の年齢別の結晶性知能と流動性知能の比較を行いました。その結果、成人以降でも結晶性知能は加齢にともない上昇し、逆に流動性知能は加齢にともない低下を示しますが、合計すると加齢による変化は少ないということを示しました[9)]。

（3）系列法を用いた研究成果

シャイエ（Schaie, K. W.）は、従来の知能検査を用いた研究の問題点を明らかにし、系列法（後述）という手法を用いた研究を行いました。その結果、結晶性知能は60歳代まで上昇し、老年期の前期での低下は緩やかであること、流動性知能は40～50歳代まで上昇し、老年期の低下が大きいことを明らかにしました。その結果では、老年期の知能検査の得点の低下は従来の研究よりもずっと小さく、低下が生じる時期はずっと遅いことが明らかになりました（**図4－23**）[10]。

結晶性知能と流動性知能の加齢による変化の違いについては、流動性知能は神経系のはたらきに依存している部分が大きいため、加齢の影響を受けると考えられています。一方で結晶性知能は、知識や文化の影響を受けながら経験・学習によって形成されることによって、老年期にさしかかるまで上昇していき、老年期においてもその能力を活用できることで、加齢による流動性知能の低下を補っていると考えられます。

（4）コホート効果と系列法

なぜ、かつては老年期の知能の低下は過剰に見積もられていたのでしょうか。その大きな理由は、その人が生きてきた時代によって平均的

図4－23 シャイエの系列法による知能検査得点の推定結果

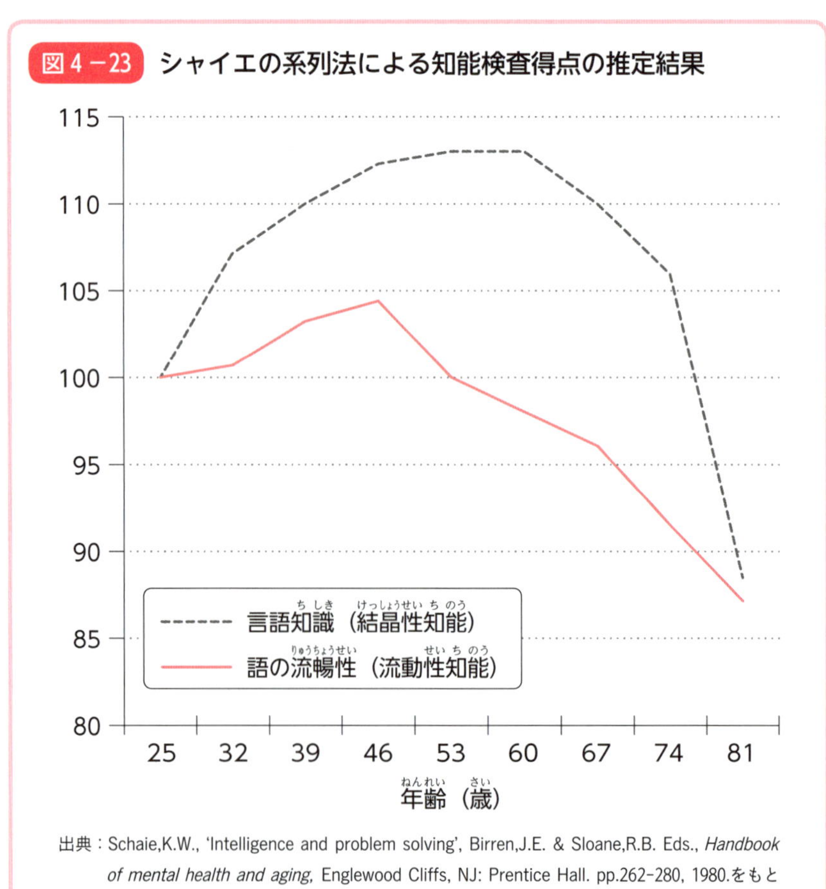

出典：Schaie,K.W., 'Intelligence and problem solving', Birren,J.E. & Sloane,R.B. Eds., *Handbook of mental health and aging,* Englewood Cliffs, NJ: Prentice Hall. pp.262-280, 1980.をもとに作成

な教育歴や多くの人が従事する職業歴等が異なるといった世代の違いによる文化差があることです。多くの人の教育歴や職業歴は知能検査の平均得点に影響があることがわかっています。同時代の20歳代と50歳代と70歳代の知能検査の得点を比較しても、加齢による知能の変化だけでなく、各世代が生きてきた社会環境や文化の違いによる得点の違いが混合されてしまっているのです。このように集団の特性によって生じる影響をコホート効果といいます。旧来の研究で用いられていた方法は、ある一時期にさまざまな年齢集団に対して知能検査を行い、その得点を比較する「横断法」と呼ばれる手法であり、加齢による得点の変化だけでなく、コホート効果による世代ごとの違いが混合していたと考えられます。それを改善するためには、同じ対象者集団を追跡し続ける「縦断法」という方法があります。しかし、たとえば20～80歳にかけての知能に対する加齢の影響を検討する場合、60年間もの期間がかかってしまいます。シャイエは、比較的短期間の縦断研究（開始時点―7年後―14年後の3回）をいくつかの年齢の集団（開始時点で25、32、39、46、53、60、67歳の7歳ごとの7つの年齢の集団）に実施し、それぞれの集団間のコホート効果による差を調整する「系列法」を用いることによって、前述のような研究成果を得たのです。

3 パーソナリティ（性格）の変化

パーソナリティは、一般的な言葉でいうと「性格」に近い心理学用語です。パーソナリティとは、環境に適応的に行動するときのその人の行動の一貫したパターンや傾向といえます。個人差がありますが、いくつかのパターンに分類できると考えられています。

高齢になると、一般的には頑固になる、優しくなるといったパーソナリティの変化があるように思われていることも多いですが、老化にともなって生じる特有のパーソナリティの変化は本当にあるのでしょうか。

（1）パーソナリティ変化の理論

環境への適応について、老年期特有の課題があるならば,それが高齢者に共通したパーソナリティの変化を生じさせる可能性が考えられます。たとえば、老化によって生じる身体機能や活動性の低下は、高齢者の行動に大きく影響を与えています。心理学的な理論でも、エリクソン（Erikson, E. H.）の生涯発達理論では、老年期には「統合」対「絶望」という心理社会的危機があることが示されています。また、エリクソンの理論を発展させたペック（Peck, R. C.）の自我発達理論では、老年期に訪れる仕事や役割、身体的状況、さらには死へのこだわりを捨てて、新たな価値観や生活像への転換が求められることが発達的な課題として示されています（第3章第3節参照）。こうした老年期に特有の課題が、多くの高齢者に共通的に生じるならば、パーソナリティの変化に影響を与えている要因になると考えられます。

一方で、老年期に生じる共通の課題があったとしても、その受け止め方は人によって異なっています。老年期において、それまでの人生における経験の個人差は大きいものです。高齢になって老化現象が生じるということだけを理由にパーソナリティの変化が生じるのではなく、もともと経験の違いによってもっとパーソナリティの個人差は大きいという考え方ができます。また、老化現象や環境変化への受け止め方や対処方法の傾向がパーソナリティであり、それは老年期以前にすでに確立している部分も多いと考えられます。

さらに、老年期の人を取り巻く環境的な変化は高齢者の行動や心理に大きく影響を与えます。職業からの引退や配偶者や親しい人の喪失体験などの大きな環境変化は、その後のパーソナリティに影響を与えているという事例も報告されています。これは老化にともなうパーソナリティの変化ととらえるよりも、老年期に生じやすい環境的変化による影響と考えられます。ある世代における大きな社会的経験（戦争、経済状況など）や時代背景も、パーソナリティに大きく影響しており、その世代の特徴が、老化によるパーソナリティの変化にみえるという側面もあります。

以上のことから、老年期に特有の状況や課題はあるものの、老化にともなって生じるパーソナリティの変化は、それほど大きくないのではないかと考えられています。ただし、超高齢期では老化現象の影響が大きくなり、それが活動性や外向性の低下に影響しているという指摘もあります。しかし、基本的にはそれぞれの人が中年期までに形成してきた考え方や価値観、行動の傾向が老年期も維持され、老年期に変化があっても緩やかな変化であると考えられています。大きな行動や考え方の変化は、老化の直接的な影響よりも、大きな生活上の環境変化や個人的経験、世代に応じた社会的環境の影響が大きいと考えられます（**バルテスの生涯発達理論**[7]も参照）。

[7]**バルテスの生涯発達理論**
pp.22-23、p.84参照

（2）ライチャード（Reichard,S.）の引退後の男性の適応と人格

ライチャードは、引退後の男性を対象として、**サクセスフルエイジング**[8]ができている人とそうでない人の人格の傾向について、以下のような5つのタイプにまとめています。**円熟型**、**ロッキングチェアー型**、**自己防衛型**は老年期に適応的なグループを分類したタイプであり、**外罰型**、**内罰型**は不適応的なグループのタイプ分けをしたものです。ライチャードは、円熟型以外は若いころに個人的な適応に困難を抱えている場合も多く、その性格傾向は生涯を通じて変化は少ないとしています（**表4－3**）。

[8]**サクセスフルエイジング**
pp.191-193参照

（3）ビッグファイブによる縦断的研究

コスタ（Costa, P. T.）らはパーソナリティ特性について、5つの核となる次元を見いだしました。この5つの次元は、神経症傾向、外向性、開放性、協調性、誠実性であり、「**ビッグファイブ**」と呼ばれています。ビッグファイブに基づいた質問紙式性格検査としてNEO人格目録が開発されています。NEO人格目録を使った縦断的研究によって、5つの人格の各次元で、年齢経過にかかわらず集団内でのある個人の相対的位置が安定的であることが示されており、コスタたちは、パーソナリティは30歳以降に安定すると述べています[11]。

また、別の縦断的研究では世代間の違いを除去し、年齢変化による5つの次元の平均得点の変化をみると、老化によって平均値の変動が認められるものの個人内での変動は少なく、また平均値の変化もほぼ平均的な範囲内に入ることから、老化によって質的にパーソナリティが変化するわけではないといわれています[12]。

4 老化と動機づけ・適応

動機づけとは、行動を起こしたり、継続させたりする背景にある原動力のことであり、日常の用語では「やる気」や「意欲」に相当するもの

表4－3　ライチャードによる引退後の男性の５つのタイプ

適応	円熟型	ライチャードの研究では、適応的な人のなかで最も人数が多いとされている。このタイプでは、老年期への移行がスムーズであり、神経質でなく現実を受容し、活動や人間関係に満足している傾向がある。また、生活が報われている感覚をもち、過去への後悔や喪失感が少ない状態で、老年期を迎えている。
	ロッキングチェアー（安楽椅子）型	全体的に受け身的であり、老年期における責任がないことや受け身的な欲求となったことに満足している。そのため老化は不利を補償するものとして歓迎していると考えられている。
	自己防衛（装甲）型	不安に対する防衛機制がうまくはたらくタイプとされている。活動性を保つことで老化による身体的機能低下への恐怖・不安を防ぐので、受け身感や無力感に直面しない。強い防衛機制が老化への恐怖から防いでいることで適応しているといえる。
不適応	外罰（憤慨）型	人生の早い時期に目標を達成できなかったことを苦々しく思っており、失望について他者を責める傾向がある。また、自分自身の老化についても許容することが難しいとされる。
	内罰（自責）型	失望や失敗のあった過去を振り返り、その憤慨を自分自身に向けて自分の不幸を責める傾向がある。また、抑うつ的であることが多く、歳をとるにつれて、不適応感や不幸感が強調されていく傾向もある。

出典：Reichard, S., Livson, F. & Petersen, P.G., *Adjustment to retirement*, In Neugarten, B.L. ed., *Middle age and aging*, University of Chicago Press, pp.178-180, 1968.

です。日常生活のなかで、いつもとは違うことをするとき、新しいことに取り組むとき、目標をもって行動するときなど、動機づけが高まらないと行動を起こして継続していくことが難しいといえます。動機づけについては、個人や状況の影響が大きいため、必ずしも老化によって一律に変化があるとはいえませんが、老化によるさまざまな変化が動機づけに影響を及ぼす場合があります。

（1）マズローの欲求階層理論

人間は多様な欲求・動機をもって生活しています。マズロー（Maslow, A. H.）は人の欲求を体系的に整理し、5段階の階層としてとらえる**欲求階層説**を示しています（図4－24）。この説では、下位の欲求が満たされることによって上位の欲求が生じていくと考えられています。

人間としてもっとも重要なのは、最上位の**自己実現の欲求**であり、自分がやりたいことを実現し、他者や社会に貢献することで成長していこうという欲求です。この欲求は充足することを自ら求める成長欲求と位置づけられており、人間には根源的に備わっていると考えられていますが、あらわれない人も多くいます。それは、第4層の自分自身の価値を認め、また、それについて他者からの承認を受ける**承認欲求**が満たされていないからと考えます。承認欲求はその下の層である**所属・愛情欲求**が満たされ、承認を与えてくれる社会環境や愛情のある人間関係が必要となります。こうした社会的な欲求が出現するためには、疾病・けが、他者からの脅威などの危険に脅かされないことを求める**安全欲求**や、栄養や水分、排泄、睡眠などの個人の生存のために必要な**生理的欲求**が満たされていることが必要です。生理的欲求から承認欲求までの下位4段階は欠けていて満たされないことで生じる欠乏欲求と考えられています。

1 身体的状態の変化の影響の理解

老化による身体機能の低下によって生じる体調の変化や疾病への罹患

図4－24　マズローの欲求階層説

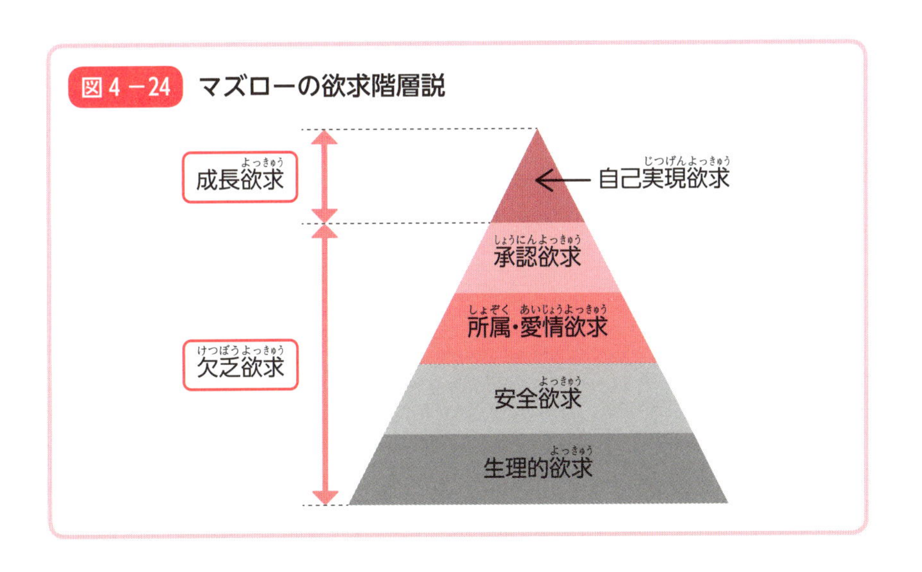

は「生理的欲求」や「安全欲求」を脅かします。しかし、この段階の欲求にばかり集中しすぎると上位の欲求の充足に向かわず、社会的な活動が不活発になる原因ともなります。高齢者の生活を支える重要な段階であるので、適切な医療やよい生活環境の整備が大切ですし、疾病や要介護あるいはケガの予防も重要な意味をもっています。

2 社会的関係の変化の影響の理解

老年期には社会的活動の範囲が狭くなりがちであり、人間関係が縮小しやすくなります。そのため、自宅では家族との関係が強くなり、家族への要求が強くなりすぎて、家族の側が困惑することもあります。そのため、第3段階の所属・愛情欲求を充足していくためには、元気なうちから地域において友人をつくる、活動に参加することなどによって、地域での人間関係や参加の場をつくるような環境整備が大きな課題といえます。

要介護状態となっても、このような人間関係の充足は大きな課題になっているといえます。可能な限り、それまでにつくってきた人間関係や活動の場を維持する支援が重要です。しかし、「だれとでも仲よく」ということは必ずしもこの欲求を満たすとは限りません。その人が求めている人間関係や活動に参加できる環境が大切といえます。

3 自尊心と自己実現の理解

今までできていたことなのにできなくなったこと、参加できていたのに参加できなくなったことが生じると、自分自身への評価である自尊心が低下しやすくなります。また、人間関係の変化は、元々その人が**自尊心**をもっていた行動の価値を変化させます。自尊心は1人で形成できるものではなく、社会的な承認を必要としているものと考えられます。

自尊心は人間の尊厳の大きな要素であると考えられます。自尊心の危機はさまざまな防衛的行動を引き起こす原因になり得るため、できることは自分自身で行うことや社会的活動に参加し続けることは、自尊心を維持することに重要な意味をもっています。逆に、過剰に保護的になって何もさせなかったり、何でも管理してしまったりすることは、ますます自尊心を低下させる原因になります。

私たちの社会では**自己実現**の達成（自分がやりたいことをすること）が重要視されており、高齢となっても、その欲求を求め続けることを理解する必要があります。その前提として生理的欲求や安全欲求の充足はもちろん必要ですが、その次の段階である所属・愛情欲求や承認欲求が必要であることを忘れてはいけません。

（2）達成動機

達成動機とは目標達成をめざして、必要な行動をするための動機づけです。介護予防やリハビリテーションのように目標を立てて、達成していく場面では、目標達成のための行動をしていくために必須の動機づけです。しかし、目標を明確にかかげるような場合だけでなく、日常生活においても、可能な限り自宅での生活を続けていきたい、新しい社会的活動に参加したい、といったように新たな行動を起こしたり、行動を変化させたりする必要がある場合に、達成動機は密接に関係してきます。

達成動機の強さには、どのような目標に向かっていくのかということが強くかかわっています。１つは本人にとって達成することに価値がある目標を共有しないと、目標達成のための行動をしようという動機づけが高まりません。たとえば、けがをしてしまいリハビリテーションが必要な人であれば、「元の日常生活を送る」という目標がリハビリテーションに取り組む原動力（動機づけ）となります。

もう１つには、目標の達成への期待（見込み）が達成動機に影響することがわかっています。目標の達成が困難であると目標達成のための行動をとる動機づけが低下してしまいます。目標達成の難易度は、目標そのものの達成の可否だけ考え、何となく難易度を判断しがちですが、目標そのものよりも、目標達成のために必要な行動が自分にできるかどうかということによって正確に判断できます。たとえば、リハビリテーションや介護予防では、目標を達成するための計画において本人がやるべき内容が明確になっていることが「自分にできそう」という成功への期待を高めます。目標達成のために必要な行動ができそうという確信を自己効力感と呼んでいます。老化によってできなくなったことに目を向けがちになると、自己効力感が低下してしまい、「やってもうまくいかない」といったように成功への期待が低下することで、新しいことに取り組む動機づけが低下してしまいます。その向上のためには、本人ができそうな計画を明らかにすることが有効です。また、自己効力感は行動の成功経験によって向上し、失敗によって低下しがちです。急激に高い目標をかかげるのではなく、最初は少し頑張るとうまくいきそうな目標からステップアップしていく方法が有効です（スモールステップ法）。

（3）学習性無力感や依存の理解

不快やストレスが高い事態を自分ではコントロールできない状態が継続すると、やがて「やっても無駄」という考え方が支配的になってしまいます。この状態を**学習性無力感**といいます。学習性無力感におちいると、生活全般において動機づけが低下しがちになります。老年期には、老化による機能低下によって失敗経験が続いたり、できなくなったことに目が向いたりすることで、学習性無力感におちいる可能性があるということに注意が必要です。たとえば、「年だからどうでもよい」「頑張ってもどうなるわけでもない」といった言葉は無力感のあらわれの可能性があり、配慮が必要になります。

まずは、学習性無力感が生じにくいような役割や参加の継続が大切です。また、無力感が生じたときには、それを解消するために「できる」という成功体験によって**有能感**[9]を高めることが有効だと考えられています。

⑨有能感
環境のなかで自分の力を発揮することで、目標達成できるという自己評価であり、自分の能力への評価でもある。

高齢者は依存的になりやすいといわれることもありますが、自らの心身の機能低下だけを理由に依存的になるのではなく、環境のなかで高齢者と他者の交流の結果によって依存的な行動が学習されるという考え方が示されています[13)]。たとえば、高齢者に対して依存的な行動を意識せずに指示し、それに従わせているような場面がみられます（「危ないから1人で歩かないで待っていて」など）。このような場合に依存的行動を取ったほうが、人間関係が円滑になるという報酬が与えられます。またせっかく自律的な行動をとったのに失敗して叱られるという「罰」が与えられてしまうこともあります（「こんなに散らかして」など）。このような場面が繰り返されることで依存的行動が強められてしまうことに留意が必要です。

（4）適応機制（防衛機制）の理解

欲求が充足されない状態（欲求不満状態）が継続すると、不快な緊張状態である心理的な不適応状態が生じやすくなります。それを緩和して、心理的適応（安心、満足など）を得るためのこころのはたらきとして、**適応機制**（防衛機制）があります。もちろん、それによって真の欲求に対する満足が得られるわけではなく、場合によっては社会的に不適応な行動を引き起こす場合もあります。

欲求が充足されない状態が継続することによって、適応機制による行動を引き起こすことがあります。そうしなければ心理的に耐えられなかったり、そうせざるを得なかったりする場合もあります。もちろん、すべての行動が適応機制で説明できるわけではありませんが、行動の背

表4－4　適応機制

種類	特徴	具体例
抑圧	認めたくない欲求や苦痛な感情・記憶を心のなかに抑え込み、意識から閉め出す。	いやなことを思い出せない。 肉親の死を認めない。
逃避	困難な状況や場面を避けたり、ほかのことに熱中して問題に向き合うことを避けたりすることで心の安定を求める。	空想にふける。 困難な場面から逃げる。ひきこもる。
退行	過去への逃避であり、現在の問題を避けるために楽しかった過去に生きようとする。赤ん坊や子どものようにふるまって受動的で依存的な態度を示すこともある。	過度に依存する。 駄々をこねる。
置き換え	ある対象に向けられた欲求や感情を（その対象には向けられないため）、ほかの対象に向ける。	ある職員Aが嫌いで文句を言いたいのにそれほど嫌いではない気弱そうな別の職員Bにばかり文句を言う。
昇華	性や破壊の欲求を社会的に価値の高い行為に置き換えて満足感を得る。	スポーツや芸術に取り組む。
代償	本来の目標がかなわない場合に、容易に達成できる目標を達成することで満足を得ようとする。	旅行に行きたいが行けないので、動画を観て満足する。
補償	ある面での自己の劣等感をほかの類似した対象ができることで補う。	あるゲームが苦手なので、代わりにほかのレクリエーションのときにがんばってしまう。
反動形成	自分がもっている認めたくない感情と正反対の行動をとる。	好きな人にいじわるする。 嫌いな人に極度にていねいな態度をとる。
隔離	ある観念からその人がもっている感情的な意味を切り離して、客観的に取り扱うことで不安を感じないようにする。	何度も同じことを確かめる。 自分のことを他人事のように論じる。
同一視	自分の欲求が満たされなくても、心理的に自分に近い他人の行動をあたかも自分のことのように感じて、欲求が満たされているように感じる。	好きなタレントのファッションのまねをする。
投影（投射）	自分自身がもつ不安を引き起こす衝動や考えを否認し、他者にその衝動や考えがあるかのように考える。	自分が嫌いな人に対してその人が自分を嫌っていると主張する。
合理化	自分の失敗や欠点をそのまま認めず、自分に都合のよい理由をつけて、正当化する。	言い訳する。 自分の行動を正当化する。
攻撃	物や他者に対して、感情をぶつけたり、乱暴したりする。自傷といった自分自身への攻撃に向かうこともある。	暴言、皮肉を言う。

景にある心理的理解の１つの可能性だと考えてください。

適応機制には、**表４－４**のようなものがあります。

◆引用文献

1）Kosnik,W., Winslow,L., Kline,D., Rasinski,K. & Sekuier, R., 'Visual change in daily life throughout adulthood', *Journal of Gelontology,* 43, pp.63-70, 1988.

2）Plude,D.J. & Doussard-Roosevelt,J.A., 'Aging, selective attention, and feature integration', *Psychology and Aging,* 4(1), pp.98-105, 1989.

3）Sparrow,W.A., Bradshaw,E.J., Lamoureux,E. & Tirosh,O., 'Aging effects on the attention demands of walking', *Human and Movement Science,* 21(5-6), pp.961-972, 2002.

4）Spieler,D.H., Balota,D.A. & Faust,M.E., 'Stroop performance in healthy younger and older adults and in individuals with dementia of the Alzheimer's type, *Journal of experimental psychology: Human Perception and Performance,* 22(2), pp.461-479, 1996.

5）Botwinick,J. & Storandt, M., *Memory, related functions and age,* Charles C Thomas., 1974.

6）Schwartz,B. L. & Frazier,L.D., 'Tip-of-the-tongue states and aging: Contrasting psycholinguistic and metacognitive perspectives', *The Journal of General Psychology,* 132(4), pp.377-391, 2005.

7）槙洋一・仲真紀子「高齢者の自伝的記憶におけるバンプと記憶内容」『心理学研究』第77巻第４号、pp.333-341、2006年

8）Doppelt,J.E. & Wallace,W.L., Standardization of the Wechsler adult intelligence scale for older persons. *Journal of Abnormal and Social Psychology,* 51, pp.312-330, 1955.

9）Horn,J.L. & Cattell,R.B., 'Age differences in fluid and crystallized intelligence', *Acta Psychologica,* 26, pp.107-129, 1967.

10）Schaie,K.W., 'Intelligence and problem solving', Birren,J.E. & Sloane,R.B. Eds., *Handbook of mental health and aging,* Englewood Cliffs, NJ: Prentice Hall. pp.262-280, 1980.

11）Costa,P.T. & McCrae,R.R., Personality in adulthood: A six-year longitudinal study of self-reports and spouse rating on the NEO Personality Inventory', *Journal of Personality and Social Psychology,* 54, pp.853-863, 1988.

12）Terracciano,A., McCrae,R.R., Brant,L.J. & Costa,P.T.Jr., Hierarchical linear modeling analyses of the NEO-PI-R scales in the Baltimore Longitudinal Study of Aging, *Psychology and Aging,* 20(3), pp.493-506, 2005.

13）Baltes,M.M. & Carstensen,L.L., 'Social-psychological theories and their applications to aging: From individual to collective', Bengtson,V.L. & Schaie,K.W. Eds., *Handbook of theories of aging,* Springer Publishing Co. pp.209-226, 1999.

演習4－2 記憶と知能

下記の文の空欄に適切な語句を入れて、文章を完成させよう。

- 記憶について
  - 記憶の機能を大きく分けると ① 記憶と ② 記憶に分類できる。
  - ① 記憶はほんの数秒程度の一時的な記憶であり、複雑な知的活動の途中で使われている ③ を含む。
  - ② 記憶は ④ 記憶と ⑤ 記憶に分けることができる。
  - ④ 記憶は、経験や出来事に関する ⑥ 記憶と知識に関する ⑦ 記憶に分けることができる。
  - ⑤ 記憶には、⑧ 記憶が含まれている。
  - 老年期に顕著な低下が認められるのは、⑨ と ⑩ である。
- 知能について
  - ホーンとキャッテルは、知能の種類を、経験や教育で得られた知識によって問題を解決する能力である ⑪ 知能と感覚や運動に関係しており、その場での新しい問題を解決する能力である ⑫ 知能に分類し、加齢にともない ⑬ 知能は低下しやすいことを示した。
  - 系列法を用いた研究によって、⑪ 知能は ⑭ 歳代まで上昇し、老年期での低下は ⑮ であり、⑫ 知能は ⑯ ～ ⑰ 歳代まで上昇し、老年期での低下は ⑱ ことがわかり、総合すると、70歳代では平均的な知的機能の低下は ⑲ と考えられている。

演習4－3 適応機制

テキストで学んだ適応機制について、それぞれの内容をまとめよう。

第3節

老化にともなう社会的な変化と生活への影響

学習のポイント

- 高齢者が社会生活を送るなかで直面する課題の内容を理解する
- 高齢者の社会的活動の内容を理解する
- 高齢者の老化理論のうち、社会との関係からとらえた老化理論の内容を理解する

関連項目　②『社会の理解』▶第1章「社会と生活のしくみ」

1 社会のなかでの生活上の課題

21世紀は、少子高齢社会といわれています。社会のなかでの高齢者の生活上の課題を考えていくとき、社会の現状がどのようになっていて、それがどのように高齢者の生活に影響するのかを知っておくことが大切です。

1 人口推移からみた少子高齢社会の課題

内閣府によると、2020（令和2）年時点で、わが国の高齢化率は28.8%になっています。超高齢社会の指標である**高齢化率**❶21%を上回っており、日本は超高齢社会になっています。**図4－25**に日本の人口推移を示しました。図中でみると2005（平成17）年から2010（平成22）年に日本の総人口のピークを迎え、それ以後は減少に転じています。2020年以降の総人口に占める65歳以上の人口をみると、あまり変化なく推移している一方で、15歳から64歳の人口が目に見えて減少していきます。この世代は労働世代となります。その労働世代が減少するということは、働き手がいなくなっていくことを示します。

❶**高齢化率**
p.71参照

その背景には少子化という問題があります。厚生労働省の2020（令和

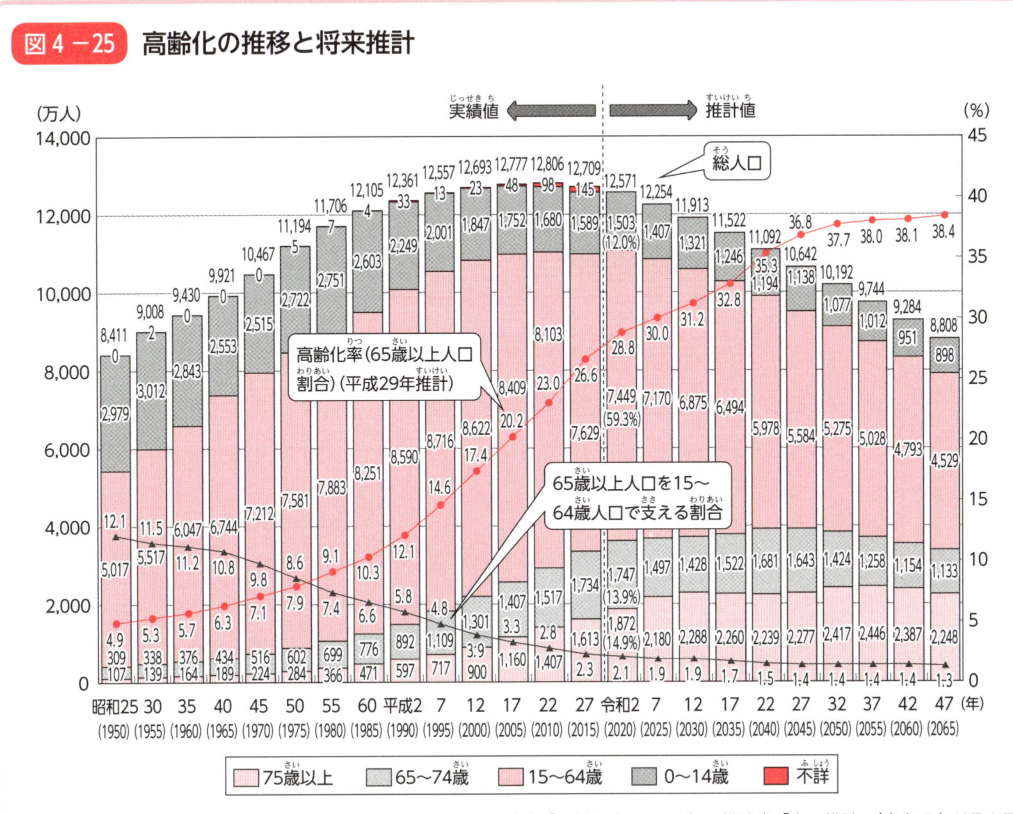

図4－25　高齢化の推移と将来推計

資料：棒グラフと実線の高齢化率については、2015年までは総務省「国勢調査」、2020年は総務省「人口推計」（令和２年10月１日現在（平成27年国勢調査を基準とする推計））、2025年以降は国立社会保障・人口問題研究所「日本の将来推計人口（平成29年推計）」の出生中位・死亡中位仮定による推計結果。

注１：2020年以降の年齢階級別人口は、総務省統計局「平成27年国勢調査　年齢・国籍不詳をあん分した人口（参考表）」による年齢不詳をあん分した人口に基づいて算出されていることから、年齢不詳は存在しない。なお、1950年～2015年の高齢化率の算出には分母から年齢不詳を除いている。ただし、1950年及び1955年において割合を算出する際には、注２における沖縄県の一部の人口を不詳には含めないものとする。

注２：沖縄県の昭和25年70歳以上の外国人136人（男55人、女81人）及び昭和30年70歳以上23,328人（男８,090人、女15,238人）は65～74歳、75歳以上の人口から除き、不詳に含めている。

注３：将来人口推計とは、基準時点までに得られた人口学的データに基づき、それまでの傾向、趨勢を将来に向けて投影するものである。基準時点以降の構造的な変化等により、推計以降に得られる実績や新たな将来推計との間には乖離が生じ得るものであり、将来推計人口はこのような実績等を踏まえて定期的に見直すこととしている。

注４：四捨五入の関係で、足し合わせても100%にならない場合がある。

出典：内閣府『令和３年版高齢社会白書』p.４、2021年

２）年の「人口動態統計」によると、2019（令和元）年の**合計特殊出生率**❷は1.36でした。また、2020（令和２）年の出生数は、84万835人となり、2016（平成28）年に、1899（明治32）年の統計開始から続いていた100万人を割って以後、100万人以下の出生数が続いています。このように子どもの数が少なくなっているために、人口の減少とともに高齢者の人口が相対的に増加しているといえます。

これらの人口推移から指摘される課題の１つに、雇用の課題があげら

❷（期間）合計特殊出生率
ある期間（１年間）の出生状況に着目したもので、その年における各年齢（15～49歳）の女性の出生率を合計したもの。

れます。働き手が少ないために生じる労働力の減少にともない、定年後の高齢者の労働力が期待されており高齢者雇用という課題があげられます（次の項で触れます）。もう1つは、働き手が少なくなるために高齢者介護の担い手不足という問題も生じています。

2 世帯構造の推移からみる家族関係

日本の65歳以上の世帯構成の年次推移を**表4－5**に示しました。着目すべきは「親と未婚の子のみの世帯」の推移です。1989（平成元）年は11.7%であったのが、2019（令和元）年には20.0%となり2倍に増加しています。さらに「単独世帯」も年々増加しています。子ども世代の他出や配偶者との死別による「単独世帯」のほか、未婚で単独の人も含まれると考えられます。加えて、「夫婦のみの世帯」も年々増加していま

表4－5　世帯構成の年次推移

年次	65歳以上の者のいる世帯	全世帯に占める割合	単独世帯	夫婦のみの世帯	親と未婚の子のみの世帯	三世代世帯	その他の世帯	（再掲）65歳以上の者のみの世帯
	（単位：千世帯）	（%）	構成割合（単位：%）					
昭和61年	9,769	(26.0)	13.1	18.2	11.1	44.8	12.7	23.9
平成元年	10,774	(27.3)	14.8	20.9	11.7	40.7	11.9	28.2
4	11,884	(28.8)	15.7	22.8	12.1	36.6	12.8	30.8
7	12,695	(31.1)	17.3	24.2	12.9	33.3	12.2	34.4
10	14,822	(33.3)	18.4	26.7	13.7	29.7	11.6	37.8
13	16,367	(35.8)	19.4	27.8	15.7	25.5	11.6	40.5
16	17,864	(38.6)	20.9	29.4	16.4	21.9	11.4	44.0
19	19,263	(40.1)	22.5	29.8	17.7	18.3	11.7	46.6
22	20,705	(42.6)	24.2	29.9	18.5	16.2	11.2	49.2
25	22,420	(44.7)	25.6	31.1	19.8	13.2	10.4	51.7
28	24,165	(48.4)	27.1	31.1	20.7	11.0	10.0	54.8
29	23,787	(47.2)	26.4	32.5	19.9	11.0	10.2	55.5
30	24,927	48.9	27.4	32.3	20.5	10.0	9.8	56.3
令和元年	25,584	49.4	28.8	32.3	20.0	9.4	9.5	58.1

出典：厚生労働省『2019年国民生活基礎調査』p.4を一部改変

す。このように、日本の世帯構成は、三世代世帯が減少する一方で、単独世帯、夫婦のみの世帯、親と未婚の子のみの世帯が増え、昭和の世帯構成とは大きく異なってきています。

世帯構成の変化は、在宅における家族の介護のあり方も変化させてきており、未婚の子どもによる介護、介護にともなう介護離職、田舎に暮らす親の元に介護のために通う遠距離介護、高齢になった配偶者がもう一方の配偶者を介護する老老介護などがあげられます。

3　生涯未婚、未婚の子どもによる介護から生じる課題

図4－26に50歳時の未婚割合の推移を示しました。**図4－26**の注にあるとおり、この図は50歳時点で一度も結婚したことのない人の割合を指しています。**図4－26**を見ると1985（昭和60）年から2010（平成22）年の実績値は、男女ともに年々増加してきたことがわかります。2013（平成25）年以降の推計値もゆるやかにはなりますが増加傾向を示していま

図4－26　50歳時の未婚割合の推移

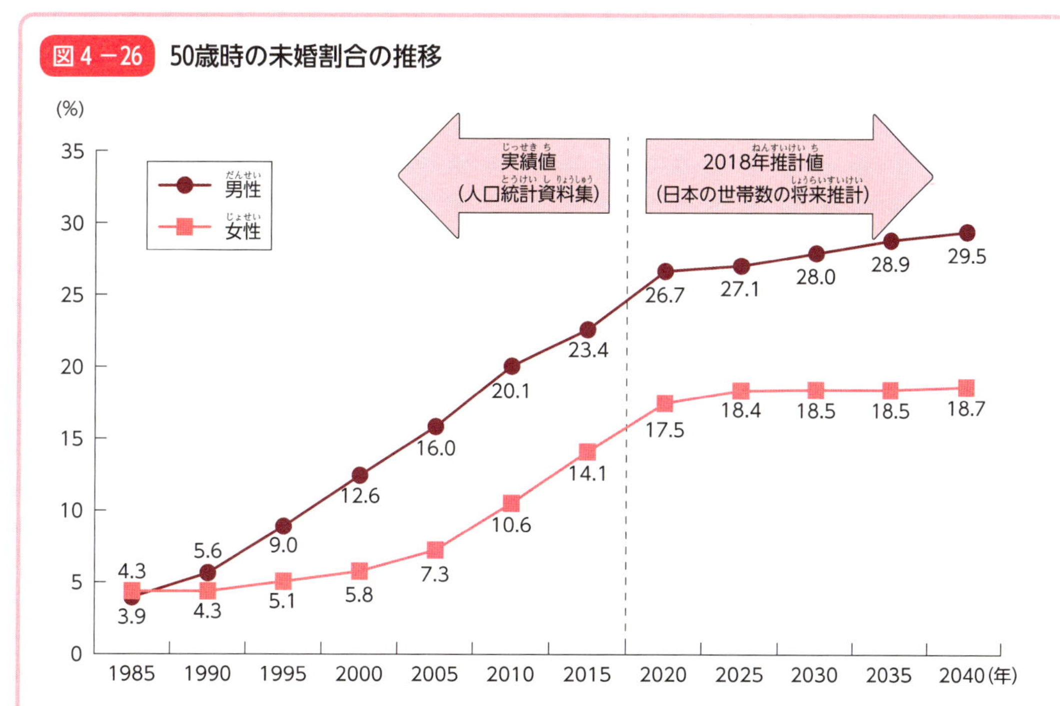

資料：国立社会保障・人口問題研究所「日本の世帯数の将来推計（全国推計）（2018年推計）」、「人口統計資料集」

注：50歳時の未婚割合は、50歳時点で一度も結婚をしたことのない人の割合であり、2015年までは「人口統計資料集」、2020年以降は「日本の世帯数の将来推計」より、45～49歳の未婚率と50～54歳の未婚率の平均。

出典：厚生労働省編『令和3年版厚生労働白書』p.185、2021年

す。この未婚率は50歳までの時点ですから、その後に結婚する人もいるでしょう。一方で、未婚のまま高齢期を迎えるという人もいるといえます。

これらの統計からみえてくることは、先に述べた介護の問題があげられます。生涯未婚の独居者は、子どもがいないため、自分の面倒をみてくれる親族は兄弟や甥や姪といった兄弟の子ども世代になります。しかし少子化社会を考えると、そのような親族に頼れる高齢者は少ないといえます。すると親族による介護は期待できず、公的なサービスの利用が中心となる独居高齢者が増加するといえます。

未婚の子が介護している現状も、その子ども世代が介護を終了したときには、未婚のまま老年期に差し掛かっている場合もあります。親の介護に従事する未婚の子どもは、将来の独居高齢者の予備軍といえるかもしれません。

4 介護離職にかかわる問題

日本の総人口が減少傾向にあり、労働力不足が指摘されているなかで、働き盛りの世代が、介護のために仕事をやめなければならない状況に置かれる場合があります。国の施策として、日本経済を支えるためにも、介護のために仕事をやめなければならない人たちを減らそうとする「介護離職ゼロ」が推進されています。

総務省統計局によると2017（平成29）年の過去1年間に介護や看護のために離職した人の割合は2007（平成19）年から2012（平成24）年では、2.2%から1.7%と減少していますが、2012（平成24）年から2017（平成29）年は1.7%から1.8%とほぼ横ばいになっています（**図4－27**）。**表4－6**を見ると、介護離職者には女性の占める割合が多く、2017（平成29）年は約75%を占めています。一方で再度就業についている割合も、女性が17%と高いことが示されています。夫婦共働きに介護の問題が生じた場合、どちらかが介護のために離職を選択する場合もあるかもしれません。夫婦世帯においても兄弟の数が減っている日本の家族構成上、夫婦で双方の両親4人の面倒をみるという状況も生じてきます。要介護の高齢者が家族のなかに複数現れるようになると、介護のために離職せざるを得ない状況が増加していくといえます。

図4－27の2012（平成24）年の調査時点での有業者は1万7800人、

2017（平成29）年の有業者は2万4600人と有業者数は増加しているといえます。しかし、少子高齢化にともない介護福祉職の確保も十分に進まない状況では、家族が介護を担う割合は今後も増えこそすれ減ることはありません。国のさらなる介護離職ゼロ対策が望まれます。

図4－27　就業状態別介護・看護のために過去1年間に前職を離職した者および割合―平成19年、24年、29年

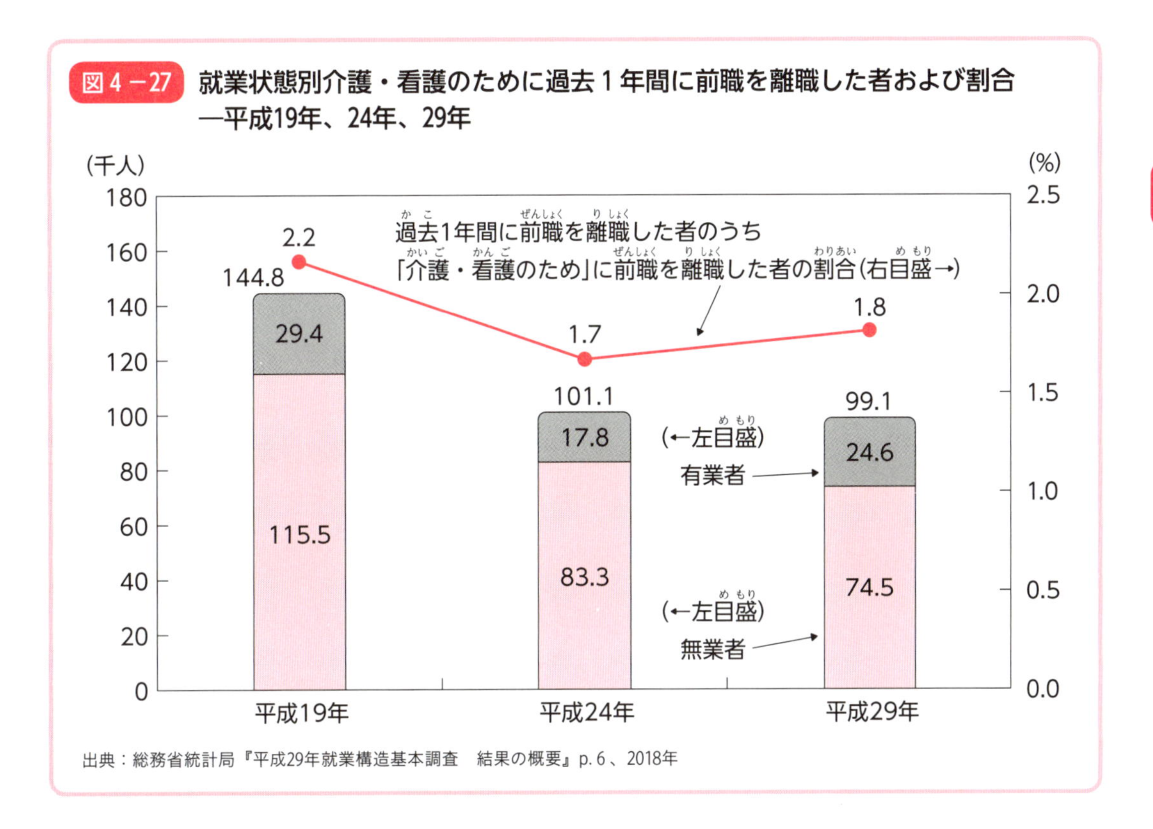

出典：総務省統計局『平成29年就業構造基本調査　結果の概要』p.6、2018年

表4－6　男女、就業状態別介護・看護のために過去1年間に前職を離職した者―平成19年、24年、29年

(千人)

男女就業状態	平成19年	平成24年	平成29年
総数	144.8	101.1	99.1
有業者	29.4	17.8	24.6
無業者	115.5	83.3	74.5
男	25.6	19.9	24.0
有業者	6.1	3.4	7.7
無業者	19.5	16.5	16.3
女	119.2	81.2	75.1
有業者	23.3	14.4	17.0
無業者	96.0	66.8	58.2

出典：総務省統計局『平成29年就業構造基本調査　結果の概要』p.6、2018年

5 老老介護

夫婦のみ世帯は、**表4－5**に示した通り、2019（令和元）年には32.3％を占めています。**図4－28**に「要介護者等からみたおもな介護者の続柄」を示しました。「同居」の主な介護者の要介護者等との続柄をみると23.8％が配偶者です。介護者の割合は女性が約6割と男性の約2倍です。介護者の年齢をみると60歳以上が男女ともに約7割であり、高齢の配偶者がその配偶者を介護する「老老介護」が多い現状が示されています。

さらに、夫婦二人ともが認知症を含む要介護状態になる場合もあります。すると、介護し介護されるという状況が不分明になり、在宅での介護が困難な状況になるといえます。高齢者施策は、地域包括ケアシステムを提唱し、住み慣れた地域で生活し続けることを謳っています。しかし、多世代から核家族化、独居といった家族構成の変化に加え、高齢社会により、若者が減少していくなかで地域活動をする人も高齢化し、近隣社会との繋がりも変化してきています。これは、地域の力の減少を意

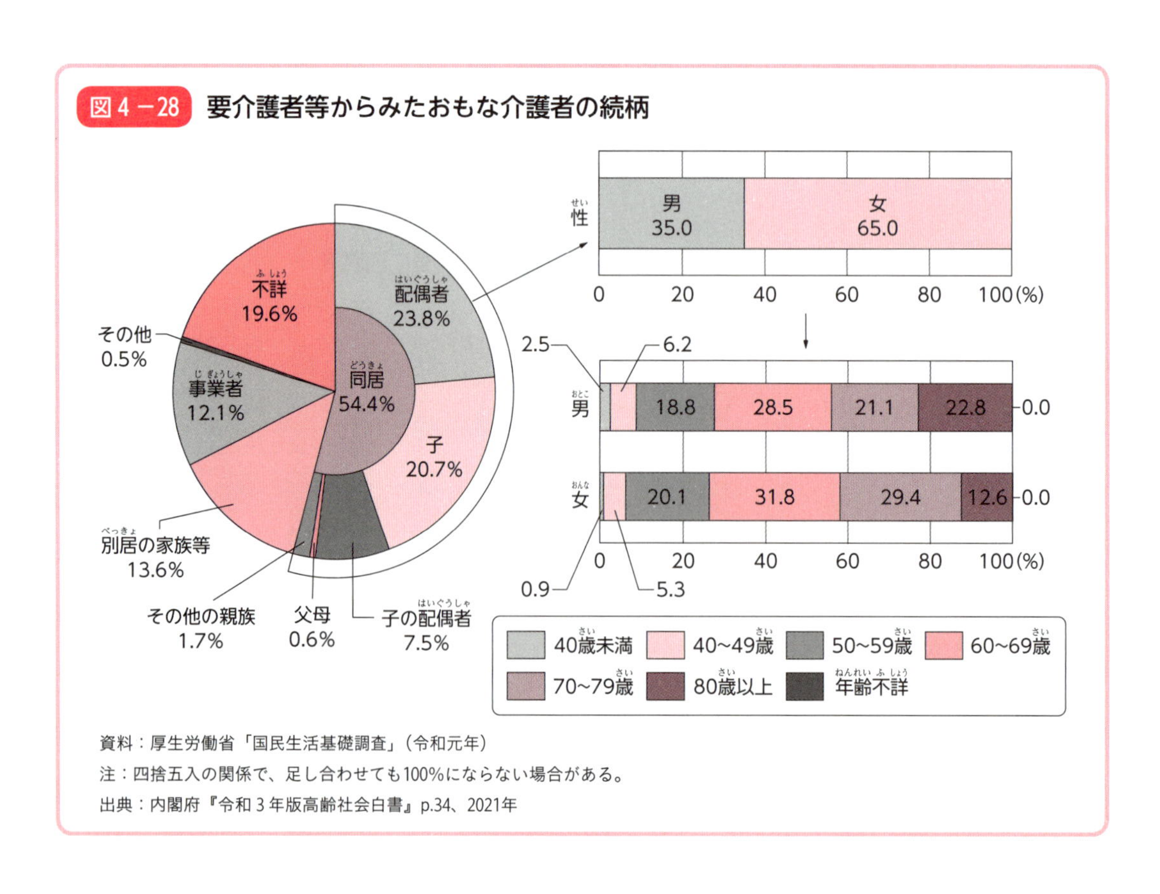

図4－28 要介護者等からみたおもな介護者の続柄

資料：厚生労働省「国民生活基礎調査」（令和元年）

注：四捨五入の関係で、足し合わせても100％にならない場合がある。

出典：内閣府『令和3年版高齢社会白書』p.34、2021年

味しており、老老世帯や、夫婦ともに認知症の家族を地域で支えることの困難さが指摘されるといえます。これらに対して、国は地域包括ケアシステムを深化させる方向を示し、障害福祉と介護保険をあわせた新しい共生型サービスを提案し、地域共生社会を推進しています。今後求められることは、地域住民の自主的自発的な互助制度だけではなく、地域行政、福祉専門サービス組織、地域住民が一体となり、計画的な地域共生社会システムによる互助支援制度をつくり、要介護の高齢者を支援していくことが望まれるといえます。

6　孤独死の問題

さらに、介護者が未婚のまま年を重ね老年期に入った場合、親族は兄弟、甥や姪になる可能性があり、親族との交流が少ないとか、頼る親族がいない場合は、「孤独」や「孤立」という状態になる可能性が指摘されます。この世代が要介護状態になった場合、身内のいない独居者の介護となるので、彼らをだれがどのように介護するかが今後の社会の課題になるといえます。

現在においても、生涯未婚の高齢者は存在し、「孤独」は高齢者の「孤独死」という社会問題にもつながっていく課題といえます。**図4－29**に、東京23区内における一人暮らしで65歳以上の人の自宅での死亡者数を示しました。これは、死因不明の急性死や事故で亡くなった人の検案、解剖を行っている東京都監察医務院が公表しているデータによります。年々その数が増加しており、2019(令和元)年には3936人となっています。

今後、生涯未婚の人が増えていくと、親戚縁者のいない人が増え、要介護状態や死亡した際に、近親者が不在のために、行政が関与する度合いが増えていくと考えられます。この孤独死対策にも地域の互助機能が必要です。上述した新しい地域共生社会システムによる互助制度などにより、独居の高齢者の見守りも推進されていくことが望まれます。

7　エイジズム

エイジズムとは、高齢者など年をとっている者への差別偏見のことを指します。数ある差別のなかで、第1の差別が人種差別であり、第2の差別が性差別であり、エイジズムは第3の差別として指摘されていま

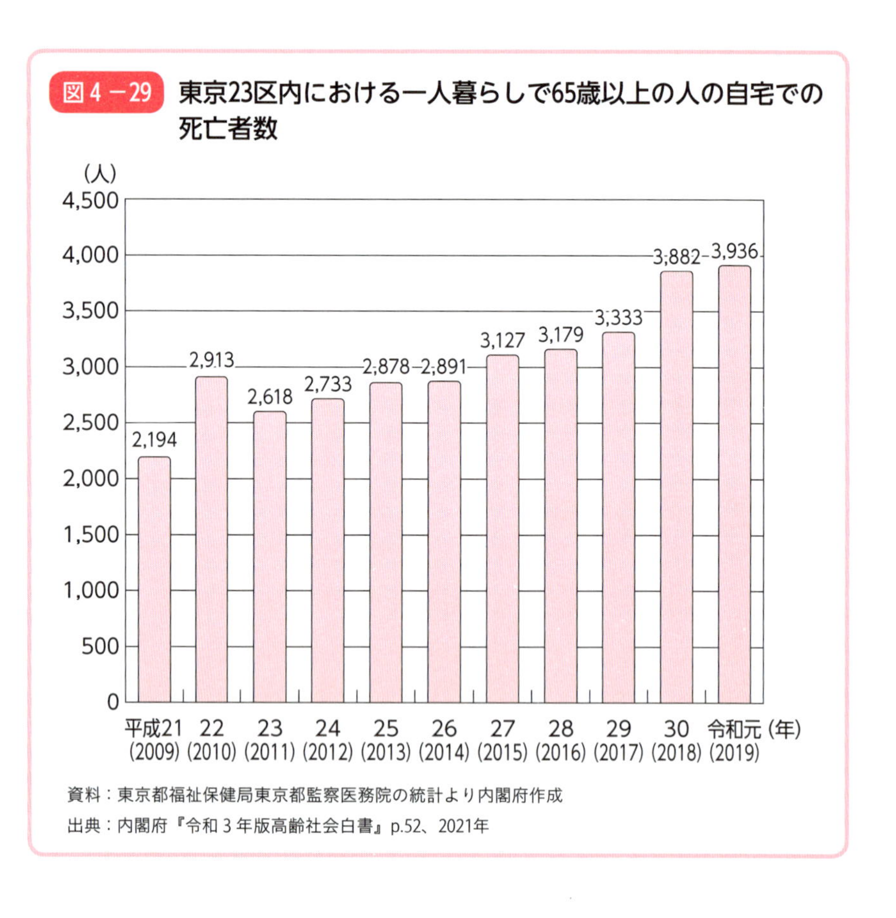

図4－29　東京23区内における一人暮らしで65歳以上の人の自宅での死亡者数

資料：東京都福祉保健局東京都監察医務院の統計より内閣府作成
出典：内閣府『令和３年版高齢社会白書』p.52、2021年

す。エイジズムは、回想法の創始者であるバトラー（Butler, R. N.）によって提唱されました。バトラーはエイジズムを「年を取っているという理由で老人たちを一つの型にはめ差別すること」[1] と定義しています。日本においても、1970年代の高度成長期には、老いに対して否定的で、若いことを肯定的にとらえていました。今でも高齢者自身「若いですね」と言われると喜ぶ場合があります。また、老人や年寄りという表現は、老いてからだが十分に動かない、高齢になりよぼよぼで弱々しいイメージをともなってとらえられる場合もあります。一方で、高齢者はお金をもっているというイメージや、年をとると判断力がおとろえるというイメージから、詐欺犯罪のターゲットにされやすいのが現状です。ゆえに、高齢者が詐欺犯罪に適切に対応し撃退すると、特別なことのようにマスコミが取り上げる面もエイジズムといえます。

エイジズムは、このように、おもに高齢者に対する周囲の人の考え方や態度によるものといえます。一方で、このエイジズムの内容が高齢者自身にも影響してくるといえるでしょう。

原田[2)]は今後の課題と展望として、高齢者支援を行う学生のエイジズムを明らかにして、老年学教育を変えていくこと、児童と高齢者の交流経験を通して肯定的な高齢者イメージを増やしていくこと、高齢者就業がうたわれているが、若者との世代間の対立が生じないようにすること、これらを、研究を通して検討していくことが必要であると指摘しています。

エイジズムは、俗説とか誤解といった誤った考え方を含めて、社会に広まっているといえます。高齢者にかかわる立場の人は、自分のなかに誤解や思い込み、偏見や差別がないかとふり返ることが大切です。また、原田が指摘するように、小学校からの学校教育や専門職養成のなかで、エイジズムを話題とし、私たち自身のなかにある高齢者についての誤った理解や偏見・差別を直視し、それらを修正していく取り組みが必要であるといえます。

2 高齢者の社会的活動の現状と課題

1 高齢者の就労状況

少子高齢化に伴い、社会の労働人口も変化し、女性や高齢者の労働力が期待されています。2013（平成25）年に高年齢者等の雇用の安定等に関する法律（高年齢者雇用安定法）が改正され、高齢者の雇用を確保するため、65歳定年への引き上げもしくは、60歳定年後の継続雇用制度の導入、定年の定めの撤廃のいずれかを行うことが事業主に義務づけられました。さらに同法の一部改正がなされ、2021（令和3）年から70歳までの就業機会の確保が事業主の努力義務となりました。**図4－30**の棒グラフに示されるとおり、15歳以上65歳未満の労働力人口数はほぼ横ばいの人数を示している一方で、折れ線グラフで示される労働力人口に占める65歳以上の割合は右肩上がりを示し、特に、法改正のあった2013（平成25）年前後からさらに増加していることがわかります。

この人口分布からもわかるとおり、65歳以上の高齢者が、年齢で引退し社会から退くのではなく、継続して就労し、労働人口として社会の一翼を担うことが期待されます。

図4−30 労働力人口の推移

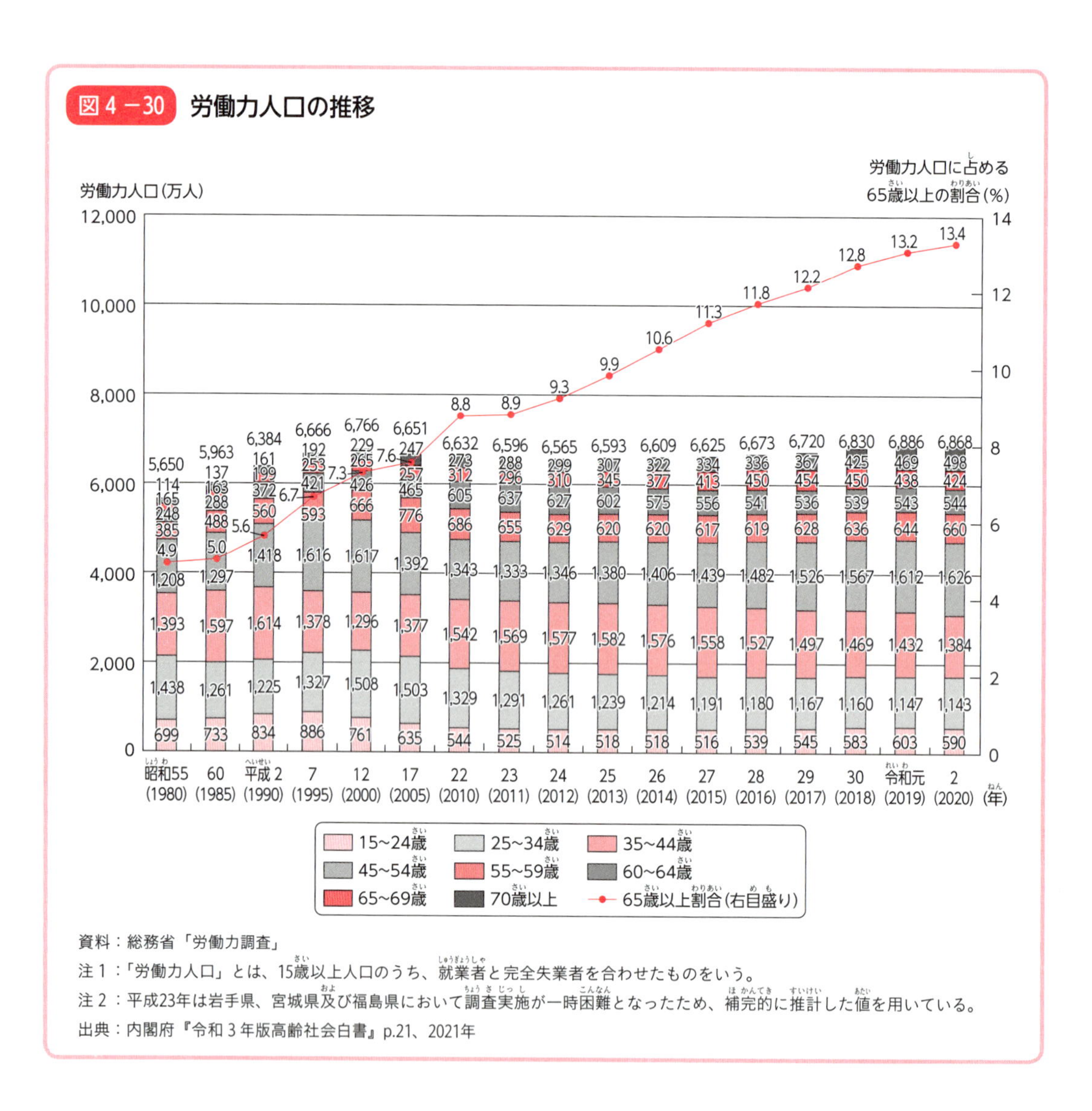

資料：総務省「労働力調査」
注1：「労働力人口」とは、15歳以上人口のうち、就業者と完全失業者を合わせたものをいう。
注2：平成23年は岩手県、宮城県及び福島県において調査実施が一時困難となったため、補完的に推計した値を用いている。
出典：内閣府『令和3年版高齢社会白書』p.21、2021年

高齢者にも労働者として期待がされていますが、高齢者自身はどう思っているのでしょう。**図4−31**に示すとおり、全体では「働けるうちはいつまでも」が20.6%、さらに収入のある仕事をしている者ではその割合がもっとも多く36.7%であり、高齢者自身も就労継続を望んでいることがわかります。年齢の上限においても、全体をみると70歳まで（21.7%）、75歳まで（11.9%）、80歳まで（4.8%）と、この3つで38.4%を占めます。上記の「働けるうちはいつまでも」と合わせると約6割の人が継続して働きたいという意思があるということになります。

高年齢者雇用安定法により、65歳以上の高齢者の雇用延長や再雇用が促進されています。働く意思のある高齢者は雇用継続を進めていくべきといえます。ただし、高齢者の心身の状態は個人差が大きいため、その

図4－31　あなたは、何歳ころまで収入をともなう仕事をしたいですか

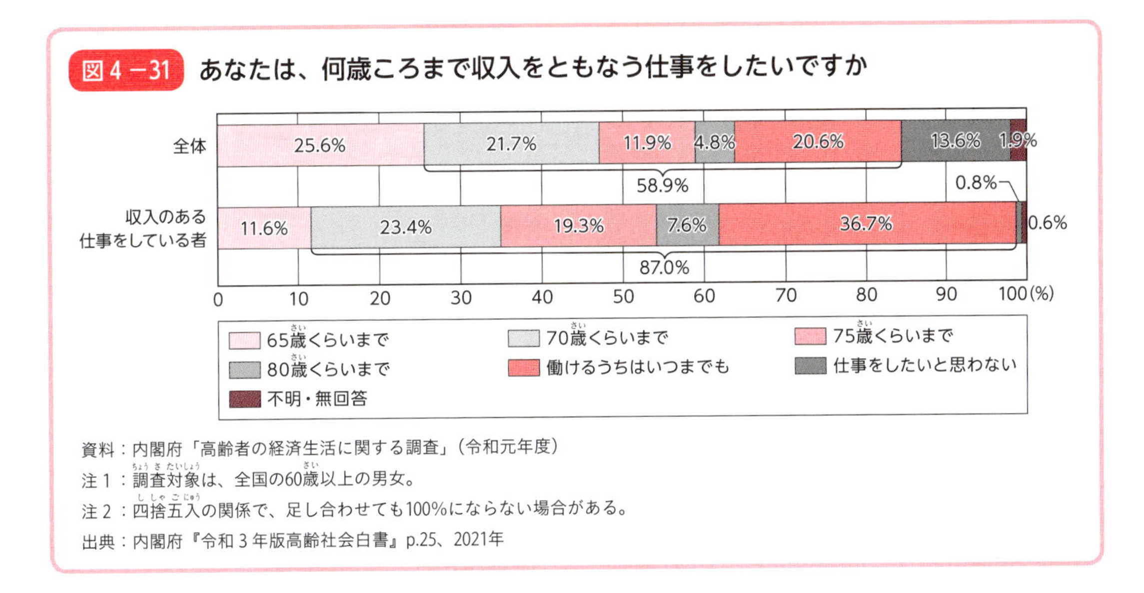

資料：内閣府「高齢者の経済生活に関する調査」（令和元年度）
注1：調査対象は、全国の60歳以上の男女。
注2：四捨五入の関係で、足し合わせても100%にならない場合がある。
出典：内閣府『令和3年版高齢社会白書』p.25、2021年

状態に応じた業務内容や雇用形態を考えることは、高齢者自身も雇用者側も十分に留意することが望まれます。

2　高齢者の社会参加活動の状況

就労に限らず、高齢者が社会参加をすることは、自宅から外に出る機会をつくりだし、心身の健康にもつながっていきます。**図4－32**に示されるように、「自主的なグループ活動への参加状況についてみると、60歳以上の高齢者のうち61.0％（2013（平成25）年）が何らかのグループ活動に参加したことがあり、10年前（2003（平成15）年）と比べると6.2ポイント、20年前（1993(平成5)年）に比べると18.7ポイント増加」[3] しています。つまり、社会参加活動をしている高齢者が増えているといえます。

一方で、**図4－33**をみると、「特に活動はしていない」という人の割合が多いことが示されています。この点について澤岡[4] は、体力的な理由で活動できない人がいることを指摘し「活動したいという想いを持ちつつも活動することができない高齢者が存在する反面、無視することのできないのが、そもそも「活動する意思がない人」の存在」があるとし、その理由として「中年期・向老期から社会貢献活動に対する関心が薄く、加齢と共に身体の衰えや誘ってくれる友人・知人の減少などの活動を阻害する条件が増えていった結果として現在に至るという過程が想

像」されると述べています。

つまり、身体が十分に動かなくなるとか周囲から親しい人がいなくなるといったことにより、社会とのつながりが薄くなっていくことが、社会への関心を減少させ、社会活動といった社会につながることへの関心を減らしているといえます。

高齢者における社会貢献活動、ボランティア活動は男女ともに、彼ら

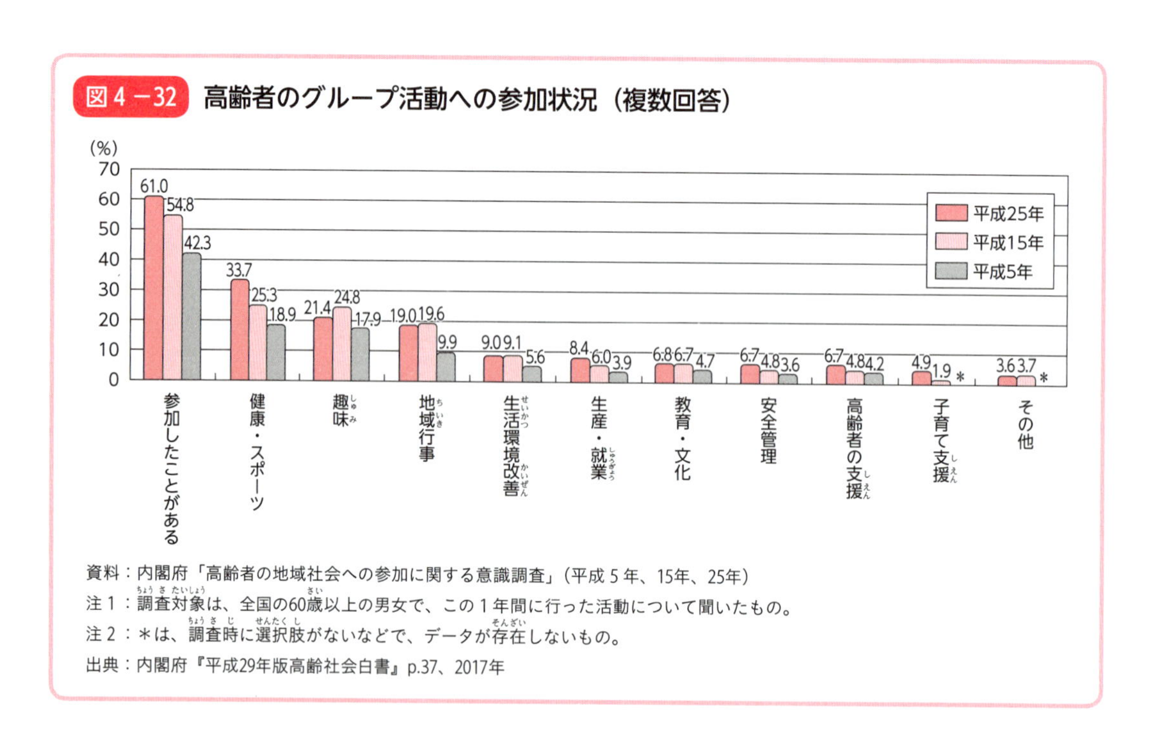

図4－32 高齢者のグループ活動への参加状況（複数回答）

資料：内閣府「高齢者の地域社会への参加に関する意識調査」（平成5年、15年、25年）
注1：調査対象は、全国の60歳以上の男女で、この1年間に行った活動について聞いたもの。
注2：＊は、調査時に選択肢がないなどで、データが存在しないもの。
出典：内閣府『平成29年版高齢社会白書』p.37、2017年

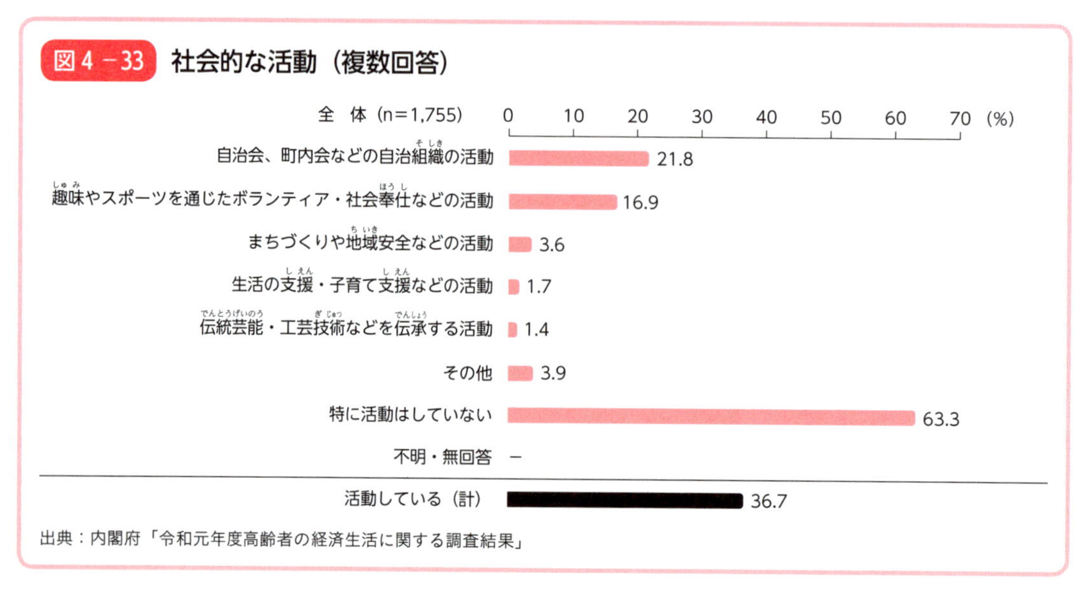

図4－33 社会的な活動（複数回答）

出典：内閣府「令和元年度高齢者の経済生活に関する調査結果」

のウェルビーイング❸によい影響を及ぼすことが知られています。ゆえに、澤岡も指摘している通り、社会活動をする意思のない人たちを減らし、社会活動に参加する高齢者を増やしていくことは、高齢者自身にとっても社会にとっても必要なことといえます。

❸ウェルビーイング
well-being。十分にある状態、よくある状態のこと。福祉分野では心身ともに満たされた状態にあることをいう。

3 社会における老化理論

本節の第1項「社会のなかでの生活上の課題」で述べたとおり、高齢者を取り巻く社会の環境は変化してきています。その変化する社会のなかで高齢者も生活しています。年を重ね老いていくなかで、社会とどのようにつきあいながら自分の生活を組み立てていくのかという課題が高齢者自身にも求められます。

この項では、社会のなかで高齢者がどのように生きていくことが幸せなのかという議論や研究から生まれてきた代表的な老化理論について、概要を述べていきます。第5章第1節で説明されているサクセスフルエイジングについての土台となる考え方が老化理論ということになります。次のサクセスフルエイジングの項も読みあわせて理解を深めてください。

1 活動理論

活動理論（activity theory）は、中原[5)]によれば、1963年にハヴィガースト（Havighurst, R. J.）によって提唱され、1970年代にレモン（Lemon, B. W.）らによって体系化されたものです。活動理論では役割喪失を少なくして、高齢者が活発に社会のなかで活動していくべきだという考え方です。その活動を支えるのが、役割支持や役割アイデンティティであり、それによって肯定的な自己概念をもつことが大切といえます。

（1）役割喪失

役割喪失とは、社会生活や家庭生活のなかで、これまで果たしてきた役割がなくなることをいいます。社会生活のなかの役割喪失では、定年退職が代表的なものです。退職により給料が入らなくなる、誰かに自分を説明する際の肩書がなくなるということも生じます。家庭生活のなかの役割喪失には、子どもが成長し独り立ちすることで親役割が一旦終了します。また、子どもが結婚して2世帯家族になった場合、女性は、主たる主婦の立場を娘や嫁に譲ることになります。地域のつながりのなかでは、子どもの学校卒業にともない学校の役員が終わる、後進に自治会の役員をゆずるといったものもあります。このように、人はいろいろな役割をもって社会と接していますが、その役割が失われることをいいます。

（2）役割支持

役割支持とは、個人が果たしている役割を、周囲の人が承認してくれることです。たとえば、自治会の役員を退いた後にも、新役員からアドバイスを求められることによって、自治会へ貢献するという役割を得ることができます。また、前役員が意見を述べてくれたことに対して、新役員が「貴重なご意見ありがとうございます。参考にさせていただきます」と応えることで、自治会へ貢献しているという役割が周囲の人からも支持されることになり、前役員は誇りややりがいをもてるといえます。このように周囲から、生活のなかでの役割を支持してもらうことで、役割喪失をせずにすみます。

（3）役割アイデンティティ

役割アイデンティティとは、その人の仕事などの肩書や立場による自分の立ちふるまいを、自分自身がどのように自覚しているかということをいいます。たとえば、嫁にその家の主婦の立場を譲ったとしても、嫁をサポートする姑という役割や、孫にかかわる祖母という役割を新たに得て、自分の役割アイデンティティをもつことができます。また、地域のボランティア活動に精を出すことで、主婦や姑、祖母という役割から、地域貢献をする自分という新しい役割アイデンティティをもつこともできます。このように、自分の役割に合わせて自分らしさをもつことが、役割アイデンティティです。

2 離脱理論

活動理論に対して、高齢者は社会的活動から離れていくことが適応的であるとする離脱理論（disengagement theory）があげられます。トーンスタム（Tornstam, L.）[6] によれば、離脱理論は以下の3つの仮説から成ると述べています。

第1の仮説：すべての社会はどちらにせよ年をとった人を社会の周縁に追いやる。

第2の仮説：人は高齢者になると本能的に社会から身を引くようになる。

第3の仮説：社会的ないし心理的離脱状態にあっても、個人は生活満足、幸福、充実を高い割合で感じていると主張する。

第1と第2の仮説における離脱は、高齢者本人が望むというより社会の側が、もうあなたは高齢者なのだから、社会的な役割から身を引いたほうがよいと、離脱をうながされる面と、高齢者自身が、もう年だから引退したのだから社会と距離をおこうといった気持ちのありようで離脱がうながされる面があるといえます。

ただし、第2の仮説については否定的にとらえられており、高齢になったからといって、必ずしも自分から身を引くというわけではないと考えられています。

その一方で、第3の仮説については、高齢期の幸福や満足感は、前述の活動理論と離脱理論のどちらの考え方に沿った生活によって得られるのか、議論が生じました。そして、その議論から活動理論、離脱理論に代わる新しい理論が提唱されるようになりました。

3 継続性理論

継続性理論（continuity theory）は、前述の活動理論と離脱理論の論争のなかから提示されてきたものです。

継続性理論について、アチェリー（Atchley, R. C.）[7] は以下のように説明しています。

高齢者は、生活のなかで適応していくためにいろいろな選択を行います。高齢者は自分自身の過去の経験や社会とのつながりのなかで身につけた手段や方法を使って、目の前の問題に対処することを好みます。ゆえに、高齢者における変化というものは、高齢者が経験してきた過去と結びついているため、社会的行動や社会状況が変化しながらも一定の継続性をもっており（外的継続性）、高齢者自身の性格傾向も一定の継続性をもちながら変化するものといえます（内的継続性）。

内的継続性とは、たとえば、観念、気質、感情、経験、物事への好き嫌いといった嗜好、生まれながらの習性、技能といった個々人がつちかってきて、内面にもちあわせるものによります。そのため、たとえば認知症になって記憶されているものが損なわれると、つちかってきたものが損なわれるため、その継続性が保てなくなります。このことから、内的継続性は、自分自身の過去体験に関連した変化を理解でき、年をとって変わっていく自分を支え、正当化することができる健康な能力であるともいえます。

一方、外的継続性とは、物理的および社会的環境、役割関係、活動性といった経験によってつちかわれた構造によって決められます。外的継続性は、慣れ親しんだ環境のなかでの活動や、慣れ親しんだ技能を使ったり、身近な人と交流したりすることによってとらえられます。つまり、個人は、社会的物理的な空間として日常的な居場所をもっており、その場所で、自分なりの基準によるやり方で行動します。このように、外的継続性は、周囲との関係のなかで自分なりの行動を継続させていくことといえます。

4 選択最適化補償（SOC）理論

選択最適化補償理論は、Selection、Optimization、and Compensation as foundation of developmental theoryと英語で表記され、Selection（選択）、Optimization（資源の最適化）、Compensation（補償）の3つの頭文字を取ってSOC理論ともいいます。年齢を重ねるにともない、この3つを活用して、加齢にともなう生活に適応していくものがSOC理論です。

バルテス（Baltes, P. B.）[8]はこの3つの機能について、**アルトゥール・ルービンシュタイン**[4]（Rubinstein, A.）のコンサートを例にあげて説明しています。ルービンシュタインは、80歳の時のコンサートの際のテレビのインタビューで、高い水準の熟練されたピアノ演奏をいかに維持しているのかという質問に対して、3つの方法を示しました。1つ目は、楽曲は少なめにしていること、2つ目は、それらの楽曲をより多く練習していること、3つ目は、早いパートの前にスローな演奏を挿入して、後のパートが速い演奏にみえるようにしていると答えま

4 アルトゥール・ルービンシュタイン
ポーランド出身のピアニスト。1982年95歳にて逝去。

した。

SOC理論の3つの機能をあてはめると、1つ目の楽曲を少なめにすることが「選択」に該当します。2つ目の選択した楽曲にしぼって練習することが「資源の最適化」に、3つ目の速い演奏の前にスローな演奏を入れる工夫が「補償」に該当します。

つまり、選択とは、個人がつちかってきた能力が年をとることによって失われていくことにあわせて、自分の能力を見極め、活用できる能力を選択して、選択した能力を活用していくことといえます。先の例のとおりに、演奏できる楽曲はいくつもあるでしょうが、加齢にともなう能力の低下にあわせて、自分が十分に演奏でき、聴衆に聴かせられる楽曲を選ぶことが、選択になります。

資源の最適化とは、加齢による変化にともない、自分の内にある資源の内容が変化していくことを体験することです。そのなかで、よりよい能力を表現していくためには、加齢にともない変化していく自分の能力や知識などにあわせて、対応していくことが望まれるといえます。先の例のとおり、選択した楽曲という資源について、練習を数多くすることで、楽曲演奏に、より磨きをかけることが資源の最適化といえます。

補償とは、加齢のために心身の状態が低下し、今までできていたことができなくなってくることを補うことです。たとえば耳が聞こえづらくなれば補聴器を使うとか、これまで用いていた手段がうまく使えなくなったのなら、違う方法で対処するとか、できる範囲のことをするというものです。先の例の演奏のスピードにメリハリをつける工夫も、若いころのように弾けなくなった能力を、演奏の楽曲へのメリハリの工夫という別の方法で補うことが補償といえます。

5 社会情動的選択性理論

カーステンセン（Carstensen, L. L.）が提案する社会情動的選択性理論（socioemotional selectivity theory）とは、「高齢になり、将来が限られてくると考えるようになると、社会生活の中での人づきあいは、例えば教育的な目標といった社会的な人間関係における長期目標から、情緒的な満足を得るような社会的な人間関係における短期目標に移行していく」[9]というものです。つまり「時間が足りないと感じている人は、すぐに利益につながるような社会的目標を追求します。同時に、長期的な目標の場合は、人づきあいの相手を選択することはあまり重要でありません。社会情動的選択性理論にしたがうと、短期目標の場合は対人関係の感情面に焦点を当てる傾向があります。意味のある感情状態を親密な人づきあいの相手から、簡単かつ確実に得られるため、より親密な相手は、そうではない関係の人よりも好ましい人と受けとられ」[9]ます。

つまり、高齢になっていくと、社会生活における対人関係は、情緒的な満足を与えてくれる親密な間柄の人たちを選び、そういった人たちとのつきあいにしぼられていきます。社会的に関係する人の数は狭まっていっても、親密につきあい情緒的な満足感を与えてくれる人がいると、高齢者の幸福感が維持されるものになるといえます。

6 老年的超越理論

老年的超越（gerotranscendence）は、デンマークの老年社会学者のトーンスタムが提唱しました。老年的超越は離脱理論への批判や修正といった議論をふまえ、新しい理論を求めるなかから提唱されました。トーンスタムは、老年的超越は「（老年的超越以外の）多くの理論は“良いエイジング”とは中年期の思想、活動や現実を継続し持続させることであるという仮説に基づいている。しかし老年的超越理論は、変化と発達を強調する理論的立場にある」[10]と述べています。老年的超越は年をとることにともなう変化や、個人の一生涯が発達であるという生涯発達の考え方に基づくことが強調されています。

トーンスタムは、老年的超越への発達は、それぞれの個人に均一にみられるものではないが、すべての人が老年的超越の「種」をもっていること、社会と個人の関係の減少は、社会からの離脱や認知機能の低下によるのではなく、肯定的な超越であると説明しています[11]。

この超越とは、老年期までの個人の歴史をもとに語られるものではありません。たとえば、活動理論は、老年期までの社会とのつながりのなかでつくられた役割を失うことによる喪失を回避・緩和するために、違う役割をもちましょうというものです。つまり、老年期までの元気なころの「過去」の役割が基準になっているといえます。離脱理論も、老年期以前の社会との関係から離れるというものであり、継続性理論も老年期以前の社会との関係を続けていこうというもので、同様に、老年期までの個人の「過去」が基準になっているといえます。

一方、老年的超越は、「過去」を基準とせずに、新しい形で先に進んでいこうというものです。つまり、現在の現実をふまえ、新しい自分を形づくっていくというものです。

トーンスタムは、それを以下の3つの次元として述べています。1つ目は、年とともに老いていくのみという時間の概念や、死への恐れといった概念を超え、自然や宇宙と一体と感じる「宇宙的な次元」であること。2つ目が自分自身を見つめることで自分中心という考えが減少し、利他主義になり、ケアを必要とする老いた身体を受け入れていく「自己の次元」、3つ目が社会的な役割に縛られた周囲との関係から離れ、物欲から離れ、社会のルールから解放され生活する「社会と個人の関係の次元」です。

つまり、老年的超越は老化により衰えていく身体にこだわり続けるのではなく、引退以前の自分自身のあり様や引退前の人間関係にこだわるのでもなく、それらを「超越」して、今現在の心身の状況、社会関係の状況のなかで、自分のあり様を形づくっていくものといえるでしょう。

老いは身体の機能も心の機能も低下させていきます。若いころと比較すると身体も思うように動かなくなりますし、頭の回転も若いころに比べると遅くなります。そのなかで老年的超越にある高齢者は、3つの次元から、自分の現状を肯定的に受け入れ、老いによる心身の状態にとらわれることなく、自分らしくある人といえます。ある意味、自分の人生であるとか死であるとか、自分自身といった枠にとらわれない自由さをえた人と言い換えられるかもしれません。

トーンスタム[12)]は量的な調査の結果から「老年的超越の高い人は生活満足感も高い」こと、「老年的超越の低い人より社会活動の程度が高い」ことなどが示されたと述べ、離脱理論とは異なることを示しています。

ここまで6つの「理論」にふれてきました。しかし「理論」と記されてはいますが、これらの老化理論が、正しいのかどうかは研究途上にあるといえます。それを念頭におきながら、これらの老化理論を、高齢者がよりよく老後を過ごしていくために、「老い」をどのようにとらえるとよいのかという問いを考える際の参考にしてみてください。

◆引用文献

1）ロバート・バトラー、内薗耕二監訳、グレッグ・中村文子訳『老後はなぜ悲劇なのか？——アメリカの老人たちの生活』メヂカルフレンド社、p.15、1991年

2）原田謙「エイジズム研究の動向と課題」『老年社会科学』第33巻第１号、pp.74-81、2011年

3）内閣府『平成29年版高齢社会白書（全体版）』p.37、2017年

4）澤岡詩野「『いわゆる』社会貢献活動する意思を持たない高齢者の特徴」内閣府『平成28年 高齢者の経済・生活環境に関する調査結果（全体版）』 http://www８.cao.go.jp/kourei/ishiki/h28/sougou/zentai/pdf/sec_3_2.pdf

5）中原純「シルバー人材センターにおける活動が生活満足度に与える影響：活動理論（activity theory of aging）の検証」『社会心理学研究』第29巻第３号、pp.180-186、2014年

6）ラーシュ・トーンスタム、冨澤公子・タカハシマサミ訳『老年的超越——歳を重ねる幸福感の世界』晃洋書房、p.32、2017年

7）Atchley,R.C.,'A continuity theory of normal aging', *Gerontologist,* 29(2), pp.183-190, 1989.

8）Baltes,P.B., 'On the incomplete architecture of human ontogeny. Selection,optimization,and compensation as foundation of developmental theory', *American psychologist,* 52(4), pp.366-380, 1997.

9）Lang,F.R.,Staudinger,U.M., & Carstensen,L.L., 'Perspectives on socioemotional selectivity in late life: How personality and social context do (and do not) make a difference,' *Journal of Gerotology: Psychological Sciences,* 53B, pp.21-30, 1998.

10）前出６）、pp.48-49

11）前出６）、pp.78-80

12）前出６）、p.95

◆参考文献

● 小野寺敦志「福祉分野に関係する法律・制度（３）高齢者福祉」野島一彦・繁桝算男監、元永拓郎編『公認心理師の基礎と実践23 関係行政論』遠見書房、2018年

演習4－4　老化にともなう社会的な変化と生活への影響

以下の2つのテーマについて、身近な65歳以上の高齢者から話を聞き、その内容をまとめてみよう。内容をまとめた後に、聞き取り内容から学んだことを整理してみよう。

テーマ

1 高齢者になって、若いころと比べて、生活面で変化したと思うこと、大変になったと思うこと。

2 高齢者になっても行っている社会的活動はどのようなものか。その活動は自分自身にどのように役立っていると思うか。

第5章

高齢者と健康

第1節

健康長寿に向けての健康

学習のポイント

- 高齢者の健康が注目されるようになった背景を理解する
- サクセスフルエイジング、プロダクティブエイジング、アクティブエイジングの考え方を理解する

1 高齢者の健康

1 平均余命と健康寿命

現在の年齢別死亡率が今後も変化しないと仮定した場合、ある年齢から期待生存年数を計算した値を平均余命とよび、0歳児の**平均余命**のことを**平均寿命**といいます。2020（令和2）年の日本の平均寿命は、男性81.64歳、女性87.74歳です。**図5－1**は平均寿命と65歳時の平均余命の推移を示していますが、女性の平均余命が大幅に延びていることがわかります。

寿命が長くなることと、健康で生活できることは同じではありません。WHO（世界保健機関）は、2000年に初めて「**健康寿命**」を公表しました。健康寿命は、平均寿命から介護期間（自立した生活を含めない）を差し引いたものとして示されています。日本では、**図5－2**に示すように、平均寿命の延びにともない、健康寿命も延びていることがわかります。

人が健康に生きるという実感は、疾病がなく長く生命を維持することだけで得られるものではありません。その人がもつ、予備力、回復力、適応力、防衛力が互いにバランスを保ちながら、生活上で起こりうるさまざまな状況に適応できる状態を維持し続けていくことで得られるといえます。

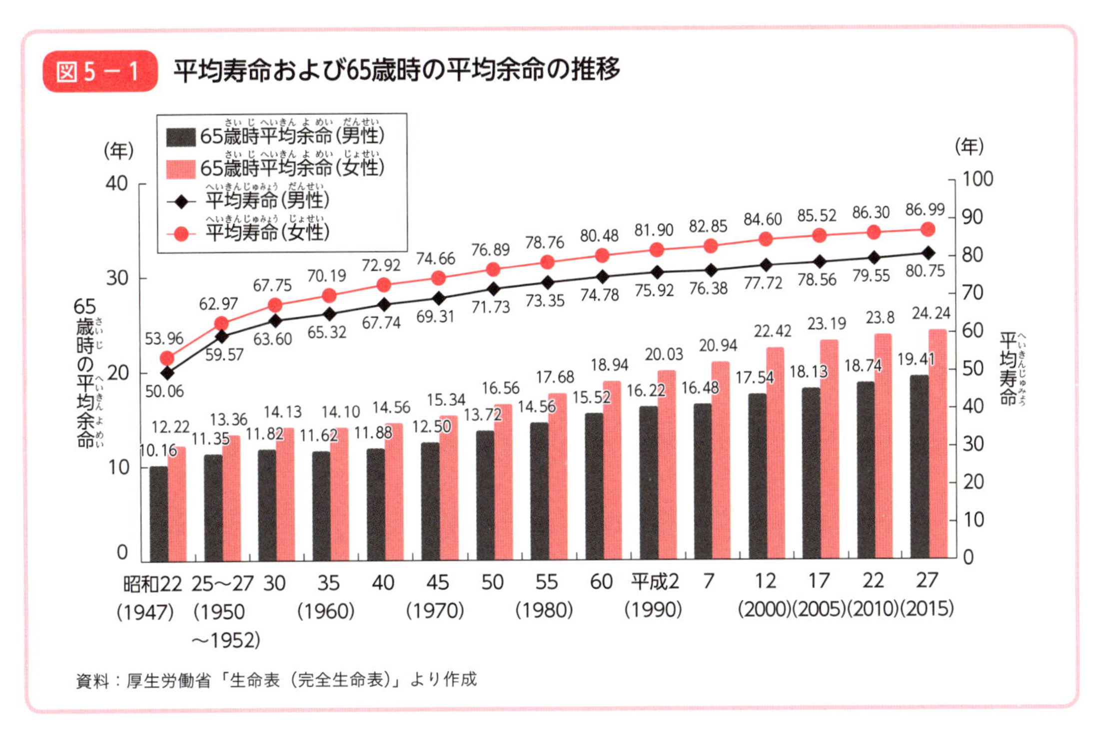

図5－1　平均寿命および65歳時の平均余命の推移

資料：厚生労働省「生命表（完全生命表）」より作成

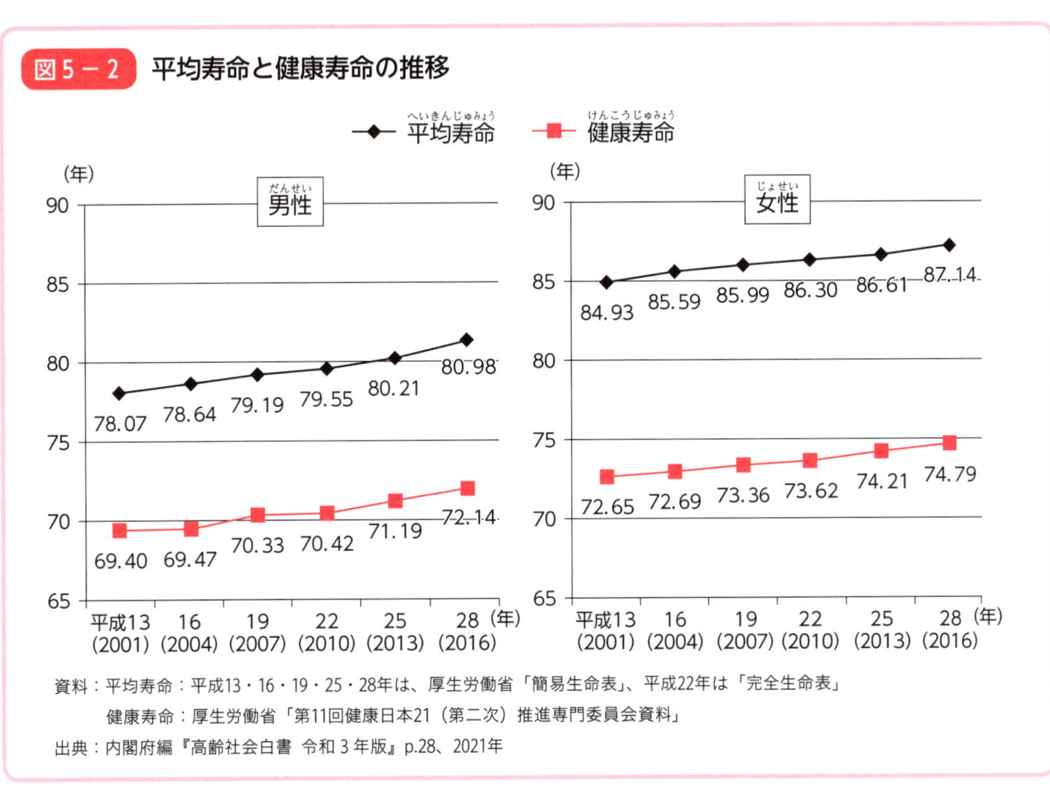

図5－2　平均寿命と健康寿命の推移

資料：平均寿命：平成13・16・19・25・28年は、厚生労働省「簡易生命表」、平成22年は「完全生命表」
健康寿命：厚生労働省「第11回健康日本21（第二次）推進専門委員会資料」
出典：内閣府編『高齢社会白書　令和3年版』p.28、2021年

2 疾病構造の変化

日本人の平均寿命は世界でもトップレベルであり、日本は世界的にも有数な長寿国になっています。このように、日本の長寿化を導いた理由の1つに、感染症などの急性疾患の減少による死亡率の低下をあげることができます。さらに、病気や障害の発生要因が明らかにされつつあり、その予防が明確になってきたこともあげられます。

戦前から戦後にかけての死因の上位は、結核や肺炎、気管支炎、胃腸炎などの感染症がほとんどでした。近年では、悪性新生物、心疾患、肺炎、脳血管疾患の4大死因が増加しています。保健・医療・福祉の水準が高まったことや、教育や経済状況の改善などにより感染症の死亡率が減少したと考えられます。現在では、個人のライフスタイルや生活習慣に関連する慢性疾患によるものが増加し、国民の疾病構造に変化を及ぼしています。

3 健康日本21

1978（昭和53）年から開始された第1次国民健康づくり対策では、健康づくりに対する国民の意識の底上げを行うとともに、保健体制の全国的な整備を進め、健康づくりへのサポート環境を築いていくことが主な目的でした。

さらに、1988（昭和63）年からは「アクティブ80ヘルスプラン」とよばれる第2次国民健康づくり対策に受け継がれました。国民の生活習慣病のリスクファクターを減少させるライフスタイルへの改善と、生活の質（QOL）の向上をめざした健康づくりが課題とされました。

第3次健康づくり対策は、2000（平成12）年から開始され、健康寿命の延長をめざす21世紀における国民健康づくり運動（**健康日本21**）として位置づけられました。基本理念は「すべての国民が健康で明るく元気に生活できる社会の実現のために壮年死亡の減少、健康寿命の延伸と健康に関する生活の質の向上を目指し、一人一人が自己の選択に基づいて健康を増進すること、そして、その個人の活動を社会全体が支援すること」[1] であるとされました。

健康日本21は2012（平成24）年度末で終了になりましたが、2013（平成25）年度より10年間の計画として、新たな**健康日本21（第二次）**に改

表5－1　健康日本21（第二次）で設定された高齢者の身体活動・運動目標

外出について積極的な態度をもつ者の増加		
[運動習慣者の割合]	現状	2022（令和4）年
男性（65歳以上）	47.6%	58%
女性（65歳以上）	37.6%	48%
何らかの地域活動を実施している高齢者の増加		
[地域活動を実施している者]	現状	2022（令和4）年
男性（60歳以上）	64.0%	80%
女性（60歳以上）	55.1%	80%
日常生活における歩数の増加		
[日常生活の歩数]	現状	2022（令和4）年
男性（65歳以上）	5,628歩	7,000歩
女性（65歳以上）	4,584歩	6,000歩

表5－2　健康日本21（第二次）の5つの基本的方向性

① 健康寿命の延伸と健康格差の縮小
② 生活習慣病の発症予防と重症化予防の徹底
③ 社会生活を営むために必要な機能の維持および向上
④ 健康を支え、守るための社会環境の整備
⑤ 栄養・食生活、身体活動・運動、休養、飲酒、喫煙および歯・口腔の健康に関する生活習慣および社会環境の改善

正され（**表5－1**）、健康日本21（第一次）の評価をもとに、5つの基本的方向性が示されました（**表5－2**）。

4　サクセスフルエイジング

平均寿命が60～70歳代のころには、長寿が人生最大の幸せであると考えられていました。しかし、高齢化の進展にともない、人生の長さだけ

ではなく、その質も問われるようになってきました。**サクセスフルエイジング**とは、加齢による喪失の衝撃を最小限に食い止めながら、加齢のプロセスにおいて、ライフサイクル上の発達課題に対応し望ましい形で進行することといえます。この言葉は、1960年代初めからアメリカにおいて用いられ、日本においては「生きがい」や「幸福な老い」がもっとも近い意味ではないかと考えられています。

サクセスフルエイジングの構成要素については、画一されたものがありません。日本において、松本ら[2)]は、満足、健康、チャレンジ、自負心、参加、自己保存の６つをあげています。次の事例を６つの視点から分析しましょう。

事例

Aさん（85歳、男性）は、妻（80歳）と二人暮らしである。子どもはいない。現在持ち家の一軒家に住んでいる。自転車に乗って行きたい所に行っている。

定年退職までは、郵便局長として働いていた。定年後は、地域の老人会の手伝いをし、「チラシづくりを任されているんだけどね……自分の役割かな」とうれしそうである。地域の歴史が好きで、よく調査に出かけている。今は自分史を書くことに集中して取り組んでいる。「自分史を書くのに、パソコンを習わないとなあ」と言う。持病の喘息があるが、かかりつけ医の診察を受けながら、内服薬で治療している。「病気があっても薬で落ち着いているし、病気の１つや２つ誰でもある。自転車で好きな所に行ける、まあ、元気だよ。お金はないけどね………」と笑いながら語る。また、「85歳になったけど、本当は年なんて気にしていない。好きなことができて楽しい」と言う。ご先祖様を大切にし、心の拠りどころにしている。

【満足】【健康】

「病気の１つや２つあっても、薬で落ち着いているし、日常生活はある程度可能であり、まあ元気だよ」と受け入れている。

【チャレンジ】

「自分史を書くのにパソコンがないと不便でね。習おうかな」と新しいことに挑戦する姿勢がみられる。

【自負心】【参加】

「チラシづくりを任されているんだけどね……自分の役割かな」などと人とのかかわりや交流の維持に努力し、関係性のなかで自分の役割を認識している。
【自己保存】
「85歳になったけど、本当は歳なんて気にしていない。好きなことができて楽しい」と暦年齢に固執せず、第三者からみた自己と主観の自己を重ねて、自分の自己を確立している。

5 プロダクティブエイジング

今や人生100年といわれています。100年時代をどのように生きていくか、その人生設計が重要です。

ロバート・バトラー（Butler, R. N.）がプロダクティブエイジングの理念を先駆的に提唱したのは1975年でした。バトラーは、年齢差別によって高齢者の生産的・創造的な能力が活かされていない状況を批判し、現に高齢者は社会に貢献しており、さらに幅広い社会参加が可能であることを明確にしました。

これからの高齢社会においては、自分の生き方の方向性、住む場所、活躍の仕方、楽しみ方など幅広い選択肢が用意されています。1人ひとりの生き方におけるニーズを考え、今までの経験をふまえて、自己決定、自己実現していくことは、創造的な生活につながるといえます。

6 アクティブエイジング

アクティブエイジングは、WHO（World Health Organization：世界保健機関）が2002年４月にスペインで開催した「第２回高齢者問題世界会議」で初めて提唱し、「アクティブエイジングとは、人々が歳を重ねても生活の質が向上するように、健康、参加、安全の機会を最適化するプロセスである」としています。「アクティブ」という言葉は、身体的に活動的でいられることや、労働に従事する能力をもっていることだけでなく、仕事から引退した高齢者や病気の人、身体障害をもつ人であっても、自分の家族、仲間、地域社会、国に積極的に貢献し続けることができることであるとしています。

日本では、2035年には３人に１人が65歳以上の高齢者となると予測されています。アクティブエイジングに向けて国は、社会保障制度の見直しと充実、脳卒中やがん、心臓病など非感染性疾患対策（NCD対策）、地域包括ケアシステムの展開による在宅介護の社会化、高齢者の社会参加など、さまざまな取り組みを行っています。

◆引用文献

1）練馬区健康福祉事業本部健康部健康推進課『練馬区健康づくり総合計画』p.17、2011年

2）松本啓子、渡辺文子「後期高齢者のSuccessful Agingの意味――郡部に居住する高齢者の聞きとり調査から」『日本看護研究学会雑誌』第27巻第５号、pp.25-30、2004年

演習5－1　サクセスフルエイジング

次の事例を読んで、サクセスフルエイジングを規定する①満足、②健康、③チャレンジ、④自負心、⑤参加、⑥自己保存の6つの視点から分析してみよう。

Bさんは80歳の男性で、戦争体験がある。昔は農業を営んでいた。「非常時ということで戦争に行った。死ぬことを恐いと思わなかった。人間というものは教育によって変わるものだ。終戦になって家を継いだ。それでよかったと思う」という。

今は地域の老人会会長を長年引き受けている。「長い間ここに住んでいるから、いろいろなことを知っているので、問題があったらみんな聞きに来るよ。相談役みたいなことをやっている」という。2人いる息子はそれぞれ結婚し独立している。1人は県外、1人は隣町で家族と暮らしている。趣味は茶道、俳句、山登りであり、妻と二人で楽しんでいたが、数年前に妻をがんで亡くした後はゲートボールやグラウンドゴルフに凝っている。現在一人暮らしである。「健康でないと長生きもできん。寝込んでしまったらいかん」という。隣町に住む息子が週に1回程度、嫁の作ったおかずをもって家に寄ってくれている。

几帳面な性格であり家は小ぎれいにしている。家のガレージには高齢者マークを付けた普通車が1台停めてあり、田舎道は車が便利だよという。これといった大きな持病はないが、年に1回人間ドックで入院し、健康チェックには気をつかっている。「もう考えてもしょうがないことはあきらめて、これからどうしていくかを考えている。前向きに考えないとな」と、生に対しては真摯な態度であり、いやなことがあってもそこから逃げないという。「これからも人の役に立ちたいと思っている。このまま安定した生活ができればありがたい」と望んでいる。

第2節

高齢者に多い症状・疾患の特徴

学習のポイント

- 高齢者の症状や疾患の特徴について理解する
- 高齢者に特有な症候について理解する

1 症状・疾患の特徴

1 慢性的に経過しやすい

高齢者の場合、病気にかかると完全に治癒することが望めない場合が多々あります。いったん発症してしまうと、回復することが困難で長期（慢性的）の経過をたどりやすいといえます。また、若い時から持続する慢性疾患をもつ場合も稀ではありません。

高血圧症や糖尿病などの高齢者によくみられる疾患は、老化や生活習慣が基盤となって起こっています。そのため慢性的な経過をたどります。骨折など治る可能性がある疾患でも、回復力が低下しているために治癒に時間がかかります。

2 複数の疾患をもつ

加齢とともに病気にかかりやすくなります。後期高齢者の場合、１つだけでなく複数の疾患をもっていることが多くなります。いつ、どのような病気にかかり、どのような治療を受けたのかはっきりしないことも多々あります。いままでかかった病気や治療について知ることは、現在の病気との関係性や注意すべき点の理解につながるため、ていねいに聞き取ることが重要です。

特に複数の疾患がある場合、注意すべき点はどのような薬を飲んでいるかということです。たとえば、高血圧で内科、腰痛で整形外科、白内障で眼科を受診しているとします。3か所も受診していると、かなりの量の薬を服用している場合もあります。薬のなかには飲み合わせてはいけない薬、急に中止してはいけない薬もあります。最近では、**お薬手帳**[1]の普及により、同じような薬が重複して処方されることが少なくなりました。

❶お薬手帳
医療機関で処方された薬の名称や量などを記録し、服用履歴を管理するための手帳。薬局や医療機関にて無料で配布されている。

3 非定型的な症状

高齢者の疾患は、青年期や壮年期の人たちが同じ疾患にかかった場合に比べて、症状が**非定型的**という特徴があります。たとえば、青年期や壮年期の人が肺炎にかかった場合、高熱を出して苦しそうな咳をすることが多いです。しかし高齢者の場合、肺炎にかかっても微熱のことが多く、顔色が悪くても平気でいることがあり、顕著な症状を示さないことが多いのです。つまり、「無熱性」の肺炎です。また、呼吸器の症状とは異なる、思考力の低下や意識の低下等があらわれることも特徴です。

さらに、心筋梗塞でも軽い症状を示すことがあります。青年期や壮年期の心筋梗塞では、強い胸痛を訴えます。50歳代の人では75%、60歳代では50%、70歳代では26%、80歳代では9%というように、年齢とともに強い痛みを訴えなくなります。つまり、「無痛性」の心筋梗塞です。したがって、いつもより元気がない、背中や肩の痛みや凝りを訴える、食欲が落ちている等の症状の観察が重要です。

4 痛みを感じにくい

高齢者では痛みを感じにくいという特徴もあります。青年期や壮年期では、骨にひびが入っただけでも強い痛みを感じますが、高齢者の場合、背骨が骨折していても約80%の人が痛みを感じないといわれています。知らない間に骨折し、知らない間に治っていることもあります。

2 閉じこもり

病気や身体の不調が続くと、外に出ることがおっくうになり、家に閉じこもりがちになります。その結果、人との交流も少なくなり、活動性が低下し、「閉じこもり」の状態になります。閉じこもりが続くと生活が不活発になり、心身機能の低下や精神機能の低下をきたし悪循環が生じます。適切に心身機能を使わないことによって起こる病態を廃用症候群といいます。

3 廃用症候群

「動かない状態・動けない状態」が続くと身体の活動性が低下し、意欲や知的活動などの精神機能の低下、骨・筋肉の萎縮、関節の拘縮や褥瘡などを引き起こしやすくなります。このように安静状態が長期にわたって続くことによって起こる、さまざまな心身の機能低下を廃用症候群といいます（**表5－3**）。生活不活発病ともよばれ、特に寝たきり状態が原因で起こる症状が多くみられます（**表5－4**）。

表5－3　廃用症候群の諸症状

種類	諸症状
局所性廃用症候群	関節拘縮、廃用性筋萎縮、廃用性骨萎縮、皮膚萎縮、褥瘡、静脈血栓症など
全身性廃用症候群	心肺機能の低下、起立性低血圧、易疲労性、脱水、消化器機能低下など
精神・神経性廃用症候群	知的活動低下、うつ傾向、自律神経不安定、姿勢・運動調節機能低下など

表5－4　主な廃用症候群

項目	内容
起立性低血圧	自律神経障害の1つで、血管のコントロールが低下するため、身体を起こすと、下肢や腹腔臓器に血液が降りて貯留し、脳に行く血流が不足してしまうこと。その結果、寝た姿勢から急に座ったり、立ったりすると、めまいや頭重感、吐き気などを引き起こす。
関節拘縮	関節を構成する靭帯や関節包、筋や皮膚などの短縮により、関節が硬くなる状態。そのため関節の動きが制限される。
筋萎縮	筋線維が細くなる状態で、筋力の低下がみられる。
骨粗鬆症	臥床が続くと、骨に対し重力による機械的刺激が減少し、その結果、骨が弱くなり、折れやすくなる状態をいう。
褥瘡	過度の持続的圧迫により、その部分の組織が壊死を起こしてしまう状態。特に、褥瘡となりやすいところは骨の突出部で、仙骨部、肩甲骨後方部、踵部、大腿骨上外側部などである。
静脈血栓症	静脈が詰まる状態で、下肢に生じやすく、うっ血やむくみが出る。
知的・心理的障害	長期臥床により、身体的にも精神的にも刺激が少ない状態が続くと、知的能力の低下や他者への依存のほか、興味・自発性の低下、食欲低下、睡眠障害が起こってくる。

4　老年症候群

老年症候群とは、加齢にともない高齢者に多くみられ、原因はさまざまですが医師の診察や介護や看護を必要とする症状・徴候の総称のことです。老年症候群の症状・徴候は50項目以上が存在します。

現在、老年症候群は3つに分類されています（**表5－5**）。1つ目は、加齢により変化しない症候で、主に急性疾患に付随する下痢、睡眠障害、転倒、骨折、めまい、感染症などがあげられます。若い人と同じくらいの頻度で起きますが、高齢者への対処方法は、若い人と異なり工夫が必要です。2つ目は、主に慢性疾患に付随する症候で、65歳以上の高齢者（**前期高齢者**）から徐々に増加する症候群で、かゆみ、脱水、便

表5－5　老年症候群の分類と特徴と頻度の高い症状所見

分類	特徴	頻度の高い症状所見
1　加齢により変化しない症候群	おもに急性疾患に付随する。 若年者と同等くらいの頻度でみられるが、対処方法は高齢者では工夫が必要になる。	下痢、睡眠障害、転倒、骨折、めまい、意識障害、感染症、頭痛、低体温、息切れ、腹痛、腹部腫瘤、黄疸、胸腹水、リンパ節腫脹、喀血、吐下血、睡眠時呼吸障害
2　前期高齢者で増加する症候群	おもに慢性疾患に付随する。	かゆみ、脱水、便秘、視力低下、認知症、しびれ、言語障害、麻痺、骨関節変形、関節痛、腰痛、発熱、体重減少、食欲不振、悪心・嘔吐、喀痰・咳嗽、喘鳴、呼吸困難、浮腫
3　後期高齢者で増加する症候群	ADL低下と密接な関連をもち、介護が重要となる。	摂食・嚥下困難、低栄養、尿失禁、頻尿、ADL障害、難聴、骨粗鬆症、椎体骨折、抑うつ、せん妄、褥瘡、貧血、出血傾向、胸痛、不整脈

出典：鳥羽研二「高齢者に特有な症候」日本老年医学会編『老年医学テキスト 改訂第3版』メジカルビュー社、pp.66-71、2008年をもとに作成

秘、視力低下、認知症などがあります。3つ目は、75歳以上の高齢者（**後期高齢者**）に急激に増加する症候で、摂食・嚥下困難、低栄養、尿失禁、難聴、骨粗鬆症、抑うつなどがあります。ADLの低下と密接に関係をもち、医療とあわせて介護が重要になります。

◆ 参考文献

- 北川公子ほか『系統看護学講座 専門分野Ⅱ 老年看護学 第9版』医学書院、2018年
- 正木治恵・真田弘美編『老年看護学概論 改訂第2版』南江堂、2016年
- 水田邦夫ほか「平成25年度プロダクティブ・エイジング（生涯現役社会）の実現に向けた取り組みに関する国際比較研究報告書」一般財団法人長寿社会開発センター 国際長寿センター、2014年

演習5－2　廃用症候群と老年症候群の特徴

廃用症候群(はいようしょうこうぐん)と老年症候群(しょうこうぐん)の特徴(とくちょう)についてまとめよう。

第3節

高齢者に多い疾患・症状と生活上の留意点

学習のポイント

- 高齢者に多い疾患の種類と原因や症状、治療を学ぶ
- さまざまな症状が日常生活へどのように影響するのかについて学ぶ
- 後遺障害による日常生活への影響と支援について学ぶ

関連項目
⑧『生活支援技術Ⅲ』▶第2章「障害に応じた生活支援技術Ⅰ」
▶第3章「障害に応じた生活支援技術Ⅱ」
⑭『障害の理解』▶第2章「障害別の基礎的理解と特性に応じた支援Ⅰ」
▶第3章「障害別の基礎的理解と特性に応じた支援Ⅱ」

1 骨格系・筋系

ここでは骨格系・筋系のなかでも高齢者に多い疾患として骨粗鬆症、変形性膝関節症、関節リウマチ、変形性脊椎症、脊柱管狭窄症、腰椎圧迫骨折を取り上げます。これらの疾患がもとで日常生活に支障をきたすことがあるため、疾患の原因、特徴的な症状について学習します。

1 骨粗鬆症

(1) 概要

厚生労働省の2017（平成29）年の「患者調査」によると、骨粗鬆症の人は約62万9000人といわれています。女性の場合は50歳代、男性では60歳代以降に多く発症し、男女比では女性のほうが多いです。世界保健機関（WHO）の定義では、「低骨量と骨組織の微細構造の異常を特徴とし、骨の脆弱性が増大し、骨折の危険性が増大する疾患である」とされ、骨粗鬆症は原発性骨粗鬆症と続発性骨粗鬆症に分けられます。

(2) 原因

原発性骨粗鬆症の場合、女性は閉経を迎えると女性ホルモンであるエストロゲンが減少し、男性よりも早く骨量（骨密度）が減少し、海綿骨❶のなかに空洞が増え、骨がもろく折れやすい状態になります。

さらに、骨の代謝が低下し、高齢になるとカルシウムやたんぱく質、ビタミンDなどの摂取量が減るうえに、運動量が低下することで、カルシウムの吸収に必要な皮膚でのビタミンDの合成も減少します。これらの理由から、骨量（骨密度）が減り骨の脆弱性が増大し、骨粗鬆症の原因になります。

骨粗鬆症の危険因子には、加齢、遺伝（血縁者に骨粗鬆症）、低栄養、偏食などがあります。

一方、続発性骨粗鬆症は、原因になる特定の疾病や薬剤の影響によって二次的に起こってくるものをいいます。原因になる特定の疾病には、内分泌系疾患として甲状腺機能亢進症やクッシング症候群があり、生活習慣病として糖尿病があります。さらに、薬剤性としてステロイド薬や抗けいれん薬を長期にわたって服薬していたことがあげられます。

❶海綿骨
骨の表層はしっかりした緻密質である皮質骨で、その内側の内部にスポンジのような海綿質からできている海綿骨があり、軽くて強い構造をつくっている。

(3) 症状

脊椎骨の加齢変化により退行性変化を起こし、腰背部が丸くなり腰背部痛が出現し、成人のときと比べて身長が4cm以上低くなります。一般的には気づかず生活しており、骨折するまでは自覚症状に乏しいです。転倒などによって脆弱性骨折を起こし、検査を受けることで骨粗鬆症と診断されることが多いです。そのため、転倒を予防することが重要です。詳細はp. 204の「高齢者に多い骨折」を参照してください。

(4) 治療

薬物療法はカルシウム製剤、活性型ビタミンD_3製剤、ビタミンK_2製剤などを用いると、骨量（骨密度）が増えて骨が強くなります。ほかにも骨を強くする薬を注射することもあります。

食事療法では、カルシウム（牛乳・乳製品・大豆製品・小魚など）、たんぱく質（肉・魚・大豆製品など）、ビタミンK（納豆・ブロッコリーなど）、ビタミンD（きくらげ・うなぎ・さんまなど）の摂取を心がけます。なお、ビタミンD活性化のためには紫外線が必要なため、日光を浴びることが大切です。

運動療法では適度な運動で骨に負担をかけ、筋力、持久力、バランス力を鍛えます。さらに、日常生活における転倒には十分注意することが必要です。

2 高齢者に多い骨折

（1）概要

高齢者に多い骨折として**脊椎圧迫骨折**、**大腿骨頸部骨折**、**橈骨遠位端骨折**、**上腕骨近位部骨折**があげられます（口絵参照）。

1 脊椎圧迫骨折（図５－３）

骨粗鬆症による脆弱性骨折のうち最多で、腰痛症の原因になります。「介護予防の推進に向けた運動器疾患対策について」の報告書[1]によると、50歳以上の女性が一生のうちに脊椎圧迫骨折を起こす確率は約40％、有病率は60歳代では８～13％、70歳代では30～40％と推計されています。

2 大腿骨頸部骨折（図５－４）

足のつけ根の大腿骨の骨折で、「介護予防の推進に向けた運動器疾患対策について」の報告書[1]によると、とくに80歳以上の高齢者に急増することが推察されています。

3 橈骨遠位端骨折

手関節近くの橈骨の骨折で、脊椎圧迫骨折、大腿骨頸部骨折に次いで発生率が高く、男女比では女性が多く、加齢とともに発生率は増加します。

図５－３ 脊椎圧迫骨折

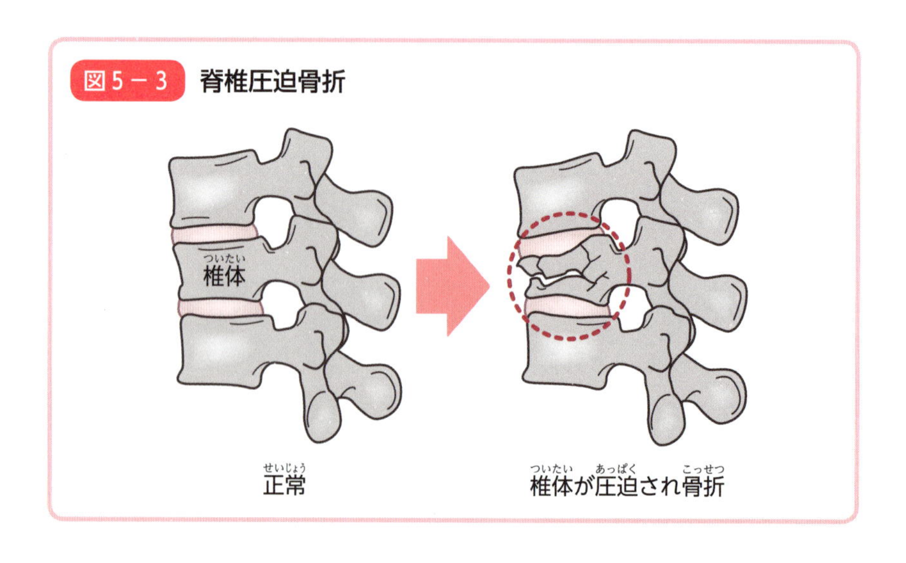

図5－4 大腿骨頸部骨折の部位

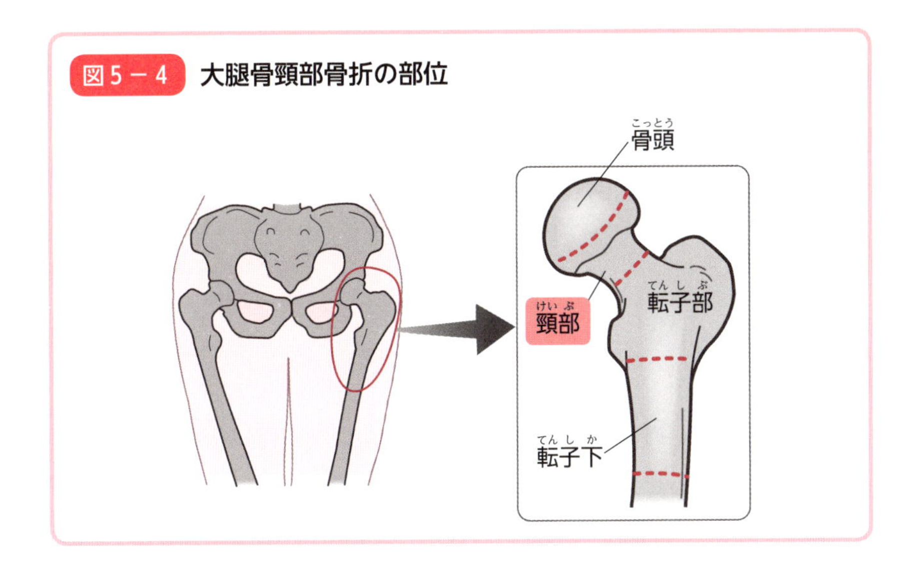

4 上腕骨近位部骨折

肩に近い上腕骨の骨折で女性に多く、発生数は増加傾向であると推察されています。

（2）原因

骨粗鬆症のような加齢変化にともなう内的因子以外にも、抗うつ薬、抗不安薬、睡眠薬、降圧薬などの内服薬の副作用による危険や、段差、滑りやすい床面、電気のコード、暗い照明、カーペット、スリッパなどの履物、慣れていない場所での障害物など、外的環境によっても、転倒のリスクが高くなり骨折を誘発する原因になります。

1 脊椎圧迫骨折

重たい物を持ったり、腰をひねる動作時に力が加わったり、転倒によりしりもちをついた場合に発症しやすい骨折です。たとえば、掃除機をかけているときに片足で重い物を蹴って動かそうとしたり、土が入っている重い植木鉢を移動させようとするなど、日常生活の動作時に起こることが多いです。時には、強いくしゃみや咳でも発症する場合があります。

2 大腿骨頸部骨折

転倒により発症することが多い骨折で、立位から転倒した場合や転倒時に殿部を打撲した場合に起こりやすいです。なかには、おむつ交換で股関節に負荷がかかった際に起こる場合もあります。

3 橈骨遠位端骨折

手をついて転倒することで、起こる場合が多いです。

4 上腕骨近位部骨折

肩をぶつけたり、転倒して手をついたり、肘をぶつけることで起こる場合が多いです。

（3）症状

1 脊椎圧迫骨折

急性期には強い腰背部痛があります。とくに動作時に痛みが増しますが安静にしていると強い痛みは感じません。慢性期には、腰の重だるい感じがあり、長時間起き上がっていると腰の痛みが強くなります。

2 大腿骨頸部骨折

股関節部の痛みが強く、転倒後に立位がとれなくなります。骨折時は、骨折しているほうの足の長さが縮み、足部は外側を向いて大腿部は腫れて太くなります。さらに、足底から頭のほうに向かって足底部をたたいたり、内・外方向にひねると痛みが強くなります。

3 橈骨遠位端骨折

手関節部の強い痛み、関節可動域の制限が起こります。骨折部の骨がずれてしまった場合に、手背がフォークのように反り返って変形することや正中神経を圧迫ししびれが出現することがあります（**図5－5**）。

4 上腕骨近位部骨折

肩に近い上腕部に強い痛みがあり、上腕を挙上する運動やひねる運動ができなくなります。

図5－5 フォーク状変形

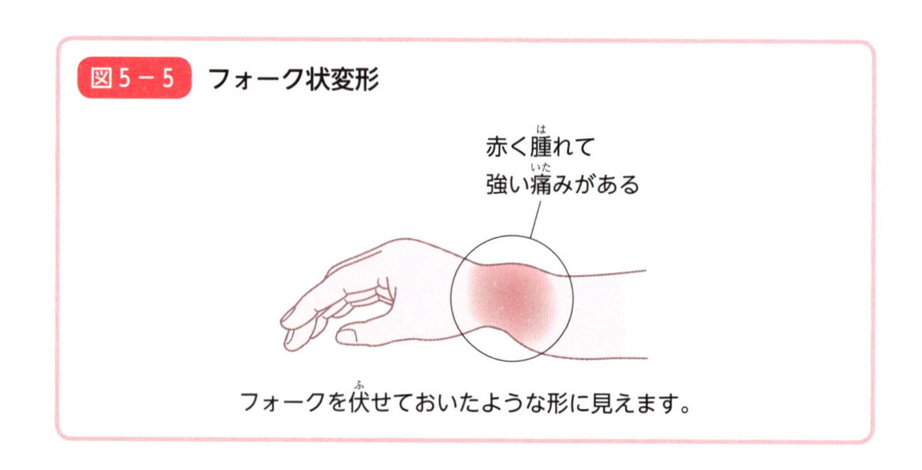

フォークを伏せておいたような形に見えます。

（4）治療

1 脊椎圧迫骨折

治療の基本は安静で、移動時は**コルセット**を装着します（図5－6）。安静が守れないと、脊椎骨の変形（後彎）を起こし、円背（背中が丸くなる）、亀背（突起上に曲がる）を発症し、慢性腰痛や呼吸機能障害、逆流性食道炎、便秘などをきたします。

とくに、急性期は安静が守れるようにします。しかし、臥床時間が長くなることから、寝たきりにならないように支援することも必要です。一度脊椎圧迫骨折を発症すると、繰り返して骨折しやすいため、日常生活で重い物を持ったり、腰をひねった状態で力が加わらないようにし、再発防止を目的に背筋や腹筋を鍛えます。さらに、骨を強くするための薬物療法として、内服薬の服用や自己注射を行います。

2 大腿骨頸部骨折

手術が可能な場合は手術を行い、早期離床をうながしますが、手術後合併症として心不全や肺炎などを併発しやすいリスクもあります。**ヒッププロテクター**を使用することで、大腿骨頸部骨折を予防する効果があります。ヒッププロテクターは、パッドが付いた防護パンツのことで、装着することで転倒時の衝撃を吸収し分散することができます。

図5－6　コルセット（軟性コルセット）

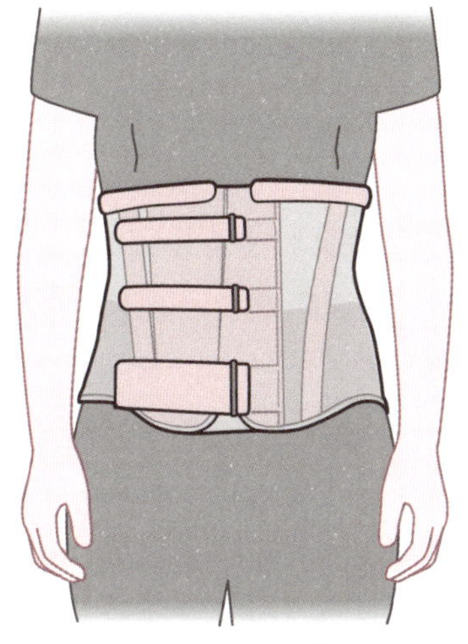

身体を支えるのを助け、後ろに反りかえるのを防ぎ
腰にかかる負担を減らします。

3 橈骨遠位端骨折

治療には、ギプス固定や手術が適応になります。ギプス固定時は、ギプスによる神経麻痺や循環障害などの合併症を防ぐため、手指の運動状態やしびれの有無、手指冷感の有無、爪甲色チアノーゼ（青紫色）の有無、手指の腫れが増強した場合など観察して異常を早期に発見し、医療職と連携します。

4 上腕骨近位部骨折

治療には、三角巾や骨折後の保存的治療として用いられる**バストバンド**（胸部固定帯）で固定することが多いです。バストバンドは骨折部を固定するため、骨折部以外は伸縮性のある素材で作られています。ゆるめに装着しても効果は期待できませんが、強く締めすぎても呼吸が苦しくなるなどの支障をきたします。固定状態を観察して、異常があれば医療職と連携することが必要です。

3 変形性膝関節症

（1）概要

膝関節に発症する変形性膝関節症がもっとも多く、「介護予防の推進に向けた運動器疾患対策に関する検討会」の報告[1)]によると、変形性膝関節症で自覚症状がある人が約1000万人と推定されています。さらに、50歳以上の男女比でみると、女性のほうが男性よりも1.5倍から2倍多いといわれています。進行すると膝関節の痛みや変形が強く、日常生活に支障をきたします。

（2）原因

膝関節に負担をかけてきた人に多く発症します。たとえば、スポーツ選手、重労働者、肥満、膝周囲の筋力低下、内反変形（**O脚**、**図5－7**）、骨折や捻挫の経験があるなどの場合があげられます。

関節の動きを滑らかにしている関節軟骨が加齢によってすり減り、膝関節の内側の隙間が狭くなり変形し、関節の辺縁に**骨棘**❷ができます（**図5－8**）。そして、関節内の滑膜組織が炎症を起こし滑膜が増生し、関節内に関節液がたまるという経過をたどります。

❷骨棘
骨の増殖により骨がとげ状にとがった状態。

図5－7　O脚

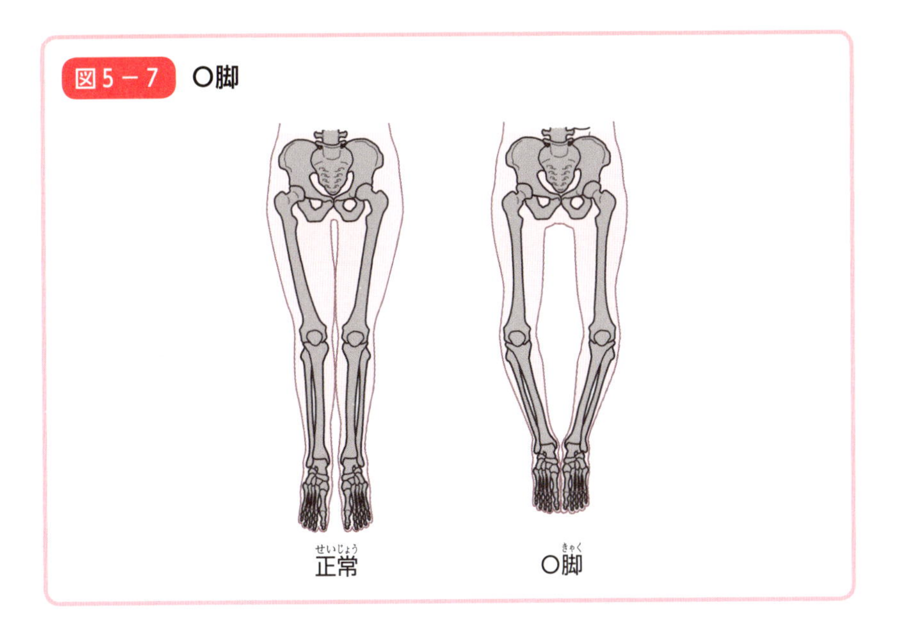

図5－8　変形性膝関節症

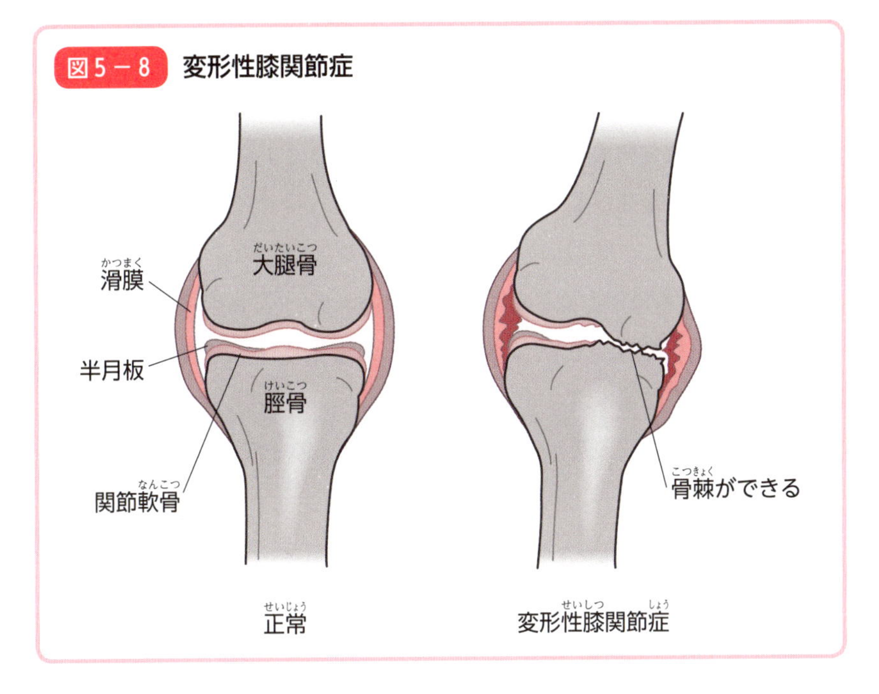

（3）症状

1 症状

初期には、膝関節に引っかかりや鈍い痛み、膝の重みを感じて、正座ができない、階段が降りにくい、立ち上がった際に膝がこわばるなどの症状があり、進行すると関節可動域制限が出現します。

中期には、痛みにより日常生活に不便を感じることが増えてきます。

関節の内側を押さえると痛みがあり、滑膜や関節包が炎症を起こすため、膝に腫れや熱感がでます。炎症の影響で関節包に関節液がたまり、O脚に変形します。

末期には、膝が節のように変形して腫脹し、痛みも強くなり日常生活の制限も広く、膝関節の可動範囲が狭くなります。

2 痛みの特徴

安静時痛はなく、立ち上がって体重がかかったときや歩き始め、長時間の歩行によって、膝関節の痛みがあります。階段昇降では、上りよりも下りのほうが痛みが強くなり、重症になると、膝関節痛が強く起立歩行が障害されます。痛みにより歩行を嫌がる場合は、痛みの特徴から、体重をかけ始めたときの痛みは強いですが、痛みが和らぐことを説明し、できるだけ苦痛を感じないように歩行の支援をすることが必要です。

3 関節可動域制限

関節可動域の制限は、徐々に進行していきます。膝関節の関節可動域は通常、膝関節を伸展すると足をまっすぐに伸ばすことができ、膝関節を屈曲させて膝を曲げると約130度屈曲するといわれています。しかし、症状が進行すると、膝関節の屈曲伸展制限が出るため、膝関節をまっすぐ伸ばすことや、90度以上の屈曲ができなくなってきます。そのため、和式の生活から洋式の生活に環境を整える必要があります。たとえば、和式便器を洋式便器に変えたり、布団を敷いている場合はベッドを導入したり、座布団に座っていたのをいすに変えるなどです。

（4）治療

1 保存的治療

日常生活において膝関節への負担を減らすため、長時間の歩行や階段昇降や正座など、関節に負担がかかる動作をなるべく避け、歩行には杖を使用し、負担の少ない履物を選択します。また、寒いときは膝を温めるなど、膝関節を冷やさないようにします。

食事療法は、肥満の人は体重を減らすための食事による減量をめざします。運動療法では、体重をかけずに臥位や座位で行う運動やスクワット、水中での歩行などにより、**大腿四頭筋**などの筋肉や股関節周囲筋の筋力を鍛えます（**図5－9**）。薬物療法では、膝関節内に関節液がたまっているときは、医師により関節液を注射器で抜き、膝関節内に痛み

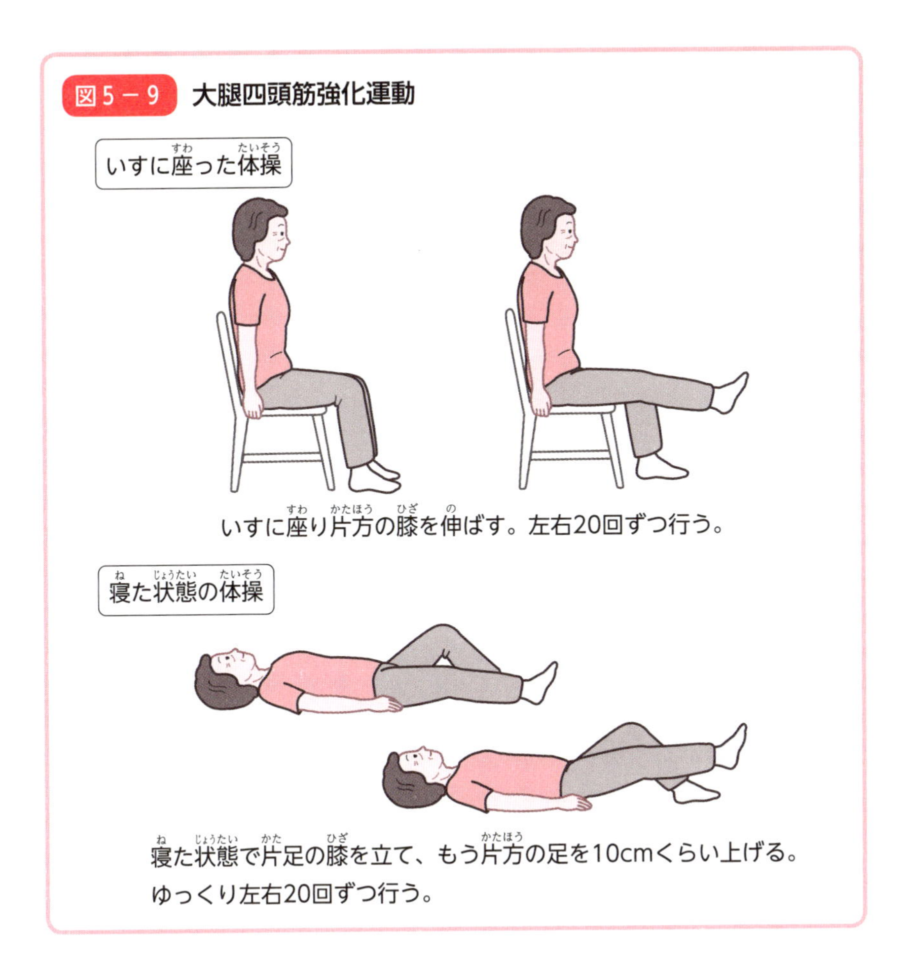

図5－9 大腿四頭筋強化運動

止めなどの薬剤を注射します。

2 手術療法

保存的治療を行っても、膝関節痛が増強して日常生活に大きな支障をきたす場合は、手術療法が適応になります。

4 関節リウマチ

（1）概要

厚生労働省が示している関節リウマチ患者数の経年変化（「患者調査」より）によると、2017（平成29）年の患者総数は約37万3000人です。好発年齢は40～60歳です。

関節リウマチは、手指、手関節、足の小関節に炎症が生じて広がり、関節を変形させ強い痛みと関節の変形により日常生活に困難を生じる進行性疾患で、男女比では女性に多いです。介護保険に指定される特定疾病16種類の１つです。

（２）原因

遺伝、免疫異常、環境要因などが複雑に関与していることが推測されています。環境要因として、喫煙は関節リウマチの発症リスクを増大させ、感染をきっかけに自分の身体を壊す免疫反応が強くなることで、遺伝的素因をもっている人は発症するといわれています。

発症の仕方により、緩徐発症型、急性発症型等さまざまな分類があります。

（３）症状

関節滑膜に炎症が起こる慢性の炎症性疾患であることから、関節炎が進行すると、軟骨・骨の破壊を介して関節機能が低下し、ADLの障害や、QOLの低下を引き起こします（**図５－10**）。

関節症状として、朝の関節のこわばり、関節の痛みと腫れ、関節強直、関節変形（口絵参照）、リウマトイド結節（肘関節、手指、後頭部などに痛みをともなわない皮下結節ができること）など、全身症状として、37℃前後の微熱、倦怠感、貧血などがあります。

（４）治療

関節破壊は発症６か月以内に出現することが多く、最初の１年間の進行がもっとも顕著です。発症早期から適切な治療が必要です。

薬物療法、理学療法、手術療法などを組み合わせて治療をします。薬

図５－10　関節リウマチの進行

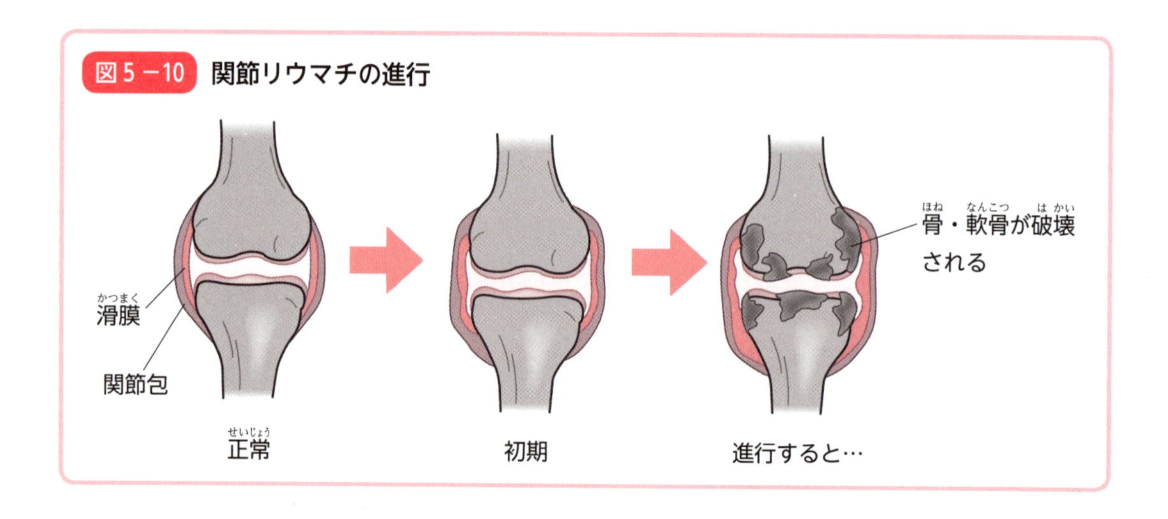

表5－6 薬物療法

非ステロイド系抗炎症薬	鎮痛作用があり、消化器障害、腎障害などの副作用がある。
副腎皮質ステロイド	活動性が高い場合、抗リウマチ薬とともに補助的に用い、ADLの改善に効果が期待できる。抗リウマチ薬の効果が発現したら、漸減・中止する。
抗リウマチ薬	早期から用いることで骨びらんの進行を遅延することができ、関節リウマチ治療の中心になる。しかし、抗リウマチ薬には副作用が多いため注意を要す。

物療法では**表5－6**の薬が使用されます。

理学療法では、関節の可動性と筋力維持・向上の目的で、リウマチ体操を積極的に行います。

5 変形性脊椎症

（1）概要

「介護予防の推進に向けた運動器疾患対策に関する検討会」の報告[2)]によると、変形性腰椎症の患者数は、自覚症状を有する人が約1000万人、潜在的な人は約3300万人と推定され、40歳代以降に発症しやすいとされています。

年を重ねると椎体や椎間板にも変化（椎体の骨棘、椎間板腔の狭小化、椎間関節の肥厚や骨硬化など）が起きます。これらは加齢による変化で、椎間板と後方の左右一対の椎間関節により脊柱を動かすことができます。これらが退行変性した状態を変形性脊椎症といいます。

X線検査で、骨棘が形成されていることが確認できると、変形性脊椎症と診断されます。頸椎に生じた場合を変形性頸椎症といい、腰椎に生じた場合を変形性腰椎症といいます。

（2）原因

骨、靭帯、筋肉、軟骨などが加齢により劣化することで、痛みが出現します。また、関節表面をおおっている**軟骨**が老化によりすり減り、関節の動きが鈍くなることで、椎間板が変性します。その時の異常な動き

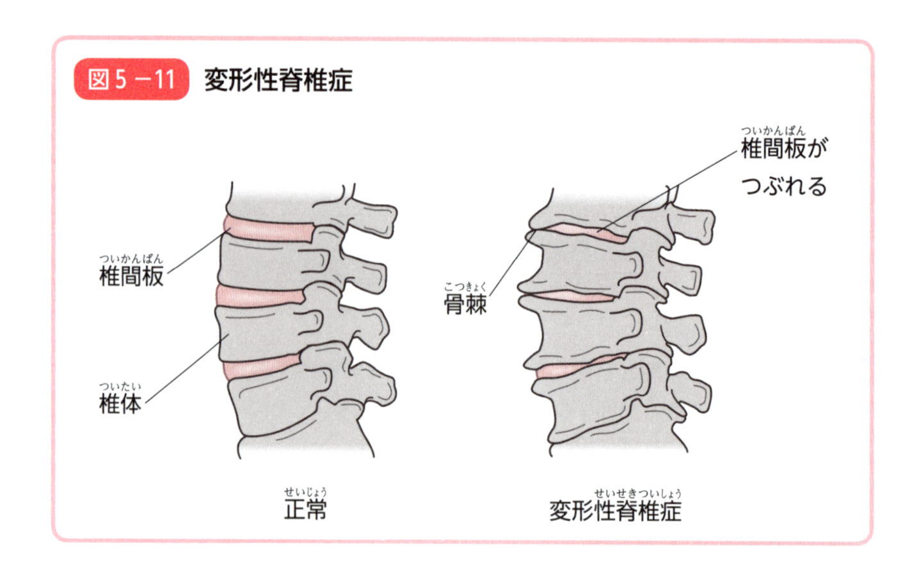

を止めようと骨棘が形成されます（図5－11）。

（3）症状

軽症な場合は無症状のこともあります。痛みの特徴として、朝起きたとき、動作を開始するときに痛む場合が多いですが、同じ姿勢や中腰姿勢を長時間とったり、夕方など疲労してくると痛みが増してくる場合もあります。

1 変形性頸椎症

頸椎レベルで脊髄が圧迫されると、手のしびれ、字を書いたり箸を使うといった細かい動作がうまくできない、歩行時のふらつき、足のしびれといった症状があります。進行すると手足の知覚鈍麻が出現し、ふらついて歩行困難になったり、膀胱の障害があらわれることがあります。

2 変形性腰椎症

腰椎レベルで脊髄が圧迫されると、腰痛を発症します。腰にこわばりや鈍痛を感じ、就寝時に寝返りをするときや、立ち上がるときなどに、痛みが強く出ます。動作の始めに強い痛みが走り、動き続けていると徐々に痛みが楽になるのが一般的な症状の特徴で、歩行時には腰痛のため前傾姿勢になります。

（4）治療

1 治療

無症状のときは治療の必要はありません。疼痛に対しては、安静のために、**腰椎コルセット**を装着し、薬物療法として消炎鎮痛剤や筋弛緩剤を服用したり、痛みが強い場合は神経ブロック注射を行います。

理学療法として**温熱療法**（**ホットパック**）や**腰痛体操**で腹筋や背筋を鍛えます。日常生活では、できるだけ身体を動かし、筋力低下を防ぎます。手術が必要になることはありません。

2 予防

体重をコントロールして、肥満にならないようにし、喫煙は椎間板の変性をうながすため、禁煙します。糖尿病によって椎間板の変性をうながすため、血糖をコントロールし、規則正しいライフスタイルを送り適度な運動をします。

6 脊柱管狭窄症

（1）概要

「介護予防の推進に向けた運動器疾患対策に関する検討会」の報告[3)]によると、腰痛を主訴とする人の原因となる疾患の約40％を占め、約90％に歩行障害が認められると報告されています。あらゆる年代で発症する可能性がありますが、50歳代～70歳代までの人に多く発症する傾向があり、X線検査とMRIで診断されます。

（2）原因

骨、椎間板、関節包、靱帯等の軟部組織が加齢により劣化し、脊柱管が狭窄して脊柱管のなかを通っている神経が圧迫されることにより、腰痛やしびれが出現します（**図5－12**）。

（3）症状

症状の特徴は、腰痛・殿部痛から始まり、下肢のしびれ、痛み、筋力低下がみられます（**表5－7**）。腰痛の特徴として、しばらく歩くと下肢が重く痛みが出現し、歩くことが困難になり、長い時間は歩けません。しかし、しばらく休むとまた歩くことができる**間欠性跛行**[❸]がみられます。

❸**間欠性跛行**
p.235参照

前傾姿勢になると神経への圧迫が緩和され痛みが楽になり、反対に腰を反らせた状態での立位や、腰が伸びた状態で歩くと、神経への圧迫が強くなり痛みが増強し、**膀胱直腸障害**が出ることがあります。

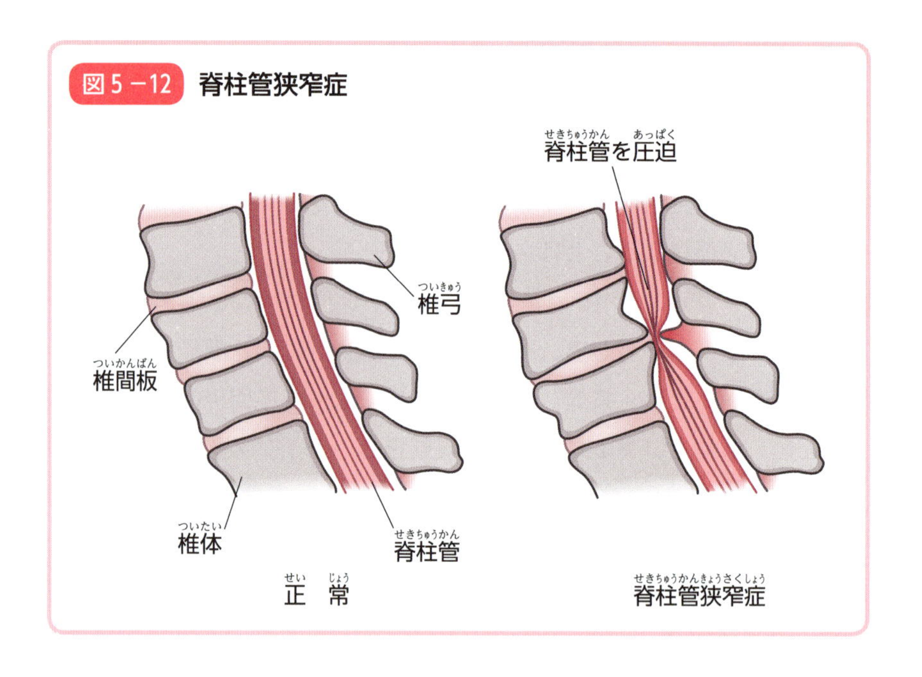

図5－12　脊柱管狭窄症

表5－7　脊柱管狭窄症のおもな症状の特徴

・腰と殿部から足先にかけての痛み
・下肢のしびれ、異常感覚、脱力感、筋力低下
・残尿、頻尿、失禁などの排尿排便障害
・立位や歩行時の腰痛・下肢の痛みやしびれ
（座位では痛みやしびれの症状はなく、立位や歩行時は腰が後ろに反れるため、脊柱管が圧迫されて症状が出る）

（4）治療

1 保存的治療

薬物療法として、非ステロイド剤の消炎鎮痛剤や、筋肉をやわらかくする筋弛緩薬などを服用し神経症状を緩和し、医師による神経ブロック注射などで痛みを軽減します。さらに、痛みの緩和を目的に、ホットパックなどの温熱療法や、低周波などの電気治療を行います。

腰部を反り返りにくくするための動作や姿勢の改善を目指して、背部や股関節周囲の筋肉の柔軟性と腹筋や殿部の筋力アップを目的に、背筋ストレッチや体幹トレーニングなどの**運動療法**を行います。

2 手術的治療

膀胱直腸障害、保存的治療を受けても効果がない、下肢の筋力低下や麻痺がある、間欠性跛行のため、100m以上歩けないなどの場合は、手術が行われることもあります。

2 脳・神経系

ここでは脳・神経系のなかでも高齢者に多い疾患としてパーキンソン病と脳血管疾患を取り上げます。これらの疾患がもとで障害が残ったり生活に支障をきたしたりするため、病気になった場合の原因や特徴的な症状について学習し、生活への影響を考えて支援することが望まれます。

1 パーキンソン病

（1）概要

パーキンソン病は、神経変性疾患で日本人の約1000人に1～1.5人がかかると考えられています。厚生労働省の2017（平成29）年の「患者調査」では、患者数は約16万2000人です。この病気は50～60歳代の発症が多いと考えられ、ゆっくりと進行し、厚生労働省の指定難病になっています。

（2）原因

パーキンソン病の原因は中脳の黒質という部分の神経細胞の数が減少し、この黒質で産生される神経伝達物質のドーパミンが減少し、運動障害が起こります（図5－13）。しかし、減少する理由は不明です。

（3）症状

ドーパミン量の減少により運動障害の症状があらわれます。**振戦**、**筋固縮**（筋強剛）、**無動・寡動**、**姿勢反射障害**や自律神経症状、精神症状もあらわれることがあります。ここでは、おもに運動に関する4つの症状について述べます（図5－14）。

1 振戦

「ふるえ」のことです。自分の意志とは無関係に起こります。左右どちらかの手から始まり同じ側の足、そして反対側の手・足に広がっていきます。また顎がふるえることもあります。この病気では安静時に強く

図5－13 運動障害の発症機序

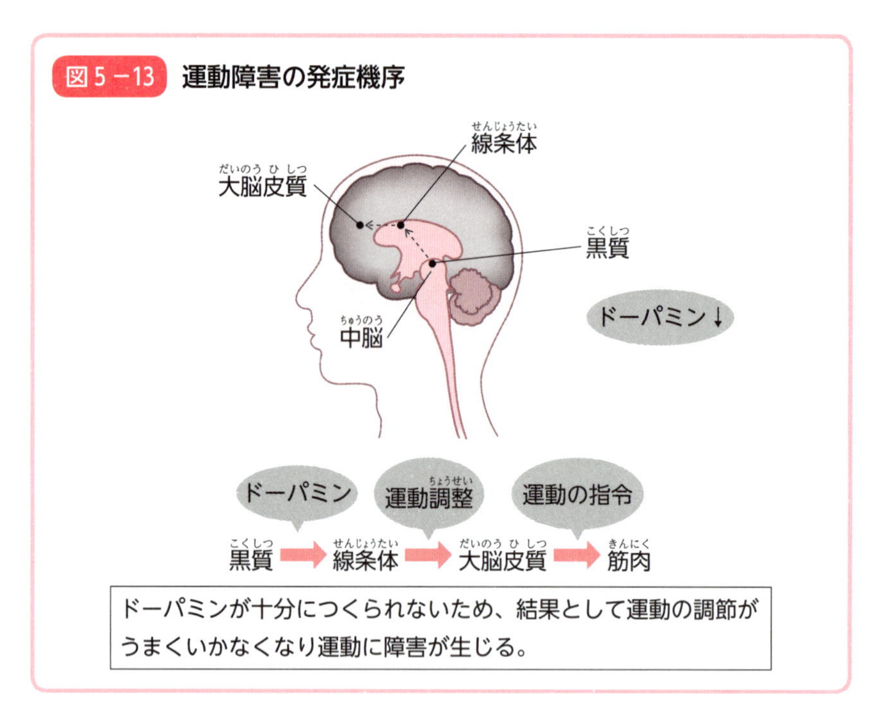

図5－14 主要な4つの症状

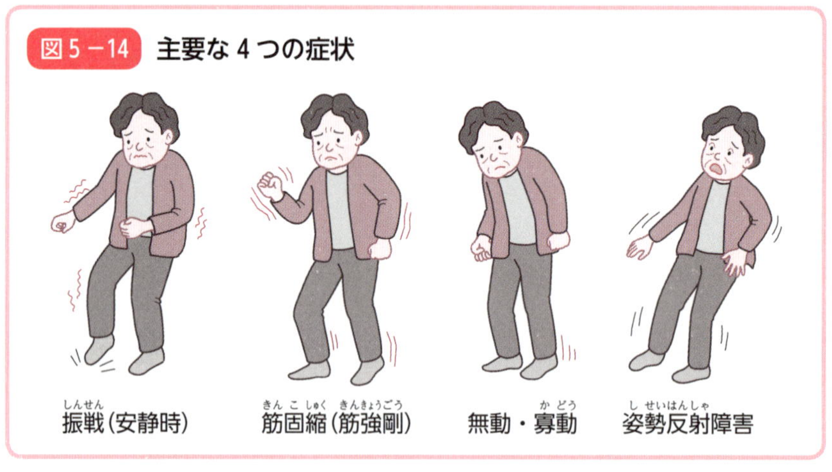

なることが特徴です。逆に何かの動作をしているときには軽くなります。発病に気づくきっかけがこの振戦ということもあります。

2 筋固縮（筋強剛）

身体の筋肉が強くこわばり、手足の動きがぎこちなくなります。これは運動に関する**錐体外路**[4]の阻害により生じる筋緊張亢進症状の1つです。自分ではあまり感じませんが、ほかの人が動かそうとすると関節の伸縮に抵抗がみられます（歯車様固縮）。

3 無動・寡動

身体を動かそうとしても動作に時間がかかり、動作もゆっくりとなり

4 錐体外路
随意運動を支配している神経伝導路で、大脳皮質の運動野に始まり、延髄、錐体を通過して脊髄に入るが、これ以外の下行性の運動伝達路を錐体外路という。

ます。まばたきが少なくなり、顔の表情も乏しくなり（仮面様顔貌）、歩幅が狭くなります。歩行時は転倒しないよう環境を整えます。活動を控えがちになり気分が落ち込む場合もあるので、活動場面を増やせるように支援しましょう。

4 姿勢反射障害

身体が傾きかけたときに、瞬間的に筋肉を微妙に動かし、身体のバランスをとろうとする反射がありますが、この反射がスムーズに起こらず倒れやすくなります。姿勢は前屈みになり、歩行を開始する、向きを変える、止まるという動作が困難になります。

5 その他の症状

精神症状：抑うつや幻覚などがみられます。

自律神経症状：多いのは便秘です。食事内容の工夫をしましょう。

嚥下困難：筋固縮などにより嚥下障害が起こりやすいため食事の工夫をしましょう。

（4）治療

脳内で不足するドーパミンをおぎなう薬物療法が中心になります。代表的な薬にレボドパがあります。

（5）ホーエン・ヤール（Hoehn & Yahr）重症度分類

表5－8を参照してください。

表5－8 ホーエン・ヤール（Hoehn & Yahr）重症度分類

ステージ	状態
Ⅰ	左右どちらかの一側性の障害。振戦や固縮がみられる。
Ⅱ	症状が両側性である。姿勢保持障害はない。日常生活や仕事には多少の不便があるが行える。
Ⅲ	振戦、筋固縮、無動が両側性になる。あきらかな歩行障害あり。姿勢反射障害あり。突進現象がみられる。
Ⅳ	起立や歩行など日常生活動作の低下がいちじるしい。筋固縮、振戦により移動や食事、清潔、排泄にかなりの障害がみられる。介助が必要。
Ⅴ	立つことができなくなり、車いすやベッド上での生活になり寝たきりの状態で全介助となる。

2 脳血管疾患

（1）概況

厚生労働省の2017（平成29）年の「患者調査の概況」によると、**脳血管疾患**は111万5000人となっています。高齢者に多い脳血管疾患には、脳梗塞、くも膜下出血、脳出血などがあり、これらをまとめて脳卒中といいます。日本人死因の第４位、介護が必要となった主な原因の第２位です。脳は、全身の臓器のなかで血液からのエネルギー供給を常に必要とするため、大小さまざまな血管が脳内を張り巡り循環しています。そのため、脳の血管の疾患や障害があると、脳内の血液循環は悪くなり、エネルギー供給がむずかしくなります。また、疾患がある部位や疾患の重症度に応じて急性期では生命維持に、回復期・維持期では後遺障害により、生活に大きな影響が生じてきます。

（2）原因

脳血管疾患の原因は大きく**脳梗塞**と**脳出血**に分けられ、そのなかでも、脳の血管が詰まる脳梗塞は脳の血管の**動脈硬化**によって起こるものと心臓に原因があって起こるものがあります。動脈硬化で起こる梗塞には、脳の細い血管が詰まる**ラクナ梗塞**と脳の太い血管に動脈硬化が起こって血栓が詰まる**アテローム血栓性脳梗塞**があります。また、心臓でできた血栓が脳の血管を詰まらせる心原性脳塞栓症があります。一方、脳出血は脳内の血管が何らかの原因で破れて起こります。**くも膜下出血**

図５－15　脳血管疾患の原因別種類

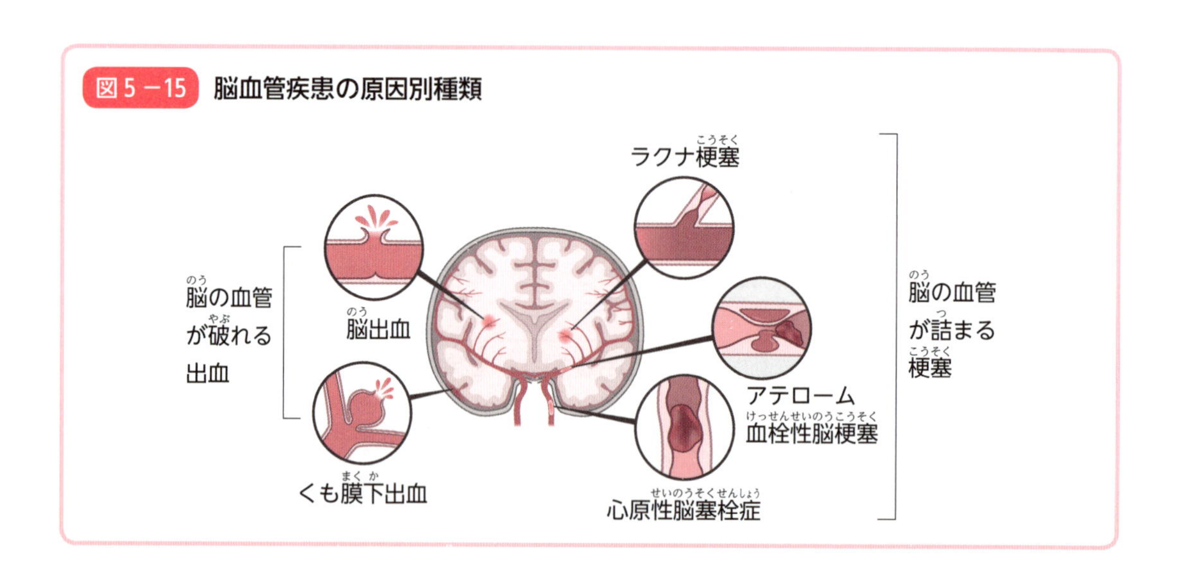

は脳の動脈にできたこぶ（動脈瘤）が破裂して起こります。こぶができる原因はよくわかっていません。血管が詰まったり破れたりすると、意識障害、**吐き気**[5]・**嘔吐**[6]、頭痛、麻痺などさまざまな症状や後遺症として身体障害や高次脳機能障害が出現し、日常生活の全般にわたり支援が必要となります。

[5]吐き気
ムカムカして気持ち悪い不快な腹部症状。悪心、嘔気ともいう。

[6]嘔吐
嘔吐の機序は、幽門が閉ざされ、食道括約筋がゆるみ、胃に逆流運動が起こり、それとともに横隔膜や腹筋が収縮して胃を圧迫し、胃の内容物が排出される。

（3）症状

1 意識障害

意識障害は、脳血管疾患の場合、損傷を受けた部位により程度の差はあれ生じます。意識があるとは、はっきりと目が覚めている状態をいいます。意識障害には急に意識がなくなってしまう状態や、揺り動かしても強い刺激を与えても、まったく反応がない、目が覚めない状態（昏睡）、放っておくとうとうと眠っている浅い睡眠状態で、呼べば覚醒することが可能な状態（傾眠）のものまで含まれます。意識障害の状態では、普段何気なくできていること、たとえば寝返りや、口の中をきれいにするといったことができなくなり、食事もうまく飲み込めない可能性があります。そのため、食事ではとくに誤嚥の予防に注意します。

2 吐き気・嘔吐

脳出血やくも膜下出血では嘔吐が特徴としてみられます。嘔吐は、何らかの原因により嘔吐中枢が刺激されることで、胃の内容物が排出されることをいいます。嘔吐物処置は感染対策にそって行います。

3 頭痛

くも膜下出血や脳出血では頭痛も特徴の１つです。くも膜下出血により起こる頭痛は、バットで殴られたような強い痛みを感じると表現されることもあります。生命にかかわる症状でもあるため動かさず安静にして、その他の症状もあわせて（意識の有無、吐き気・嘔吐）観察し医療

図5－16　おもな脳血管疾患の症状

意識障害　頭痛　吐き気　片麻痺

につなげるようにします。

4 麻痺

脳血管のつまりや破れの程度により、身体の左右どちらか片方に麻痺が生じることがあります。麻痺は完全に自身で動かすことができない完全麻痺やしびれ程度の軽度な麻痺までさまざまです。急性期よりリハビリテーションで機能回復を目指して治療が行われます。麻痺が残ることで、日常生活に大きな影響が生じ、自ら身の回りのことができない場合も多く、行為1つひとつの支援で改善することもあります。

5 その他

① 失語

高次脳機能障害の1つです。脳の言語中枢に障害が生じることにより、「読む」「書く」「話す」「聞く」などの言語機能が失われるために起こります。言語中枢は運動性言語中枢（ブローカ中枢）と感覚性言語中枢（ウェルニッケ中枢）とあります。言語機能の障害は、コミュニケーションへの影響が大きく社会生活や日常生活の支援が重要になります。

② 構音障害

広義の言語障害のうち、言葉の音の障害として意図した音が正しく生成されない状態をいいます。原因にはいくつかあり、それによって機能性構音障害、運動性構音障害などに分けられます。日常会話では発話音がわかりにくいため対応がむずかしい場合もあり、失語症と間違われる場合もあります。支援としては専門職と連携して理解できる方法で行います。

③ 失認

高次脳機能障害の1つです。失認とは、ある感覚を介する対象の認知障害で、ほかの感覚様式を介せばその対象を認知することができます。視覚失認は視力は保たれて見えているにもかかわらず対象を認知できない状態です。たとえば時計を見せても認知（視覚失認）できませんが、触ったり（触覚）、時計の音を聞くと（聴覚）、時計だとわかるという状況です。失認にはほかに、よく知っている人の顔を見てもだれかわからない（相貌失認）、聴力に問題はないが語音や環境音の区別ができない（聴覚失認）、左側に多く出現する左半分の空間の認知が障害される（半側空間無視）などがあります。支援はそれぞれの失認の状況により違いがあり、その他の症状もあわせて行う必要があります。

(4) 治療

脳血管疾患の場合、早期発見・早期治療が大切です。症状が出現したらすぐに救急車を呼び受診することが大切です。脳梗塞の場合、治療では血栓をできるだけ取り除く必要があります。これは、血栓が詰まった血管より先の脳細胞の壊死を食い止めるのに重要な治療です。また、心臓に原因がある梗塞の場合、早めの治療が望まれますが、ここではすべての脳血管疾患治療の詳細は省きます。その他生活習慣にも大きく影響しますので、それらも踏まえ日常生活の衣食住に対する留意が必要になります。

3 皮膚・感覚器系

感覚器系は外部からの情報を取り入れるしくみです。生体はその情報を特定の受容器で感じ取ります。その情報はニューロンを介して中枢神経系に集められ、記憶と照らし合わせて認識されます。感覚は特殊感覚（視覚・聴覚・平衡感覚・嗅覚・味覚）、**体性感覚**[7]（皮膚（表在）感覚・深部感覚）、**内臓感覚**[8]（臓器感覚・内臓痛覚）の3つに大別されます。ここでは、高齢者に多い疾患として目、耳、皮膚を取り上げていきます。

[7] 体性感覚
体表の受容器で受け取る皮膚（表在）感覚、筋・腱・関節などの運動器に広く分布する受容器で受け取る深部感覚や深部痛覚があり、自らの身体状況を認識する。

[8] 内臓感覚
尿意、便意、空腹感などの臓器感覚と内臓痛覚に分けられる。

1 目の疾患

(1) 概要

高齢者に多い視覚機能の障害をともなう疾患としては、白内障、糖尿病性網膜症、緑内障、加齢黄斑変性等があげられます。厚生労働省の「平成28年生活のしづらさなどに関する調査（全国在宅障害児・者等実態調査）結果の概要」によると2016（平成28）年度の患者数は31万2000人となっています。特に視覚の障害は社会生活やコミュニケーションでも影響が大きいため、生活への支障を踏まえて支援する必要があります。さらに高齢者にとっては、QOLの点からも最も重要な感覚といえます。

（2）原因

1 白内障

水晶体に混濁が出てきた状態で、老化現象の１つとも考えられています。水晶体は、カメラのレンズにあたり厚薄によってピント調節をしています。また、目にとって害のある紫外線を吸収し、紫外線が網膜に達するのを防いでいます。老人性白内障では、水晶体の周りの部分から濁りがはじまることが多いです。徐々に進行してくると、瞳孔の中央部分まで濁ってくるので、視力が悪くなります（口絵参照）。

糖尿病性白内障は、糖尿病が原因となって水晶体に濁りが出てくるもので、比較的若い年齢でも起こります。

2 緑内障

視神経が障害され、視野が狭くなったり、部分的に見えなくなったりする疾患です。目の内部には**房水**[9]という水分が循環しており、この循環によって圧力が発生し、眼球に一定の張りを与えて形が保たれています。この圧力のことを眼圧といいます。眼圧が上昇すると視神経が障害され、視野が狭くなったり（視野狭窄）、部分的に見えない部分ができたり（視野欠損）する視野障害が起こります（口絵参照）。

3 加齢黄斑変性

網膜[10]の黄斑というところに異常な老化現象が起こり、直接あるいは間接的に黄斑部が障害され視機能が低下してくる疾患で、見ている物の中心がゆがんで見える、中心が暗いという見え方に特徴があります（口絵参照）。黄斑は網膜のほぼ中央にあり、物を見る要の部分です。

⑨房水

毛様体でつくられ２つの経路から最終的に眼球外に排出される。房水の過剰な産出や目詰まりにより眼球の房水が多すぎて目がパンパンに張ってしまう状態を眼圧が高いという。

⑩網膜

光を神経の信号に変えるはたらきをします。そして、信号は視神経から脳へ伝達され、光を感じることができる。

（3）症状

1 視力低下

視力低下は、白内障、緑内障、加齢黄斑変性のすべてでみられます。

眼で物の形や存在を識別できる能力のことを視力といいます。白内障では徐々に視力が低下してくる場合が多く、急に見えなくなる場合は網膜剥離などがあります。日常生活では、急に視力が低下した場合は不安が大きいため、障害に応じた支援が必要になります。

2 視野狭窄

緑内障では、見える範囲が狭くなります。視神経の障害が進むと視神経線維の数が減少するため、視神経からの情報が脳に伝わらないので視野が狭くなったり欠けたりしてきます。しかし、視野障害は気づきにくいことが多いようです。理由として、片方の眼の視野が一部欠けていたとしても、もう片方の眼で見えないところをおぎなうためです。緑内障の場合、初期では鼻に近い部位が見えない状況ですがほとんどの人は気づかないようです。中期になると見えない部分が増えてきます。後期になると見えない範囲が増えて（**求心性視野狭窄**）、歩くと人や物にぶつかることがあります。

3 暗点

加齢黄斑変性では、黄斑部が障害され**中心暗点**の症状が生じます。視野のなかで部分的に見えない部位を暗点といいます。真ん中が黒く見えないことを中心暗点といいます。日常生活では見える範囲がせばまるので歩行や移動時の支援に留意します。

（4）治療

それぞれの疾患により、薬物療法や手術療法を組み合わせて行われます。

2 耳の疾患

（1）概要

高齢者の聴覚障害では**加齢性（老人性）難聴**があげられます。加齢性難聴者の数は明確ではありませんが、内田育恵ら[1)]の研究においては、難聴有病率が65歳以上で急増していたとする報告があります。加齢性難聴は、高齢者にとってもっとも一般的な感覚障害と考えられます。そのため、日常生活では、聞こえにくいことによるコミュニケーション障害や社会関係の縮小などさまざまな影響が生じることが予測されます。とくに高齢者の場合、聞こえないことで何度も聞き返すことに苦痛を感じて閉じこもりがちにならないような配慮が必要になります。

（2）原因

通常、音は外耳から鼓膜、中耳の耳小骨、そして内耳にある蝸牛に伝えられ有毛細胞から蝸牛神経に伝わるしくみで聞こえています。しかし、年をとってくると、外からの音を十分に聞き取ることができなくなるため聞こえが悪くなります。理由として、内耳の蝸牛にある有毛細胞の毛が折れたり脱落したりするため電気信号が伝わりにくいからと考えられます。

（3）症状

難聴の種類には**伝音性難聴**⑪、**感音性難聴**⑫、**混合性難聴**⑬の３つがあります。加齢性難聴の場合、最初に高音域が聞き取りにくくなり、急激に音が聞こえなくなるわけではなく徐々に聞こえが悪くなります。そのため自分では気づかないこともあります。聞こえの低下徴候として、耳鳴りがする、会話の途中でよく聞き返す、テレビなどの音量を上げるなどがあります。

難聴がある場合、日常生活において会話の音量に変化が生じたり、受け答えがちぐはぐになったり、呼びかけに対する返答がないなどコミュニケーションに影響が生じるため、周囲の環境を調整し、気持ちの負担を軽減するような配慮が必要になります。耳鳴りには薬物療法があります。

⑪伝音性難聴
外耳、鼓膜、中耳までの伝音系の機能が正常にはたらかないために起こる。

⑫感音性難聴
音を感じる内耳と神経の障害によって起こる。

⑬混合性難聴
伝音性難聴と感音性難聴の両方がある。

（4）治療

難聴の種類により治療効果がある場合と期待できない場合があります。一般的に、伝音性難聴の場合は、外耳、鼓膜、中耳の機能障害がありますが補聴器使用で効果が期待できます。

3 皮膚疾患

（1）概要

高齢者にみられる皮膚疾患として、老人性皮膚掻痒症、白癬（水虫）、疥癬などがあります。

厚生労働省の2017（平成29）年の「患者調査」によると、足白癬の患者数は約13万人、疥癬の患者数は約5000人となっていますが、国立感染症研究所の予想ではもう少し多くなっています。

老人性皮膚掻痒症は、加齢により**皮膚の機能**⑭が低下するため、外から刺激されるとそれに対する反応でかゆみが生じるようになります。生活面では、強いかゆみが全身に感じられるため良好な睡眠がさまたげられることがあります。

⑭皮膚の機能
皮膚は表皮、真皮、皮下組織、皮膚付属器（爪、毛、汗腺、皮脂腺）から構成されている。皮膚は外界と直結しているため、水分の喪失や透過を防ぎ、体温を調節し、微生物や物理化学的な刺激から生体を守るなど生命維持に必要不可欠な機能をもつ。

（2）原因

1 老人性皮膚掻痒症

皮膚の保湿をになっている成分が加齢により減少し、皮膚の機能が低下するため、皮膚が乾燥し軽微な刺激によりかゆみを生じます。

2 疥癬

疥癬⑮は、ヒゼンダニが皮膚に寄生して起こる病気です。寝具や衣服などを介して人から人へうつります。

⑮疥癬
pp.275-277参照

3 白癬

皮膚糸状菌という真菌（カビ）が皮膚に感染することで起こります。

（3）症状

老人性皮膚掻痒症の場合は、かゆみが主症状で、季節（とくに冬）により乾燥し湿度が下がるとより強いかゆみをともないます。かゆい部分を触ったりかいたりしないで保湿を心がけるようにします。また、かゆい部分をかくと傷や湿疹になることもあり、乾燥を防ぎ皮膚の機能を低下させない工夫が大切です。かゆみは多くの場合夜間に悪化します。

疥癬でもかゆみをともない、顔や頭を除きほとんど全身に生じます。日常生活の留意点は、感染対策を行うことです。たとえば、手洗いの原則、ディスポーザブル手袋、マスクやガウンを着用し、介助時に肌と肌が接触しないようにします。また、タオル・スポンジを他者と共有して使用しないようにします。

白癬は足の指の間にでき、かゆみが生じます。爪が厚く（肥厚）なり、白濁していくこともあります。症状の進行により爪が変形し皮膚に食い込むと痛みが生じます。日常生活では、足ふきマットやスリッパ、サンダルなどを共有しないようにします。

（4）治療

皮膚疾患にあわせて薬物治療などが行われます。疾患に対する治療は医師の処方によるものであり、介護福祉職は治療方法を理解することが必要です。老人性皮膚掻痒症の場合、乾燥させないことが大切で水分の蒸発を防ぐワセリンや保湿クリームなどを一般的に用います。疥癬の治療では、飲み薬や塗り薬、かゆみ止めの薬があります。白癬に対しては抗菌薬の服用や塗り薬が使われます。

4 循環器系

1 高血圧症

(1) 概要

心臓から拍出される血液が動脈壁に及ぼす圧力が血圧です。血圧には、心拍出量と末梢血管の抵抗がもっとも大きく影響します。末梢血管の抵抗を極度に高める危険な状態が**動脈硬化**[16]です。動脈硬化が進むほど血液が流れにくくなるので血圧が高くなり、高血圧が続くと細動脈硬化も進むという悪循環におちいります。

血圧は1日のうちでも常に変動していますが、慢性的に血圧が基準値よりも高くなった状態が高血圧症です。病院や健診施設などで測定した血圧値が、収縮期血圧140mmHg以上または拡張期血圧90mmHg以上（140/90mmHg以上）、自宅で測定する家庭血圧では、それより低い135mmHg以上または85mmHg以上（135/85mmHg以上）が高血圧とされます（**表5－9**）。明らかな原因となる病気のため起こるタイプ（二次性高血圧）と原因となる病気が特定できないタイプ（本態性高血圧）に分類されます。日本の高血圧症患者の90％弱が本態性高血圧にあたります。ここでは、本態性高血圧について概説します。

[16]動脈硬化
本来しなやかな弾性がある動脈壁が強い圧力を受けつづけることによって傷つき、硬いゴムホースのようになってしまう状態。動脈の変化の仕方によって、3つのタイプがある。①細動脈硬化：脳や腎臓、目などの細い動脈に起こり、血管壁が厚くなり内腔が狭くなる。②中膜石灰化硬化：加齢などが原因で血管壁の中膜にカルシウムがたまって石灰化し、血管が硬くなる。③粥状動脈硬化：血液中のコレステロール等の脂質が内壁にたまる。アテローム性動脈硬化ともいう。とくに粥状動脈硬化は、冠動脈疾患（狭心症や心筋梗塞）や脳梗塞、脳出血、大動脈瘤、閉塞性動脈硬化症等を引き起こす。

(2) 原因

本態性高血圧は、遺伝的素因と生活習慣がからんで発症します。高血圧のリスクが高まる生活習慣としては、塩分やアルコールの過剰摂取、過食と肥満、カルシウムやカリウムの摂取不足、喫煙、ストレス、運動不足などがあります。

(3) 治療

治療の基本は、食事や運動等の生活習慣を改善することです。状態に応じて降圧薬による薬物療法が行われます。高血圧の程度、臓器障害と危険因子の有無によって低リスク、中等リスク、高リスクに層別化され、治療方針が決められます。日本高血圧学会では、注意すべき臓器障害として、脳、心臓、腎臓、血管などの障害をあげており、心血管病の

表5－9　異なる測定法における高血圧基準（mmHg）

		収縮期血圧		拡張期血圧
診察室血圧		≧140	かつ/または	≧90
家庭血圧		≧135	かつ/または	≧85
自由行動下血圧	24時間	≧130	かつ/または	≧80
	昼間	≧135	かつ/または	≧85
	夜間	≧120	かつ/または	≧70

出典：日本高血圧学会高血圧治療ガイドライン作成委員会編『高血圧治療ガイドライン2019』ライフサイエンス出版、p.19、2019年

危険因子として、高血圧のほかに高齢（65歳以上）、喫煙、脂質異常症、肥満、家族歴、糖尿病などをあげています。

（4）生活上の留意点

医師の指導にもとづく生活習慣の改善をきちんと行うことが重要です。また、薬物療法を受けている場合、降圧薬は個人の症状・状態に応じて処方され、指示どおり服薬をすることで血圧が正常値内になるようコントロールされています。服薬を勝手に中止したり、量を調整するとコントロールが効かずに重大な合併症（心筋梗塞や脳梗塞など）のリスクが高まりますので、飲み忘れや過剰摂取をしないよう注意が必要です。

2　虚血性心疾患

（1）概要

「虚血」とは「血がない状態」を意味し、**心筋**[17]に酸素や栄養素を運ぶ冠動脈が狭くなったり、詰まって血液が十分にいきわたらなくなった状態です。代表的な疾患として、**狭心症**や**心筋梗塞**があります。虚血により、狭心症では心筋が回復しますが、心筋梗塞では、心筋が壊死するため回復しません。

狭心症・心筋梗塞の病態および症状、誘因および発作時の応急手当については**表5－10**を参照してください。なお、高齢者は、**表5－10**に示

[17]心筋
心臓を構成する筋肉のことで、拍動のための収縮を行っている。

表5－10 狭心症・心筋梗塞の病態、症状

	狭心症	心筋梗塞
病態	①労作性狭心症：冠動脈硬化により急いで歩く、階段を上るなど、運動をしたときに血流が低下し、発作が起こる。 ②安静時狭心症：安静時に冠動脈が一時的に細くなる攣縮により血流が低下し、発作が起こる。とくに夜中から明け方にかけて多くみられる。 ③不安定性狭心症：運動時・安静時の区別なく発作が起きたり、発作の時間が長い。 ＊心筋梗塞になりやすい状態。	・冠動脈の一部に血栓が詰まって血流が途絶える。時間が経つと心筋は壊死し、壊死が広がるほど生命にかかわる危険な状態となる。 ・多くの場合、冠動脈の硬化による。 ・梗塞の範囲が広いほど心不全を招く。 ・梗塞の範囲が小さくても致命的な不整脈（心室細動）を起こす危険性がある。
症状	・胸中央部が締めつけられるような痛み。 ・左肩、腕、顎などの痛みをともなうことがある（放散痛）。ときに動悸・息切れをともなう。 ・数分～15分持続。 ・安静にすると治まる。 ・ニトログリセリンにより治まる。	・突然胸を握りつぶされるような圧迫感や強い痛み。 ・痛みは胸中央から左胸、左肩、背中、首、みぞおちに及ぶことがある。 ・狭心症発作より強く長い（20分以上）。 ・安静にしても治まらない。 ・ニトログリセリンが効かない。 ・呼吸困難、ショック状態（顔面蒼白、冷汗、血圧低下）におちいり意識混濁・消失。
誘因など	・飲酒、喫煙、入浴、過食、排尿、過労、精神的興奮やストレスなど。 ・気温が低いときに出やすい。	・精神的緊張が高いときに発症する傾向がある。運動中、暴飲暴食後、飲酒後の入浴なども多い。 ・とくに考えられるきっかけがなく突然発症することもある。
発作時の応急手当	・いすなどにゆったり座り安静にする。 ・ニトログリセリンを舌下投与する。 ・痛みが30分以上続くときは医療機関へ。	・救急車を呼び早急に医療機関へ運ぶ。 ・意識がない、脈が触れない場合は、救急蘇生をすぐに始める。

す特徴的な症状に乏しく、急に元気がなくなって受診に至ることがあります。糖尿病を合併する場合では、まれに無症候性心筋梗塞が存在することがあります。

（2）治療

狭心症には、心筋梗塞へ移行しないように冠動脈の血流をよくする薬剤や抗血小板薬の薬物療法が行われます。心臓カテーテル治療やバイパス手術が行われることもあります。

心筋梗塞は、発症後1～2週間がもっとも不安定なので、専門医のもとで治療を受ける必要があります。心筋の血流を回復させる目的で、血栓溶解療法や冠動脈形成術、バイパス手術などが行われます。また、再発予防も含め狭心症、不整脈、心不全の治療を続ける必要があります。

（3）生活上の留意点

医師から指導される生活習慣の注意や服薬を守り、暴飲暴食、飲酒、熱い湯や長時間の入浴を避け、禁煙も必要です。精神的な緊張や興奮を避け、精神的ストレスを減らすよう心がけましょう。また、高齢者は、特徴的な症状に乏しいことから、ささいな変化を見逃さないようにすることが大切です。「いつもと違う」状態が確認されたときは、バイタルサイン（意識状態含む）、顔色・表情、症状の有無・程度等を観察し、すみやかに医療職に報告・連絡することが重要です。

3 不整脈

（1）概要

心臓は、心筋に電気刺激が規則的に伝わることで1分間に50～100回程度収縮を繰り返しています。不整脈とは、心臓の収縮が正常とは異なるタイミングで起きて脈拍が乱れる状態のことです。不整脈には、脈が速くなる**頻脈**、脈が遅くなる**徐脈**、予定されていないタイミングで脈が生じる**期外収縮**があります。健康な人にも生じる不整脈では健康被害はなく、放置しても問題ありません。一方、命にかかわる不整脈もあります。高齢者に多い不整脈のタイプは、期外収縮、**頻脈性不整脈**、**徐脈性不整脈**などがあります。

（2）原因

高齢者では、加齢にともなう洞結節細胞の減少や刺激伝導系の変性などにより、徐脈性不整脈が起こります。また、虚血性心疾患や心臓弁膜症などを原因として電気伝導路に異常が生じると、治療が必要な「心房細動」や「心室細動」などの頻脈性不整脈が起こることがあります。

（3）症状

1 洞不全症候群

脈が遅くなったり抜けたりするので、疲れやすかったりめまいを起こしたり、ひどくなると意識を失います。脈が遅くなる一方で頻脈が同時に起こる徐脈頻脈症候群もあり、脈が速くなったかと思うと急に遅くなり意識を失い生命の危険におちいることもあります。

2 心房細動

「どきどきする」「胸が苦しい」「息が切れやすい」など訴えることが多く、症状には大きな個人差があります。脈を測ると普段よりも速かったり、速い・遅いを不規則に繰り返したりします。死にいたる病態ではありませんが、脳梗塞や心不全につながる危険性があります。

（4）治療

1 洞不全症候群

症状が軽い場合は、抗不整脈薬の薬物療法が行われますが、根本療法としては、ペースメーカーの植え込みが行われます。

2 心房細動

心腔内に血栓が生じやすいことから高齢者、高血圧・糖尿病や心不全のある人、脳梗塞の既往がある人は、抗凝固薬によって血栓塞栓症を予防する治療が行われます。

4 心不全

（1）概要

心不全は、心臓のポンプ機能の障害のため必要な血液量を全身に供給できなくなった状態です。左心室の機能不全によるものが左心不全、右心室の機能不全によるものが右心不全です。また、病状経過によって、**急性心不全**と**慢性うっ血性心不全**に分かれます。高齢者では、慢性うっ血性心不全が多くみられ、予後はよくありません。

（2）原因

　左心不全の原因となる疾患は、虚血性心疾患、高血圧性心疾患などです。左室から十分な血液を大動脈に送り出せなくなることで左室、左房が肥大し、肺静脈にうっ血が生じます。結果、肺胞でのガス交換が不良になり、息切れや呼吸困難が起こります。右心不全は、右室心筋梗塞、肺塞栓症、肺性心などにより、右室のポンプ機能が低下し、内臓や下肢などの末梢静脈系にうっ血を招きます。感染、過労、貧血、血圧コントロール不良などは心不全の誘因になります。

（3）症状

1 左心不全

　階段や坂を上る、足早で歩くと呼吸が苦しくなります。病状が進行す

図5－17　うっ血性心不全の病態

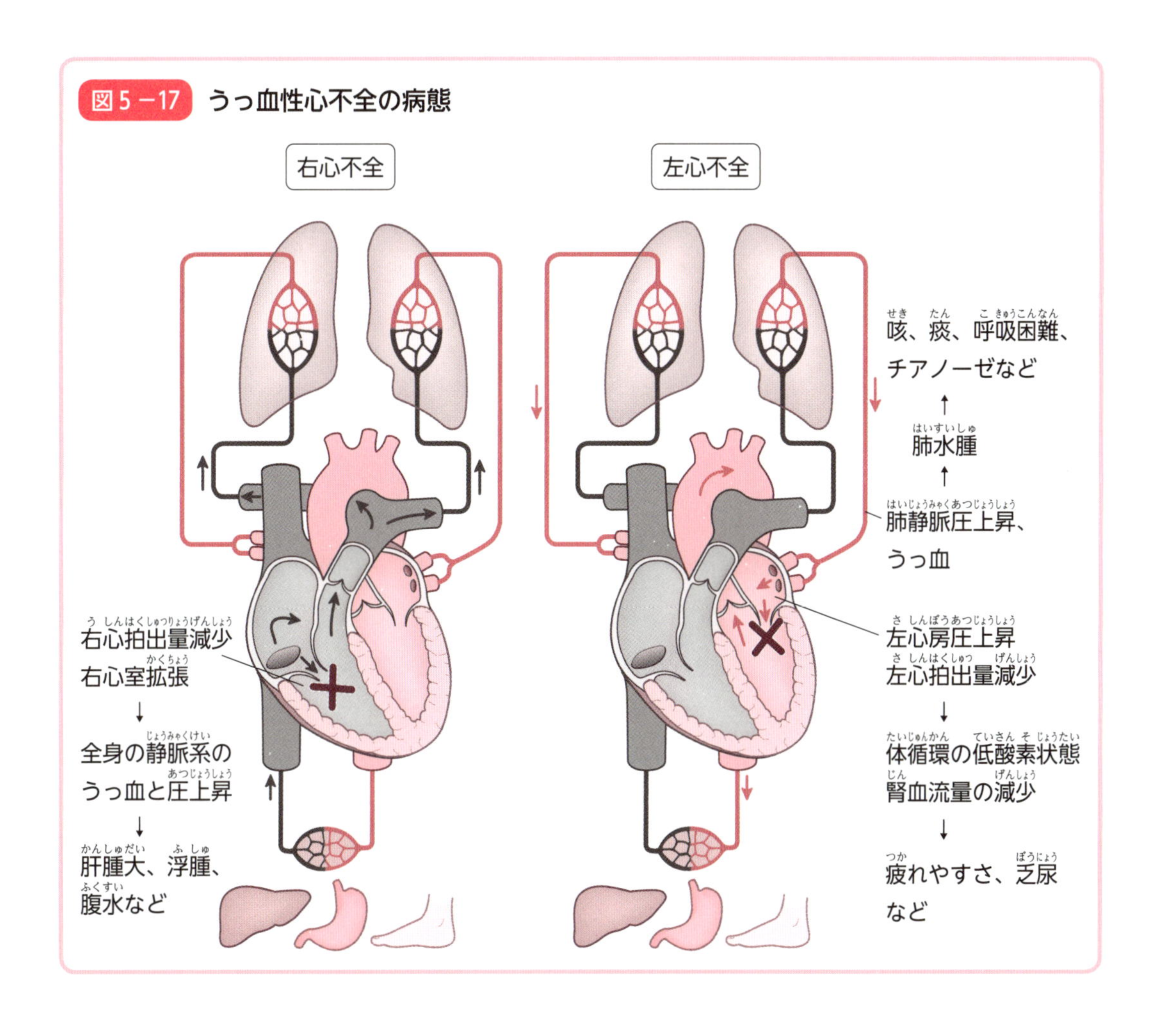

ると平地歩行や軽い労作でも息が切れ、安静時でも呼吸困難が起こるようになります。臥位では、肺うっ血が亢進するため起座呼吸となります。肺水腫になると激しい咳と喘鳴（心臓喘息）が起こり、ピンク色の泡沫状の痰が出ます。その他、顔面や口唇にチアノーゼがみられます。

2 右心不全

頸静脈の怒張、四肢の浮腫（むくみ）や体重増加が起こります。下肢の浮腫は、夕方に悪化することが多くあり、寝ているときは腰や大腿部にみられます。日中の尿量の減少、夜間の尿量の増加がみられ、進行すると腹水や全身性の浮腫が起こります。

左心不全も右心不全もいずれは両心不全となり、両方の症状を示すようになります。

（4）治療

原因疾患の治療とともに、薬物療法、運動・塩分・水分の制限が行われます。

（5）生活上の留意点

心不全を悪化させない（心臓に負担をかけない）日常生活を送ることが大切です。毎日の体重測定、塩分や水分の制限、運動量、服薬など医師の指示にもとづき生活を調整します。喫煙や便秘、熱い湯や長い時間の入浴は、心臓に負担をかけますので注意が必要です。

5 閉塞性動脈硬化症

（1）概要

四肢の主幹動脈、下肢の末梢動脈に狭窄・閉塞が起こり、慢性的な循環障害をきたすものを閉塞性動脈硬化症といいます。高齢化や食生活の欧米化により急速に増加しています。50～70歳代の男性に多く、重症下肢虚血のリスクは、糖尿病で4倍、喫煙で3倍、脂質異常症・65歳以上の高齢者で2倍となっています。また、半数以上の症例で脳血管障害や冠動脈疾患などの動脈硬化性の疾患を合併することが報告されています。

（2）症状

血流障害が軽度であれば無症状です。しかし、血流障害が強くなると**間欠性跛行**[18]が出現します（図5－18）。脊柱管狭窄症でも似た症状が出現するため、鑑別が必要となることが多くあります。

血流障害が進行すると、歩かなくても足先が痛む「安静時痛」が生じます。加えて、小さな足の傷が治らずびらんとなり、紫色や黒色になることがあり、潰瘍や**壊疽**[19]と呼ばれる状態に至ります。

⑱間欠性跛行
一定の距離を歩くと大腿部や下腿部に疲労感や痛みが出現し、立ち止まってしばらく休むと痛み等がやわらぎ再び歩けるようになる。

⑲壊疽
壊死におちいった組織が乾燥や感染などで二次的変化を受け、性状や外観がいちじるしく変わったものをいう。

（3）治療

動脈硬化のリスク因子である糖尿病、高血圧、脂質異常症の治療と抗血小板療法が行われます。あわせて食生活を含めたライフスタイルの見直しや禁煙が指導されます。下肢循環障害の治療には、薬物療法のほか間欠性跛行の段階では運動療法、安静時痛が強いものや潰瘍・壊疽がみられるものには血行再建術が検討されます。

（4）生活上の留意点

足を清潔に保ち、裸足でいることはできるだけ避けて、靴下を着用するなど足の保温および保護を心がけます。爪を切るときは、深爪をしないよう注意が必要です。

足の痛みがでる一歩手前で休みながら歩行するようにしましょう。

１日１回は、足の甲の動脈が触れる部分で、脈の触れを確認し、皮膚の色や皮膚温、傷の有無など足の状態を観察します。

図5－18　間欠性跛行

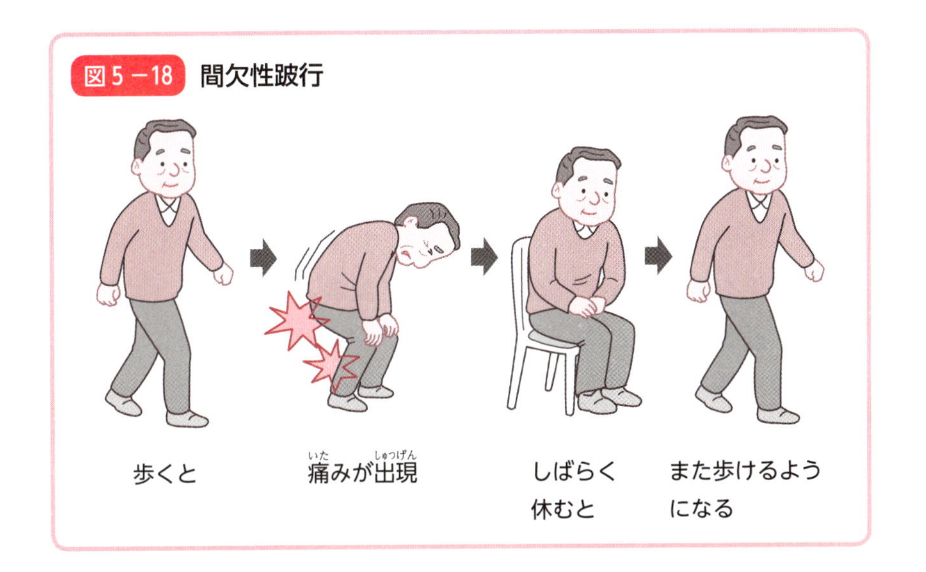

また、バランスのよい食事と水分を十分に摂取し、禁煙を厳守することが求められます。

5 呼吸器系

1 概要

厚生労働省の2017（平成29）年の「患者調査」によると、高齢者に多い呼吸器疾患は、患者数の多い順に、喘息、慢性閉塞性肺疾患、肺炎、結核という結果になります。また、厚生労働省の2020（令和２）年の「人口動態統計」によると、肺炎は日本人の死因の第５位となっています。呼吸器は生命を維持するための重要な役割があり、呼吸器は酸素を肺に取り入れ、二酸化炭素を外界に排出しています。そのため、呼吸の通り道である上気道（鼻腔、咽頭、喉頭など）、下気道（気管、気管支）、肺などに炎症や閉塞、けいれんなどが起こると、日常生活でも呼吸困難感をともなうために生命に対する不安が生じるなど大きな影響があります。

（1）慢性閉塞性肺疾患（Chronic Obstructive Pulmonary Disease：COPD）

肺気腫と慢性気管支炎と呼ばれてきた疾患の総称です。鼻から入った空気は、咽頭・喉頭を通って気管に入ります。気管は左右の気管支に枝分かれしながら、だんだんに細くなり（細気管支）、肺胞とよばれる多数の袋へとつながっていきます（図５－19）。原因としてはたばこの煙のような有害な物質に肺が長期に曝されると炎症を起こしますが、体質や年齢も影響します。炎症により肺胞が破壊されると酸素の取り込みや二酸化炭素を排出する機能が低下し、**ガス交換**[20]が困難になります（図５－20、図５－21）。また、気管支の炎症でも咳や痰が増加し、気管支が狭くなり空気の流れが低下するため息切れや呼吸困難が生じてきます。一度破壊された肺胞は不可逆であるため、治療による改善はむずかしいです。呼吸機能を維持するには、酸素吸入や病気の悪化を防ぐ生活が必要です。

[20] **ガス交換**
肺は空気中の酸素を肺胞に取り入れ、血液によって運ばれてきた二酸化炭素を呼気として体外に排出するはたらきをしている。

図5－19　呼吸器官の構造

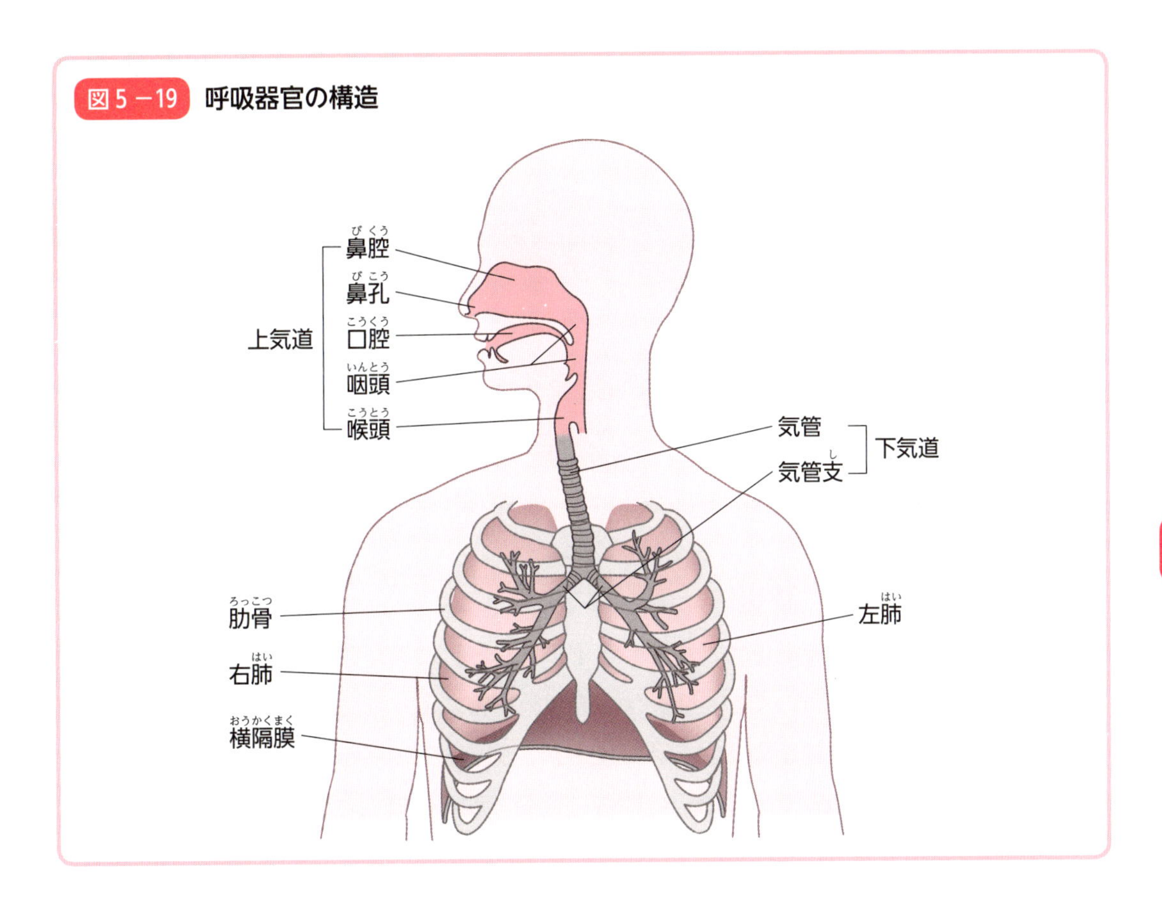

図5－20　肺胞（ガス交換）

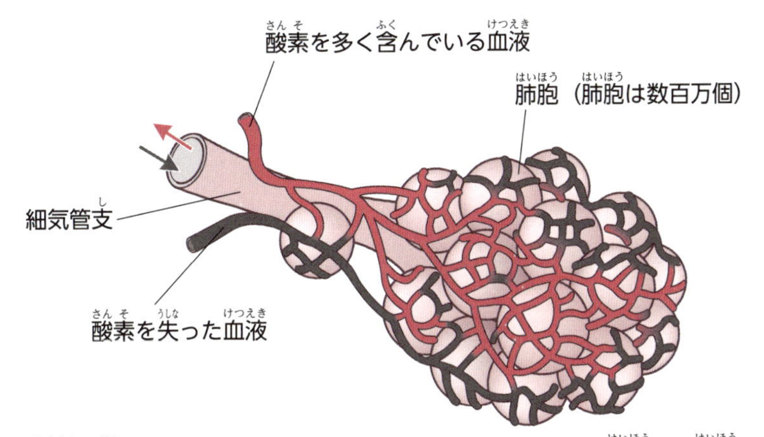

ガス交換は肺にある数百万個にも連なったブドウの房のような肺胞と、肺胞を取り囲む毛細血管の間で行っています。吸い込まれた酸素は肺胞から毛細血管へ移動し、二酸化炭素は毛細血管から肺胞内の空気中へ移動します。

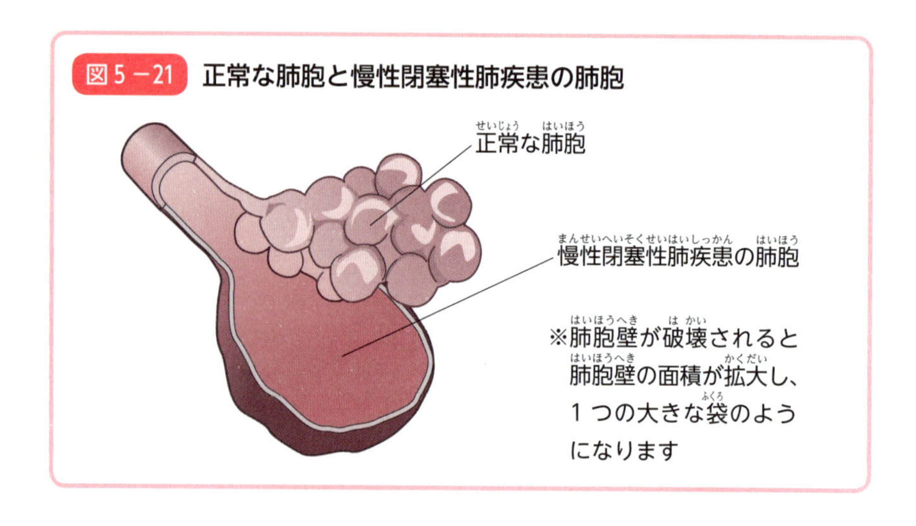

図5－21　正常な肺胞と慢性閉塞性肺疾患の肺胞

（2）肺炎

病原微生物（細菌・ウイルスなど）により肺が急性炎症をきたした状態をいいます。肺炎は、原因微生物により細菌性肺炎と細菌以外の病原微生物感染による**非定型肺炎**、肺胞壁に炎症があるものを**肺胞性肺炎**、肺胞壁やその周辺の間質に炎症を起こす**間質性肺炎**[21]があります。また肺炎の発症場所では、病院の中か外かにより、病原微生物が異なるため**院内肺炎**と**市中肺炎**[22]に分類されます。さらに、加齢にともなう嚥下反射が低下することにより起こる**誤嚥性肺炎**もあります。ここでは、おもに肺胞性肺炎について述べます。

ガス交換をする肺胞の炎症により呼吸困難、痰、発熱などの症状がありますが、高齢になると発熱の症状は顕著でないこともあります。肺炎の場合、身体を動かすことで呼吸機能に負担をかけるため、安静に過ごすことが必要になります。安静にすることで運動機能の低下が生じてきますので可能な限り機能低下をきたさないように支援をすることが大切です。

㉑間質性肺炎
肺組織に起こる炎症を分類したもの。肺炎の症状は原因によりさまざま。診断には、気管支や肺の生検が行われる。

㉒市中肺炎
市中肺炎は病院外微生物による細菌性肺炎で、健康な成人に発症し、原因菌として肺炎球菌、インフルエンザウイルス、マイコプラズマなどが多い。

（3）喘息（気管支喘息）

喘息は慢性的に気道が炎症を起こし空気の通り道が細くなって、呼吸するときにゼーゼー、ヒューヒューと鳴ったり、咳が多くなるなど息が苦しくなります。この喘息が起こる背景には、複数の発症因子による慢性的なアレルギー性気道炎症があることが最近の研究でわかりました。気道は**上気道**（鼻腔・咽頭・喉頭）と**下気道**（気管・気管支・細気管支）に分かれます。喘息発作が起こると、呼吸困難により死への不安をもつことがあります。さまざまな要因があるため生活習慣の見直しや日常の過ごし方に気をつけることが大切です。

（4）結核

結核は、結核菌により全身に炎症が起こります。ここでは肺結核について述べます。肺に結核菌が入るとそこで増殖し炎症が起こり、しだいに肺が破壊されていくため呼吸する力が弱まっていきます。最初は風邪の症状と間違いやすく、咳、痰、発熱の症状があります。これらの症状が２週間以上続く場合は結核を疑います。また、全身倦怠感、体重減少や食欲不振がみられます。結核は集団感染を起こすことがあり、感染症の予防及び感染症の患者に対する医療に関する法律の分類で２類感染症に位置づけられています。また、感染をしてもすぐに発病するとは限りません。人の身体は菌に対して**免疫**[23]をつくり対抗しますので、結核菌は体内で抑えられていますが、何らかの原因で免疫力が低下すると結核菌は増殖をはじめ発病します。発病すると、前述の症状がみられます。日常生活では、免疫力が低下しないように食事や運動、人が多い場所を避けるなどに留意します。

[23]**免疫**
私たちの身体は、常にウイルスや細菌、カビ、寄生虫など、体内への侵入に曝されており、免疫は、細菌やウイルスなどの病原体が侵入すると、自分（自己）と自分ではないもの（非自己）を見分けるところからはじまり、自分でないものを見つけるとそれを異物として攻撃し体内から取り除くはたらきをしている。これは個体がもっている免疫系の感染防御機能のはたらきが深く関係している。免疫には、自然免疫と獲得免疫がある。

2　原因

慢性閉塞性肺疾患の危険因子は喫煙です。その他にも大気汚染などがあります。肺炎の原因には一般細菌の肺炎球菌、インフルエンザウイルス、一般細菌以外のマイコプラズマなどの微生物が考えられます。喘息は発作を起こす誘因として、ハウスダスト、ダニ、気道感染、動物の毛などがあります。結核は、結核菌が身体に侵入することが原因で感染します。感染しても免疫力が高いと発病にいたることはありませんが、高齢や何らかの原因で免疫力が低下すると結核菌が体内で活発に活動し発病にいたります。

3　症状

（1）呼吸困難

呼吸困難は息がしにくくなる不快な感じをともないます。慢性閉塞性肺疾患や肺炎、喘息で呼吸困難がみられます。慢性閉塞性肺疾患の場合、肺胞の機能が障害されて呼気を出しにくくなります。喘息の発作では炎症により気道が狭められるため呼吸がしにくくなります。肺炎では、気道に分泌物が増えると空気の通り道が狭められるので息苦しさを感じます。いずれにしても呼吸器系の疾患では、呼吸困難は命に直結しているので不安感が生じてきます。

（2）咳

インフルエンザや風邪症状、肺炎、慢性閉塞性肺疾患、喘息など呼吸器疾患のほとんどで咳を認めます。咳は肺の防御機能として重要で、気道内の異物を外に出そうとして反射的に生じます。咳は下気道における粘液や過度の分泌物、吸い込んだ異物を急速に外に排出するのに役立っています。肺炎や喘息などでは、気道炎症により刺激を受け咳が生じます。なお、痰をともなわない咳を乾性咳嗽、痰をともなう咳を湿性咳嗽といいます。咳が過度になると気道の閉塞を持続させるため呼吸機能を悪化させることにつながります。また、安眠にも大きく影響し、十分な睡眠がとれないため体力を消耗しやすくなります。そのため、日常の対応として咳が生じないための環境の調整や、咳によって体力を消耗するのを防ぐ食事の工夫等の支援が必要となってきます。

（3）痰

気道粘膜は生理的に気道分泌液で潤っていますが、病気により異常をきたした気道分泌液が痰となります。慢性閉塞性肺疾患や肺炎、喘息、結核の発病ではこの症状が出てきます。疾患により性状がサラサラの痰や粘稠度が高い痰があります。

（4）発熱

体温が平常時より上昇することをいいます。通常平熱より1℃以上の上昇を発熱とすることが多いです。原因には、感染による発熱や腫瘍による発熱、不明な発熱もあります。また、熱型には、**稽留熱**[24]と**弛張熱**[25]があります。

4 治療

慢性閉塞性肺疾患は、禁煙が基本です。治療には、薬物療法や**呼吸リ**

㉔稽留熱
1日の朝夕の差が1℃を超えない高熱（38℃以上）が持続する。

㉕弛張熱
38℃以上に及ぶ発熱が日差1℃以上で上下するものの、平熱まで下降することがほとんどない。

㉖呼吸リハビリテーション
口すぼめ呼吸や腹式呼吸の呼吸訓練を行い、その他運動療法や栄養療法なども行う。口すぼめ呼吸は口をすぼめてゆっくりと息を吐き出す呼吸法。これにより息を吐くときに口を細くし気管支の圧力を高めると気管支がつぶされにくくなり呼吸が楽になる。

ハビリテーション[26]、酸素療法等があります。高齢者の場合、病状の急性増悪を引き起こしやすい呼吸器感染症を防ぐために、市区町村はインフルエンザワクチンや肺炎球菌ワクチンの接種を奨励しています。

喘息の場合、薬物療法が行われます。喘息は発作時の管理と慢性期の長期管理が必要で、そのため薬も発作時と慢性期とに分けて治療が行われます。発作があるときは気管支の拡張作用のある薬が用いられます。結核の治療には薬物療法や手術療法があります。

6 消化器系

1 消化性潰瘍

（1）概要

消化性潰瘍（図5－22）とは、胃や十二指腸の内面の粘膜が消化液で侵食されて、傷ができた状態をいいます。**胃潰瘍**は、通常は胃の小彎部（上側）に多くみられ、あらゆる年齢で発生し、中年の成人にもっとも多くみられます。**十二指腸潰瘍**は、消化性潰瘍のなかでもっともよくみられるもので、十二指腸の最初の約5～7.5cmの部分にできます。

図5－22　消化性潰瘍

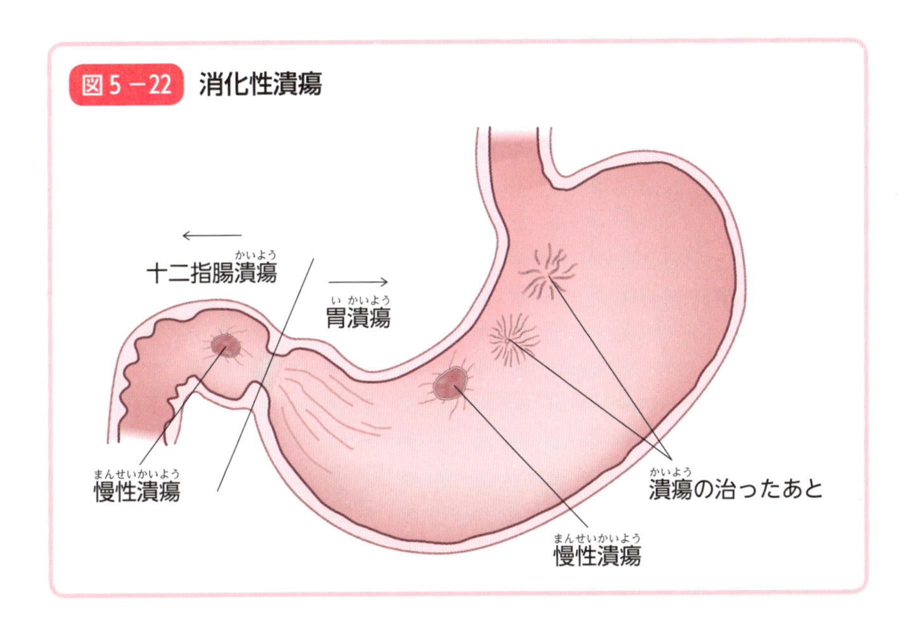

（2）原因

潰瘍が生じるのは、胃や十二指腸の粘膜の正常な防御・修復メカニズムが弱まり、粘膜が胃酸による損傷を受けやすくなった場合です。もっとも一般的な原因は、**ピロリ菌**感染と**非ステロイド性抗炎症薬**（Non-Steroidal Anti-Inflammatory Drugs：NSAIDs）の副作用によるものです。ピロリ菌感染は、胃潰瘍の人の30～50%、十二指腸潰瘍の人の50～70%にみられます。喫煙や飲酒、過度のストレスも誘因となります。

（3）症状

典型的な症状は、上腹部の痛み、胸やけ、げっぷなどです。差し込むような痛み、焼けつくような痛み、うずく痛み、ヒリヒリする痛み、時には空腹感等と表現されることがあります。胃潰瘍の痛みは、食後に出ることが多く、十二指腸潰瘍では空腹時に出ることが多いです。胃潰瘍はまったく症状が出ないこともあり、高齢者は貧血症状から発見されることも多いとされています。

また、潰瘍の深さにより出血（吐血・下血）、**穿孔**[27]などの合併症がみられます。痛みがなくても出血していることがあり、鮮紅色の血液や、コーヒーかすのような赤褐色の塊の嘔吐（吐血）、黒いタール状の便（黒色便）や血液が付着した便（血便）は、潰瘍から出血している可能性があります。出血すると、血圧低下、冷汗、失神等を生じることもあります。

[27] 穿孔
潰瘍が胃壁や腸壁を貫通して穴があく状態。急に強い痛みが生じて持続し腹部全体に広がる。

（4）治療

ピロリ菌を除去する抗菌薬や粘膜保護薬、組織修復促進薬、制酸薬、胃酸分泌抑制薬等による薬物療法です。穿孔や潰瘍からの大出血が2回以上発生した場合や消化性潰瘍が重度でしばしば再発する場合等には、外科的治療が行われることがあります。

（5）生活上の留意点

1 食事

食事は3食を規則的に、よく噛みゆっくり食べましょう。栄養価が高く消化がよいバランスのとれた内容に心がけ、極端に熱すぎる、冷たすぎる、味が濃い、刺激が強い、酸味が強いものはさけます。また、コーヒー、炭酸飲料、アルコールは胃酸の分泌を高めるのでとりすぎないようにします。食後は、ゆったりとした気分で、休養することが大切です。特に高齢者は、胃内容物が食道に逆流しないよう、1～2時間程度上半身を起こした姿勢で過ごすようにしましょう。

2 薬

中断すると再発しやすいので、指示どおり服用します。ほかの疾患等で薬の処方を受けるときは、潰瘍にかかっていることを医師に申し出ましょう。

3 睡眠

十分睡眠をとり、過労にならないように心がけ、ストレスをためないように趣味や軽運動等で気分転換をはかりましょう。

4 その他

禁煙しましょう。便秘を予防し、便の色や性状の変化を見逃さないようにします。

2 逆流性食道炎

(1) 概要

逆流性食道炎とは、強酸性の胃液や胃で消化途中の食物が食道に逆流して、食道が炎症を起こし、さまざまな症状が生じる病気です。日本人には少ない病気でしたが、最近では食生活の変化などにともない多くみられるようになりました。

(2) 原因

正常な状態では、食道と胃の境の下部食道括約筋が、胃内容物の逆流を防止しています。しかし、加齢、食事の内容、肥満（内臓脂肪が胃を圧迫）や前かがみ姿勢により腹圧があがること等によって、食道を逆流から守る仕組みが弱まったり、胃酸が増えすぎることで胃液が逆流し起こります。

(3) 症状

非常に多様で、無症状な人もいれば胸やけやのどの違和感等を自覚する人もいます。代表的な症状としては、①**胸やけ**（胸がじりじりと焼けるような痛み）、②**呑酸**（酸っぱい液体が口まで上がってきて、げっぷが出る）、③のどの痛みや違和感（逆流した胃液が喉や気管支を刺激したり、炎症を起こす）、咳、口内炎、④その他（前胸部の違和感・不快感など）があります。

（4）治療

治療の主体は、胃酸の分泌を抑える薬、胃酸を中和する薬、腸の運動をうながす薬、胃粘膜を保護する薬などの薬物療法です。治療の効果が乏しい場合や食道炎が重症化するような場合には、外科的治療が行われることがあります。

（5）生活上の留意点

食後すぐに横にならず、2時間は上半身を起こした姿勢を保ちます。就寝直前の食事は避けましょう。過食をせず、高脂肪、甘味や酸味の強い食品や香辛料は控えます。アルコール類・たばこ、コーヒー・緑茶、チョコレートも控えましょう。体重をコントロールし、肥満にならないようにすることが重要です。

前かがみ姿勢を長く続けないようにし、就寝時は上半身を軽くあげるようにします。いきんで腹圧を上げる行為（重い物を持ち上げる、排便時に下腹部に力を入れる等）は、避けるようにしましょう。便秘が続くとお腹が張る、排便時にいきむ等で腹圧が上がりますので、便通をよくしておくことも大切です。

コルセット、ガードル、帯、ベルト等の使用はなるべく避け、腹部を圧迫しないようにします。

3 肝硬変

（1）概要

肝硬変とは、本来は柔らかい組織である肝臓が線維化した結果、肝臓全体が硬くなる状態を指します。肝硬変を発症した初期では、必ずしも明確な自覚症状はなく、肝硬変の状態が悪化すると重篤な症状があらわれ命にかかわることもあります。病態が進行すると、多くの場合元の健康な肝臓には戻りません。さらに、肝不全、肝臓がんといった非常に重い病態におちいると、よりいっそう治療は困難になります。したがって、肝硬変をきたしうる原因疾患を特定し、早期の段階から適切な治療介入を行うことが大切です。

(2) 原因

原因として大きな割合を占めるものが肝炎ウイルスで、全体の約65%がC型肝炎ウイルス、約15%がB型肝炎ウイルスといわれています。残り約10～15%がアルコール等によるものとされています。最近では、非アルコール性脂肪肝炎（nonalcoholic steatohepatitis：NASH）も肝硬変に発展するおそれがある病気として注目されています。

(3) 症状（図5－23）

肝機能がある程度保たれている代償期と、肝機能が低下した非代償期とで異なります。

1 代償期

目立った症状はあらわれませんが、みられる症状としては、足や手、手指などの筋肉がつる筋攣縮や手のひらの膨らんでいる部分だけが赤くなり、そこに赤紫の小さな斑点が混じる手掌紅斑があります。アル

図5－23 肝硬変のおもな症状

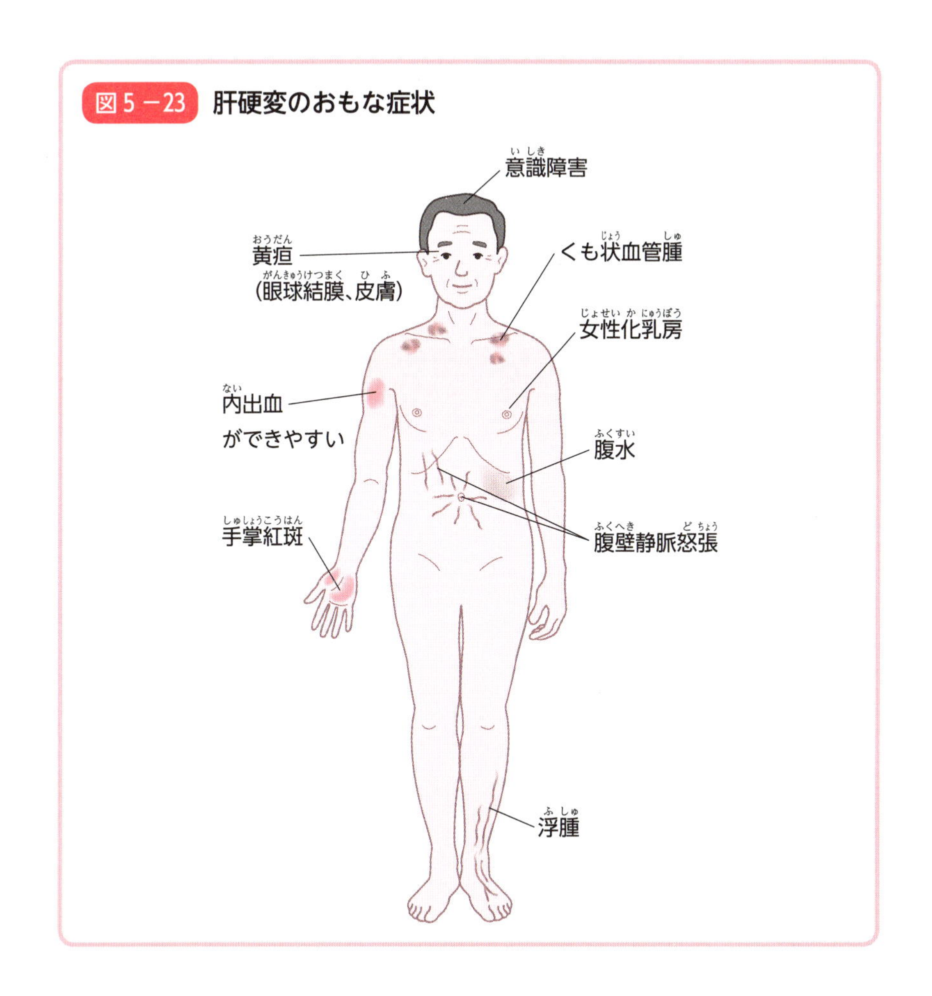

コール性肝硬変の場合には、上胸部から背中にかけて赤い小さな斑点と、そこを中心に毛細血管が蜘蛛の足のように拡がるくも状血管腫が認められることが多いです。

2 非代償期

黄疸（皮膚や眼球結膜が黄色くなる）や**腹水**（お腹に水がたまる）、黄疸と関連して意識障害や皮膚の掻痒感を引き起こしたりします。その他に、下肢の浮腫、女性化乳房、出血傾向や腹壁静脈怒張（へそのあたりを中心に静脈が放射線状に浮き上がる）等が生じることがあります。

（4）治療

肝炎ウイルスを原因とした肝硬変に対しては、抗ウイルス療法があります。日本における肝硬変の原因として多いC型肝炎ウイルスに対する治療の進歩にともない、肝機能の改善が期待できるようになりました。アルコール性肝硬変に対しては断酒がすすめられます。また、症状に対する対症療法として、薬物療法が行われます。

（5）生活上の留意点

禁酒が原則です。病状に応じて食事制限が必要となるので、指示を守りましょう。過労やストレスをためない、快眠・快便となるよう生活を整えることが重要です。

7 腎・泌尿器系

1 前立腺疾患

（1）概要

前立腺疾患は、男性にのみ存在する疾患です。高齢者の前立腺疾患の代表として、**前立腺肥大症**と**前立腺がん**があります。膀胱の出口を取り囲む前立腺が、加齢とともに肥大して尿道を圧迫し、排尿障害を引き起こすのが前立腺肥大症です。前立腺がんは、食生活の欧米化や高齢化によって罹患者が増えています。ここでは、前立腺肥大症について概説します。

（2）原因

加齢と男性ホルモンの関与が示唆されていますが、解明されていません。

（3）症状（図5－24）

初期（第1病期：刺激症状期）症状では、夜間頻尿が出現し、**排尿困難**[28]は軽度の場合、残尿感を訴えても実際に残尿はありません。中期（第2病期：残尿発生期）症状では、残尿（30～150ml）が発現します。そのため日中も頻尿となり、排尿困難が強くなります。切迫性尿失禁も出現し、残尿による尿路感染が起きやすくなります。後期（第3病期：慢性尿閉期）症状では、残尿は150ml以上となり、**尿閉**[29]のため溢流性尿失禁を呈するようになります。

（4）治療

第1病期では、薬物療法および温熱療法で、第2病期には、本人のQOLを考慮しながら幅広い選択肢から治療法が選ばれます。第3病期のあまり進行しないうちは、経尿道的前立腺切除術が中心です。

（5）生活上の留意点

刺激の強い香辛料や動物性たんぱく、脂肪は控えるほうがよいといわ

図5－24　前立腺肥大症の病期

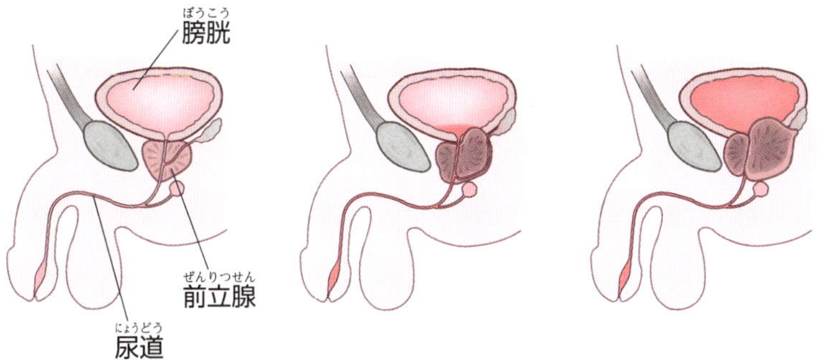

第1病期	第2病期	第3病期
・夜間頻尿 ・排尿困難（軽度）	・残尿30～150ml ・排尿困難の進行	・残尿150ml以上 ・尿閉

膀胱　前立腺　尿道

[28] 排尿困難
尿が排出されにくい状態。具体的には、すぐに出ない、終了までに時間がかかる、すっきりしない等がある。

[29] 尿閉
膀胱内に尿はたまるが、まったくあるいはほとんど排尿できない状態。

れています。

座ったままの姿勢を長時間続けると骨盤内の血流が悪くなり、前立腺が充血して尿道への圧迫が強くなるので注意が必要です。適度な運動や入浴などで血行をよくしましょう。

排尿を我慢すると膀胱の収縮力が弱くなり、尿が出にくくなることがあるので尿意を我慢しないことが大切です。また、便秘を予防しましょう。

2 尿路感染症

(1) 概要

腎臓、尿管、膀胱、尿道などの尿路において、何らかの原因で病原体が侵入し炎症が起きる感染症です。尿道から細菌が侵入して感染する上行性感染がほとんどで、その多くが腸内細菌による感染です。感染する部位により、腎臓・尿管に起こる上部尿路感染症（腎盂腎炎が多い）と膀胱・尿道に起こる下部尿路感染症（膀胱炎が多い）に分けられます。

(2) 原因

尿路感染症を起こす細菌は、大腸菌、ブドウ球菌、腸球菌などです。膀胱カテーテルの留置、尿路結石、尿路狭窄などが関係することがあります。

(3) 症状

上部尿路感染症（腎盂腎炎）では、発熱、患側腰部の痛み、尿の混濁等がみられます。下部尿路感染症（膀胱炎）では、発熱はなく、排尿時痛、残尿感、頻尿、尿混濁や血尿などが主症状です。どちらも急性では、典型的な徴候・症状が出ますが、慢性では、徴候・症状が軽度だったり、はっきりでないことが多く、経過の長期化や再発を繰り返したりします（**表5－11**）。

(4) 治療

重症化すると生命に危険が及ぶこともあるため、原則的には入院をして抗菌薬の点滴を行います。症状が改善して口から食べることができるようになれば、抗菌薬の投与方法を点滴から内服に変更することも可能

表5－11　尿路感染症の分類および徴候・症状の特徴

分類		疾患	徴候・症状
上部尿路感染症（腎盂腎炎）	単純性	急性腎盂腎炎	悪寒、高熱（39～40℃）、患側の腰痛。尿混濁（膿尿）、消化器症状（吐き気・嘔吐）をともなうこともある。
	複雑性	慢性腎盂腎炎	微熱、全身倦怠感、貧血、消化器症状などの非特異的症状が反復する。次第に腎機能の低下をきたす。
下部尿路感染症（膀胱炎）	単純性	急性膀胱炎	3主徴（頻尿、排尿痛、残尿感）あり。発熱はない。尿混濁や血尿を認める。
	複雑性	慢性膀胱炎	上記症状が軽度。無症状のこともある。

です。また、尿路結石や前立腺肥大など、尿の流れを悪くする障害物が原因である場合には、感染が改善したのち手術でこれらを治療することがあります。

（5）生活上の留意点

陰部・殿部を清潔に保つことが重要です。そのため、陰部を拭くときに、女性は尿道口から肛門に向けて一方向に拭きます。

尿意を我慢せず、残尿をなくすようできるだけ座位や立位で排尿しましょう。

水分を十分に摂取し、尿量を確保することが大切です。アルコールや香辛料の強い食品は、避けましょう。

3　慢性腎臓病（慢性腎不全）

（1）概要

数か月～数年かけて進行する腎臓の病気によって、徐々に腎機能の低下が進行する病態（状態）です。透析が必要となった人の原因となる病気は、多い順に、**糖尿病性腎症**、**慢性糸球体腎炎**、**腎硬化症**（高血圧による腎障害）、**腎嚢胞**などです。

（2）原因

すべての腎臓の病気が原因になります（**表5－12**）。

（3）症状

血液検査で異常（高窒素血症）があっても自覚症状に乏しい状態から、尿毒症症状など種々の自覚症状を呈するまであります（**表5－13**）。

（4）治療

薬物療法で慢性腎臓病の進行を遅らせたり合併症を予防します。食事療法では、原則として、十分なカロリー摂取、たんぱく質・塩分・カリウム・リンの制限、適切な水分量の摂取です。保存的治療のみでは生命の維持が困難となった場合は、透析や腎移植の適応となります。

表5－12　慢性腎臓病の原因となる病気

糸球体疾患	慢性糸球体腎炎、糖尿病性腎症
間質疾患	間質性腎炎
感染症	慢性腎盂腎炎、腎結核
高血圧症	腎硬化症
尿路閉塞	前立腺肥大症、悪性腫瘍
先天性	多発性嚢胞腎、腎欠損、腎位置異常

表5－13　病期（経過）と症状

病期	症状
腎予備力減少期	ほとんど自覚症状なし。
腎機能障害期	尿濃縮力低下による夜間頻尿、軽度の貧血。
腎機能代謝不全期	食欲不振、頭重感、貧血、足のけいれんなど自覚症状が強くなる。
尿毒症期	尿毒症症状（食欲低下、吐き気、頭痛、倦怠感、むくみ、動悸・息切れ、尿量減少、高血圧、貧血など）が出現。全身諸臓器の障害が進む。血液透析や腎移植などが不可欠。

（5）生活上の留意点

食事や水分、運動など医師の指示を守ること、禁煙、疲れをためないことが大切です。水分の摂取制限等生活上の制限がかかると、便秘になりやすいので、排便の習慣づけやリラクゼーション等で対策しましょう。また、上気道感染症（かぜ症候群）は、病気が増悪しますので、手洗い・うがいを日常的に行い、感染予防に努めましょう。

8 内分泌・代謝系

ここでは内分泌・代謝系のなかでも高齢者に多い疾患として糖尿病、脂質異常症、痛風を取り上げます。これらの疾患がもとで日常生活に支障をきたすことがあるため、疾患の原因、特徴的な症状について学習し、生活への影響を考えて支援することが望まれます。

1 糖尿病

（1）概要

糖尿病は、インスリンというホルモンの不足や作用低下が原因で、高血糖が慢性的に続く疾患です。Ⅰ型糖尿病とⅡ型糖尿病があり、Ⅰ型糖尿病はインスリン依存型で、自己免疫疾患などの原因でインスリン分泌細胞が破壊されてしまうため、インスリンの自己注射が必要です。日本人の約９割がⅡ型糖尿病で、インスリン非依存型です。Ⅱ型糖尿病は遺伝的要因に過食や運動不足などの生活習慣が重なって発症し、加齢にともない発症率も増加します。ここでは、Ⅱ型糖尿病について記します。

糖尿病は、生活習慣と社会環境の変化にともない急速に増加した疾患で、自己管理ができず放置していると重大な合併症を引き起こします。末期には失明や透析治療が必要になり日常生活に支障をきたすことから、糖尿病の三大合併症である糖尿病性神経障害、糖尿病性網膜症、糖尿病性腎症は、介護保険の16の特定疾病に認定されています。

厚生労働省の2017（平成29）年の「患者調査」によると、患者総数は約328万9000人で、男性約184万8000人、女性約144万2000人となっています。

（2）原因

糖尿病発症の危険因子には、加齢、家族歴、肥満、運動不足、バランスの悪い食事などがあげられます。高血圧症と脂質異常症も危険因子で、高血圧症と脂質異常症に罹患している人は、糖尿病を発症する確率が増加します。

（3）症状

糖尿病は、インスリンの作用不足により、糖、脂質、たんぱく質を含むほとんどすべての代謝系に異常をきたします。しかし、代謝異常が軽度の場合は無症状のまま進行し、長期間放置され、健康診断などで指摘されて発見される場合が多いです。

1 高血糖症状

血糖値が高くなっていても、初期段階では自覚症状はほとんどありません。血糖値が上昇すると、血液の浸透圧が高くなり、細胞内から水分が引き出され多尿になることから、口渇や多飲が出現し、疲れやすく食事摂取量は変わらないのに体重が減少するなどの症状があらわれます。

2 低血糖症状

低血糖は、糖尿病で薬物治療を受けている人に高い頻度で見られます。人の身体は、血液中の血糖値が70mg/d*l*以下になると血糖値をあげようとし、50mg/d*l*未満になると、脳などの中枢神経が糖不足になり**低血糖症状**が出現します（**表５－14**）。

低血糖になる原因として、食事摂取量や炭水化物不足、薬剤使用後の食事時間の遅れ、運動量、運動時間、空腹での運動、インスリン注射や飲み薬の量が多かった、飲酒や入浴の影響などがあります。

低血糖時の対応として、意識消失時は糖分を口から摂取することが困

表５－14　低血糖症状

血糖値	低血糖症状
70mg/d*l*以下	汗をかく、不安感、脈が速くなる、手の震え、顔が青白くなる
50mg/d*l*以下	集中力の低下、生あくび、目がかすむ
30mg/d*l*以下	けいれん、昏睡

難なため、ブドウ糖や砂糖を水で溶かし口唇と歯肉の間にすり込み、救急車を呼びます。病院では、血糖値を上昇させるホルモンであるグルカゴンの注射を行う場合もあります。

また低血糖時は、その原因を探っておくことが今後の低血糖を防ぐうえで大切です。低血糖を予防するために、食事や薬剤の量を主治医と相談することも必要です。そして、空腹時の運動は控え、長時間運動を続ける場合や、負荷の多い運動の前や途中に、血糖値自己測定を行います。薬剤を使用している場合は、必要に応じて補食をとります。

3 糖尿病の合併症

糖尿病は、進行すると**糖尿病性神経障害**[30]、**糖尿病性網膜症**[31]、**糖尿病性腎症**[32]などの**三大合併症**を引き起こし、脳血管疾患、虚血性心疾患などの心血管疾患の発症を促進します。糖尿病の三大合併症である糖尿病性腎症は、血液透析導入原因の第1位で増加傾向は続いており、視覚障害者のなかで失明の原因の上位に糖尿病性網膜症があげられています。

（4）治療

糖尿病治療の基本は食事療法、運動療法、薬物療法として経口薬物やインスリン注射を行います（図5－25）。

食事療法では、1日3回規則正しく適切なエネルギー量とバランスのとれた食事をとることが大切です。とくに炭水化物、たんぱく質、脂質をバランスよく摂取するために**食品交換表**[33]を活用します。

運動療法では、空腹時を避け、ウォーキングやサイクリングなどの有酸素運動を毎日続けて行うことで、インスリン抵抗性などの改善が期待できます。食後30分～1時間くらいに運動するのが、もっとも効果的といわれています。

糖尿病を発症しても、血糖値、HbA1c、血圧、血中脂質、肥満度等の指標が正常に近づく努力をすることで、合併症発症の危険を減らすことができます。

図5－25　ペン型インスリン注射

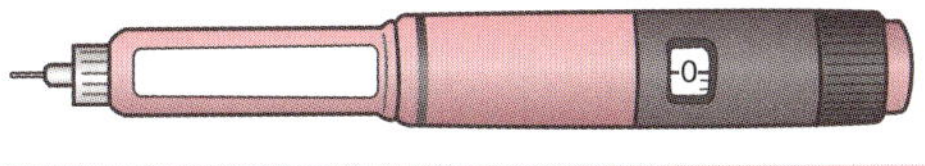

[30] 糖尿病性神経障害
つま先のしびれやピリピリ感からはじまり、足全体や手にひろがる左右対称の知覚神経障害で、しびれ、疼痛が強くなり、温痛覚、触覚も鈍くなる。

[31] 糖尿病性網膜症
眼底出血を生じる視力障害。

[32] 糖尿病性腎症
腎機能が低下してたんぱく尿が出現し、悪化すると尿中に排泄される尿毒素が体内に溜まり、尿毒症や腎不全を引き起こす。

[33] 食品交換表
正式には糖尿病食事療法のための食品交換表といい、食品に含まれている栄養素ごとに6つのグループに分けられている。1単位（80kcal）に含まれている栄養素から同じ単位数の食品を交換して摂取するのに活用できる。

糖尿病の人のなかで病院を受診している人は約半数にとどまっており、糖尿病と診断されても継続的に治療を受けていない人が多いのが課題です。

（5）予防

糖尿病は発症すると完治しないため、発症前の予防が重要です。そのために、生活習慣を見直し、標準体重の維持や身体的活動量の増加、正しい食生活を習慣づけるようにします。

（6）糖尿病の診断基準

糖尿病は、早朝の空腹時血糖値や糖負荷試験の２時間値、随時血糖値とHbA1c値によって診断されます。診断基準は日本糖尿病学会が示しています。

2 脂質異常症

（1）概要

脂質異常症は、**LDLコレステロール**[34]が140mg/dl以上の高LDLコレステロール血症、**HDLコレステロール**[35]が40mg/dl未満の低HDLコレステロール血症、トリグリセライド（中性脂肪）が150mg/dl以上の高トリグリセライド血症（高中性脂肪血症）などがあります。

厚生労働省の2017（平成29）年の「患者調査」によると、患者総数は約220万5000人で、男性約63万9000人、女性約156万5000人となっています。

（2）原因

過食、運動不足、肥満、喫煙、飲酒、ストレスなどが関係しているといわれています（図５－26）。特に、お腹の中に脂肪がたまる内臓脂肪型肥満はLDLコレステロールや中性脂肪が多くなり、HDLコレステロールが少なくなりやすい傾向にあります。

遺伝的な要因によって起こる家族性高コレステロール血症は、遺伝性ではないタイプのものに比べてLDLコレステロール値が高く、動脈硬化が進行しやすいです。生活習慣の乱れや遺伝的な要因で起こるもの以外に、甲状腺機能低下症や副腎皮質ホルモン分泌異常などのホルモンの

[34] LDLコレステロール（悪玉コレステロール）
ホルモンや細胞膜をつくるのに必要。運動不足やバランスの悪い食生活などで上昇し、生活習慣病を引き起こしやすくなり、逆に少なすぎると脳出血の原因になる。

[35] HDLコレステロール（善玉コレステロール）
体内にあまったコレステロールを回収する役割があり動脈硬化を防いでくれる。

図5－26　脂質異常症の原因

分泌異常、糖尿病や腎臓病などの疾患、ステロイドホルモンや避妊薬によるものもあります。

（3）症状

　脂質異常症は無症状で、健康診断で指摘されても、自覚症状がないので放置してしまう場合が多く、気がつかないうちに動脈硬化が進んでしまうことがあります。

（4）治療

　動脈硬化を予防するためにも、血中の脂質の濃度が正常範囲になるように、**運動療法**、**食事療法**、**生活習慣の改善**、**薬物治療**を行います。冠動脈疾患を合併していない場合は、食事療法と運動療法中心の生活習慣の改善を図り、効果がない場合は薬物療法が行われます。

　脂質も食事からの摂取だけでなく、肝臓でつくられて血液で全身に運ばれるため、摂取栄養素の量と組み合わせて調整することが必要です。食生活の改善は継続的に行うことが重要なため、おいしく楽しく食べられる工夫も重要になります。精白度の低い穀類・大豆・魚・野菜・果物・海藻・きのこなどを組み合わせた日本食がよいです。

表5－15 脂質異常症の治療

食事療法	●飽和脂肪酸（肉類の脂身や鶏肉の皮、ラード、バター、乳脂肪、ココナッツミルクなど）、コレステロールを多く含む食品（卵類、内臓類）を控える。 ●糖質（主食、菓子類、甘い果物類、甘い飲み物、過剰なアルコール）を控える。 ●食塩の摂取量は1日7g以下にする。 ●ビタミンC・ビタミンE・カロテノイド類やポリフェノール類などの酸化を防ぐ成分を積極的に摂取する。
禁酒・禁煙	1日あたりの純アルコール量を25g以下にし、禁煙する。
運動療法	ウォーキング、ジョギング、水泳などの有酸素運動を1日30分程度、1週間で計180分以上「ややきつい」と感じる程度で行う。数か月以上の長期的な運動が必要。

3 痛風（高尿酸血症）

（1）概要

痛風は**高尿酸血症**[36]（7.0mg/dl以上）が持続し、関節内に尿酸塩結晶が沈着し炎症を起こす疾患です。体内での尿酸量が増え、痛風発作としてあらわれます。高尿酸血症は**メタボリックシンドローム**とも関連が深いです。

[36] 高尿酸血症
何らかの原因によって血液中の尿酸が異常に多くなる状態。

日本生活習慣予防協会によると、30～40歳代男性の3割が高尿酸血症で、痛風の37%はメタボリックシンドロームで、尿酸値が9%台だと、6%未満に比べて、5年間の痛風発作発症率が40倍になり、尿酸値10%以上だと、6%未満に比べて、5年間の痛風発作発症率が60倍になると報告されています。

（2）原因

尿酸の産生と排泄のバランスが崩れることによって起こる病気です。身体の中では、毎日ほぼ一定量の尿酸がつくられ、ほぼ同量が主に腎臓から尿中へ排泄されています。しかし、尿酸が多くなり、排泄されにくくなったりして、この産生と排泄のバランスが崩れると、体内に尿酸の量が増えすぎて高尿酸血症になります。

尿酸値を上昇させる要因には、遺伝的要因、環境要因として食生活や飲酒の問題、ストレスや激しい運動、腎機能低下、薬剤の影響、肥満などがあります。特に食事内容やアルコールの摂取は尿酸値に影響を与えます。

（3）症状

高尿酸血症の状態が続くと、尿酸が関節などに沈着して腫れ上がり、痛風発作が激痛とともに出現します（図5－27）。痛風発作は、身体の防御機構が尿酸塩結晶を異物と認識して排除しようとするために起こります。

かつては「贅沢病」といわれていましたが、生活習慣が深くかかわる生活習慣病の1つで、肉食・大酒飲み・肥満の人に多くみられ、**脂質異常症**・**糖代謝障害**を合併している場合が多いです。

（4）治療

高尿酸血症の食事療法では、細胞由来の尿酸を増やさない、食事由来の**プリン体**を増やさない、尿酸を上手に排泄させることを目的に実施します。アルコールの量・飲む回数を減らし、バランスの取れた食事と適度な運動をしているか生活を見直します。

肥満は体内でのプリン体の合成を促進し、食べ過ぎによりプリン体の摂取増につながります。また、インスリン抵抗性を介した尿酸の排泄低

図5－27　痛風の好発部位

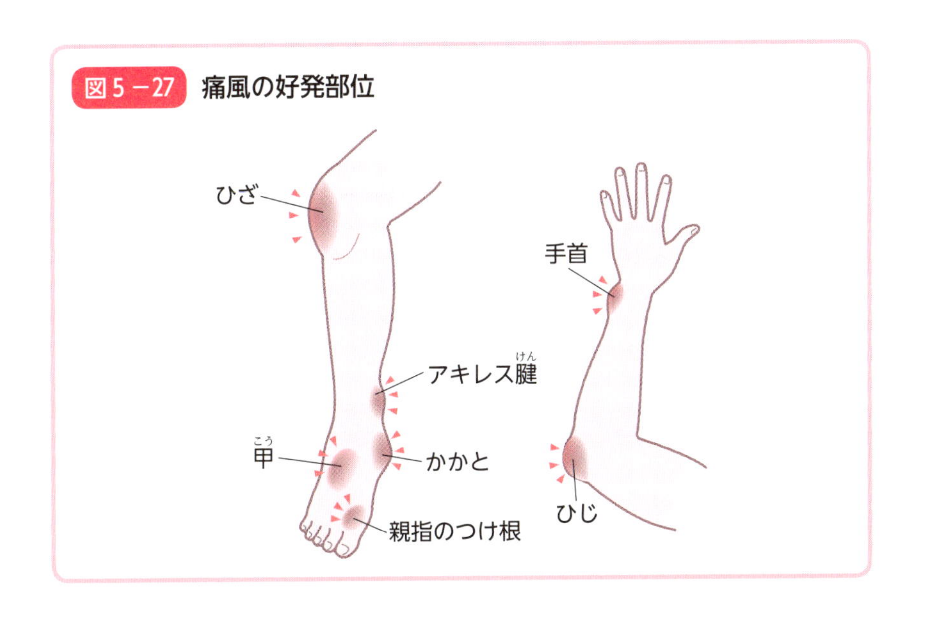

下を招きます。尿酸の原料となるプリン体の摂取制限では、プリン体の多い食品に気をつけます（**図5－28**）。

アルコールは、アルコール自体にプリン体を多く含んでいなくても、細胞由来の尿酸の産生量が多くなるのと同時に尿酸の排泄を抑制します。飲酒と一緒に動物性食品の摂取が多くなると、プリン体の摂取量が増えます。さらには、食欲を増進して肥満へとつながるため、適正量の飲酒にとどめることが必要です。

しかし、食事制限が厳しいと継続できないため、現在の食生活の問題点を把握して、ストレスなく習慣づけることが大事です。痛風発作は尿酸値4.6～6.6mg/d*l*の範囲でコントロールしたときが最も起きにくいことが明らかになっており、6mg/d*l*以下にコントロールするのが望ましいと考えられています。

痛風の治療は、第一に**関節炎**の治療を行い、その後痛風の根本的な原因である高尿酸血症の治療をするため、尿酸降下薬が処方されます。合併症がある場合は、その治療も併せて行い、虚血性心疾患や脳血管障害など、生命をおびやかす重篤な疾病が発症しないようにします。

図5－28　プリン体含有量（食品100g中）

とても多い食品（100mg以上）

まあじ干物、大正エビ、レバー、干ししいたけ、煮ぼし、かつお節、大豆など

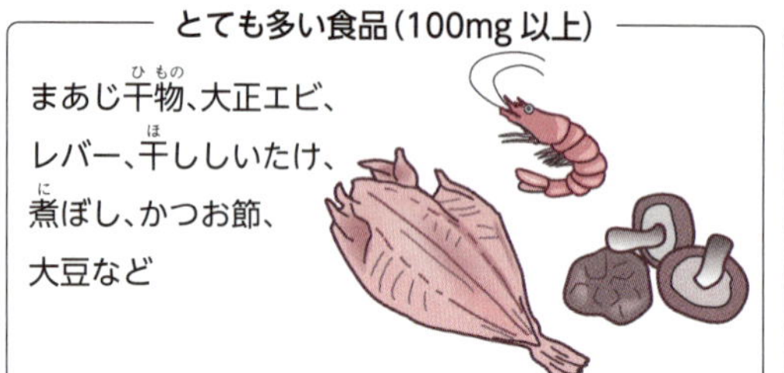

少ない食品（20mg～）

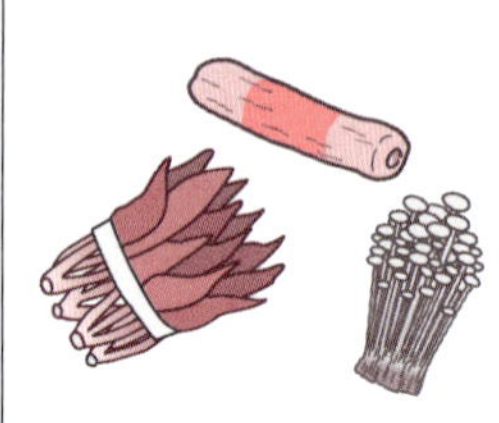

ちくわ、ほうれん草、えのきだけ、ベーコン、牛たん、カリフラワーなど

多い食品（60mg～）

かつお、まぐろ、さけ、ひらめ、ずわいがに、たらこ、とりささみ、納豆など

とても少ない食品（20mg未満）

卵、バター、牛乳、チーズ、にんじん、きゅうり、トマト、かまぼこなど

9 歯・口腔疾患

ここでは歯・口腔疾患のなかでも高齢者に多い疾患として虫歯、歯周病、ドライマウスを取り上げます。1989年から8020運動が実施され、65歳で25本、80歳になっても20本以上自分の歯を保つことで、医療費削減やQOLの向上、健康寿命が延びることが報告されています。

歯・口腔疾患がもとで食事がおいしく食べられなくなるだけでなく、合併症を引き起こし、日常生活に支障をきたすことがあるため、疾患の原因、特徴的な症状について学習し、生活への影響を考えて支援することが望まれます。

1 虫歯

（1）概要

厚生労働省の2017（平成29）年の「患者調査」によると、虫歯の総患者数は約190万7000人です。

（2）原因

1 虫歯の原因と経過（図５－29）

口の中には数多くの細菌があり、そのなかに虫歯の原因菌が含まれています。そのなかの１つにミュータンス菌があり、この菌は、食物や飲料水に含まれる糖分を栄養にして増殖します。この時に菌の周囲にねば

図５－29　虫歯ができるまで

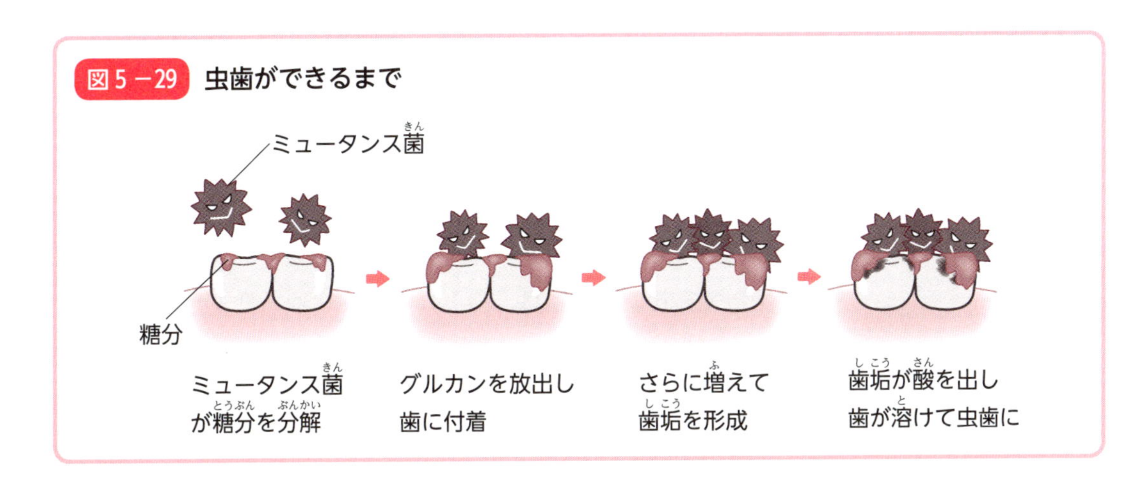

ねばしたグルカンという物質を放出し、歯に付着することで、多くの細菌の集合体が形成されます。その歯の表面に付着した白～黄白色の集合体が歯垢（デンタルプラーク）です。

歯垢は酸性で、歯の表面のエナメル質（骨よりも硬い組織）はこの酸によって溶け（脱灰）、この状態が長く続くことで歯に穴があいて虫歯になります。

歯垢は細菌の塊で、この細菌は唾液中の食品を栄養源として、口臭の原因にもなります。さらに、歯垢が取り除かれない状態が続くと、唾液中のカルシウムが沈着し、石灰化して歯石になります。

そのため、歯磨きが正しく行えない人、歯垢が除去できていない人、歯垢の栄養源になる糖分摂取が多い人、唾液の分泌が低下している人は虫歯になりやすいです。

2 高齢者が虫歯になりやすい理由

虫歯になる細菌は口の中にいる細菌ですが、加齢とともに虫歯になる人が増えるのは、唾液の分泌量が減少し、歯肉が退縮して歯根が露出するため歯根部が虫歯になりやすくなるためです。さらに、部分義歯を入れている場合は、義歯の留め金部に歯垢がたまりやすく、金属などで虫歯の治療をしている場合も、金属と歯の境目に歯垢ができやすく、虫歯になりやすいです。

そのため、定期的に毎食後と睡眠前に口腔ケアを行わないと、口の中で糖分と細菌が一緒になり、口腔内の虫歯が悪化していきます。さらに、口を開けて眠る人は、睡眠中に口腔内が乾燥することになり、虫歯になりやすいです。

3 好発部位（図5－30）

好発部位は、歯垢が付着しやすく、除去することが困難な場所です。

・歯頸部（歯の根元で歯肉に近い部位）
・歯の隣接面（歯と歯の間）
・咬合面（奥歯の溝、上の歯と下の歯のかみ合わせ面・溝）

（3）症状（図5－31）

虫歯になっても初期の場合は、痛みなどの症状はありません。進行すると痛みが出現し、歯の内部の神経にまで影響が及ぶと、強い痛みが生じます。強い痛みが出現しても放置すると、全身に細菌が回ってしまう場合もあります。

図5－30　虫歯の好発部位

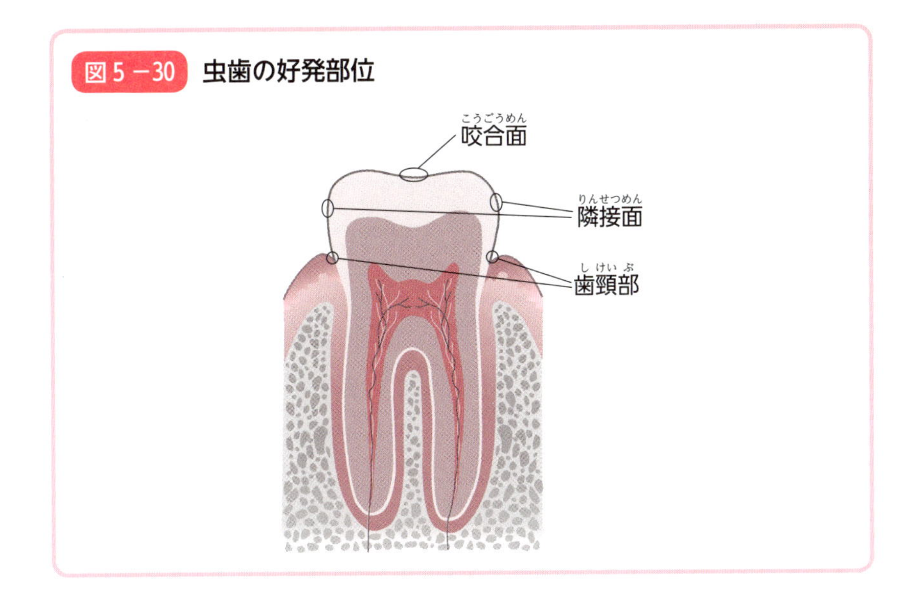

図5－31　虫歯の進行

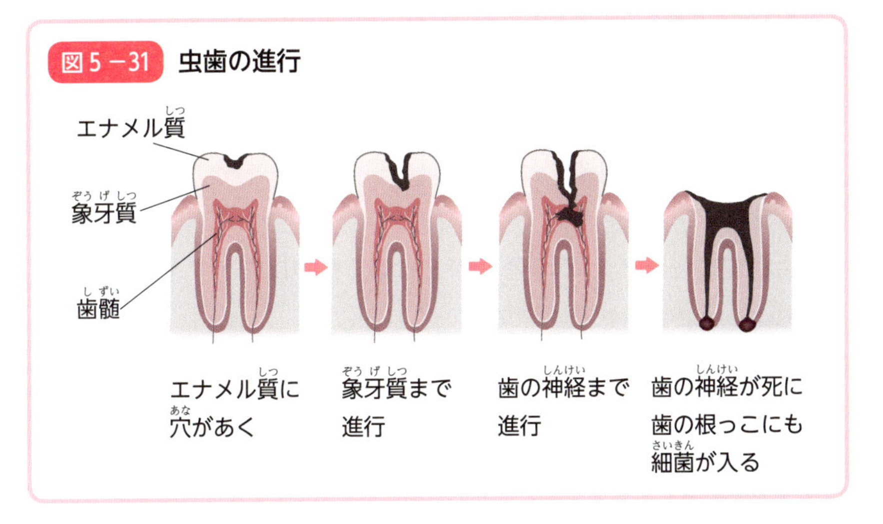

具体的には、歯に穴があいた状態で放置していると、虫歯は進行し象牙質も壊れます。この段階まで進行しても痛みがない場合があり、放置することによって歯髄まで細菌が侵入し、強い痛みが出現します。そして、神経が死んでしまいさらに細菌が繁殖し、歯の根っこ部分にあたる顎の骨のなかに**細菌巣**をつくり、炎症が悪化すると顔全体が腫れ発熱します。

（4）治療

1 予防

虫歯の原因になる細菌は、通常人の口のなかにいる細菌ですが、口の中で増やさないこと、酸をつくりにくい生活習慣をすることで、虫歯は予防できます。虫歯の予防には、口腔ケアを定期的に行い、口腔内細菌を減らし唾液の分泌をうながすことが大切です。唾液は、消化酵素であると同時に、虫歯を予防するのに必要です。唾液分泌をうながすために、食前に**口腔体操**や、水分摂取を心がけましょう。

① 唾液の力

唾液分泌は、舌下腺、顎下腺、耳下腺が担っています（**図5－32**）。咀嚼することによって唾液の分泌が促進されます。

・でんぷんを麦芽糖にかえ、消化をうながします。
・味物質を溶かして舌に味覚を伝えます。
・口中を清潔にします。
・発音や会話を助けます。
・抗酸化物質が口の中の菌に抵抗し傷の治りをうながします。
・虫歯の再石灰化をうながします。
・義歯を粘膜に吸着させる安定剤の役目があります。
・粘膜保護作用があります。

② ブラッシング法

『生活支援技術Ⅱ』（第7巻）第1章第2節の口腔ケアを参照してください。

2 治療

虫歯で歯に穴があく前の初期症状の段階であれば、歯を削らずに治療することができます。しかし、虫歯で歯に穴があいてしまった場合は、

図5－32 唾液腺

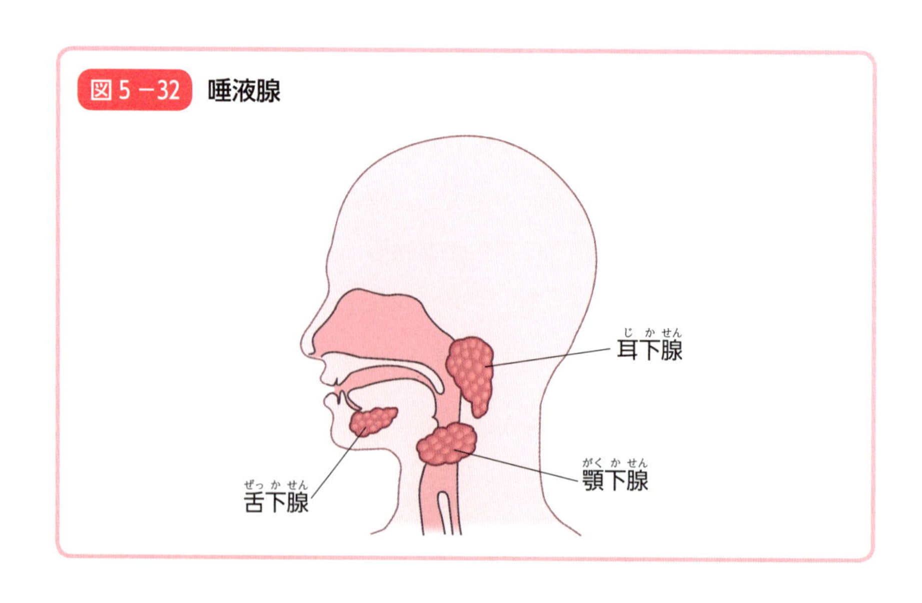

歯を削って治療する必要があります。

2 歯周病

（1）概要

歯周病は**生活習慣病**の1つです。加齢により歯を失う原因疾患の1位で、糖尿病や動脈硬化と深く関係しています。歯肉の炎症が進行すると、炎症を起こす原因になる細菌を退治するため、口腔で産出される物質が増加し、膵臓のインスリンの分泌を妨げるため、歯周病は糖尿病が悪化する原因になります。

厚生労働省の2017（平成29）年の「患者調査」によると、歯肉炎および歯周疾患の総患者数は、約398万3000人で、増加しています。性別では女性が約236万3000人、男性が約162万1000人と女性のほうが多くなっています。

（2）原因

歯周病は**細菌の感染**によって起こる疾病で、**歯周ポケット**に存在する目に見えないミクロン単位の菌が原因になり、歯を支えている歯肉が炎症を起こし発症します。また、喫煙により歯周病になるリスクが上昇します。たばこには、有害物質（ニコチン・タールなど）が含まれています。ニコチンは血管収縮作用があるため、歯肉が炎症を起こして出血した場合に止血しにくく、歯周病が悪化しやすいです。タールは、歯の裏面に黒くこびりつき歯垢の除去を困難にし、歯周病のリスクを高めます。逆に言えば、禁煙により、歯周病のリスクは低下します。

（3）症状（表5－16）

初期は痛みなどの症状がほとんどなく、自覚症状が出現した時点では進行していることが多いです。自覚症状としては、歯肉が赤く腫れる歯肉炎の症状から始まり、放置することで土台の骨が溶けていきます。

（4）治療

1 予防

定期検診や歯石除去など歯科受診を定期的に行い、口腔ケアを確実に行うことが重要です。

表5－16 段階別症状

初期症状	中期症状	末期症状
・硬いものをかむと歯肉から出血する。 ・歯ブラシによる刺激で歯肉から出血する。 ・歯肉が赤く腫れる。 ・歯石が付着し歯周ポケットが深くなる。 ・歯根骨が溶けて短くなる。	・口臭が強くなる。 ・食べ物をかんだ時に歯肉の違和感が強くなる。 ・歯肉に重く鈍い痛みがある。 ・体調が悪くなると歯周病の症状が強くなる。 ・歯肉がやせる。	・歯がぐらぐらと動く。 ・歯が自然に抜け落ちる。

2 治療

・歯垢や歯石など歯の表面に付着する物質を、器具を用いて取り除きます。
・原因菌を検査して有効な抗菌薬の内服薬で症状の改善と再発を防止します。
・歯周病により破壊された歯周組織を再発しにくい環境に戻すための手術療法として、切除術や歯周組織再生術があります。
・残された周囲の歯の寿命を長く保つために、インプラントで周囲の歯の負担を減らします。

3 ドライマウス

（1）概要

ドライマウス（口腔乾燥症）は、**現代病**の1つで増加傾向にあります。欧米の疫学調査では人口の25%がドライマウスの症状があると報告されており、日本の人口にあてはめると約3000万人程度のドライマウスやドライマウスに関連した症状の人がいることになります。

（2）原因

さまざまな原因で唾液の分泌量が低下することによって、口の中が乾燥して発症します。糖尿病、腎臓病、ストレス、筋力低下、薬剤の副作用などが原因で発症することもあります。また、**シェーグレン症候群**[37]

37 シェーグレン症候群
涙や唾液をつくる涙腺、唾液腺などの外分泌腺に慢性的に炎症が生じ、涙や唾液の分泌が低下し乾燥する自己免疫疾患。

の症状としても発症します。ストレスから口渇感が強い人が増加しています。さらに、ファーストフードなどのやわらかくてかまなくてもよい食品が増えたことで、咀嚼時間が減ってしまい、唾液の分泌が低下している場合もあります。

（3）症状

ドライマウスは放置して治療をしなければ、虫歯や歯周病、誤嚥性肺炎などの合併症を引き起こすおそれがあります。主な症状として、口渇感があり、口の中が粘つき舌の痛みや口臭があります。さらに、乾燥した食品が食べにくい、嚥下しにくいなどの症状があります。口の中が乾いた状態になることにより、ウイルスや細菌が侵入した際に、唾液による自浄作用が失われ、生体防御機能が低下し、**感染症**を発症しやすくなります。

（4）治療

ドライマウスは全身疾患の症状の1つとしてあらわれることが多いため、問診、触診、口腔内検査、唾液検査などでドライマウスの原因を特定し、糖尿病、更年期障害、降圧薬などの内服薬の副作用など、原因疾患に対する治療と組み合わせて行います。たとえば、更年期障害の場合は婦人科、糖尿病や内服薬の副作用の場合は内科と連携します。

唾液を補うための対症療法として、こまめな水分補給やガムをかんだり、夜間入眠中に口腔内の水分の蒸発を防ぐためにマスク（夜間用）を使用したり、口呼吸を防止するための口唇テープを使用します。また、保湿剤は水分が口腔内の粘膜に残りやすいため、保湿剤が入った人工唾液や保湿ジェルを用います。さらに、唾液分泌促進剤を用いる薬物療法や、唾液の分泌を促進するための唾液腺マッサージや舌、口唇、頬の運動を行います。

10 悪性新生物（がん）

人間の身体は、およそ60兆個の細胞でできています。**悪性新生物**[38]（がん）は、正常な細胞の遺伝子に傷がついてできる異常な細胞の塊です。

㊳悪性新生物
悪性腫瘍ともいう。特徴は、発育のスピードが速く、浸潤や転移、再発を起こすこと。

がんによる死亡は1981（昭和56）年から死亡率のトップになっています。また、年齢階級別死亡率をみると、男女ともおおよそ60歳代から増加し、高齢になるほど高くなっています。がんの部位別にみた死亡順位は、総数でみると、肺がん、大腸がん、胃がんが上位を占めています。なお、ここ数年女性では胃がんよりも膵がんが増えています（**図5－33**）。ここでは、これら3つのがんを取り上げ説明します。

1　胃がん

（1）概要

胃粘膜に発生する悪性腫瘍です。男女ともがんによる部位別死亡順位のトップでしたが、1960（昭和35）年以降は、死亡率は低下しています。その背景には、健康診断による早期発見や減塩など食生活の見直しなどがあると考えられます。

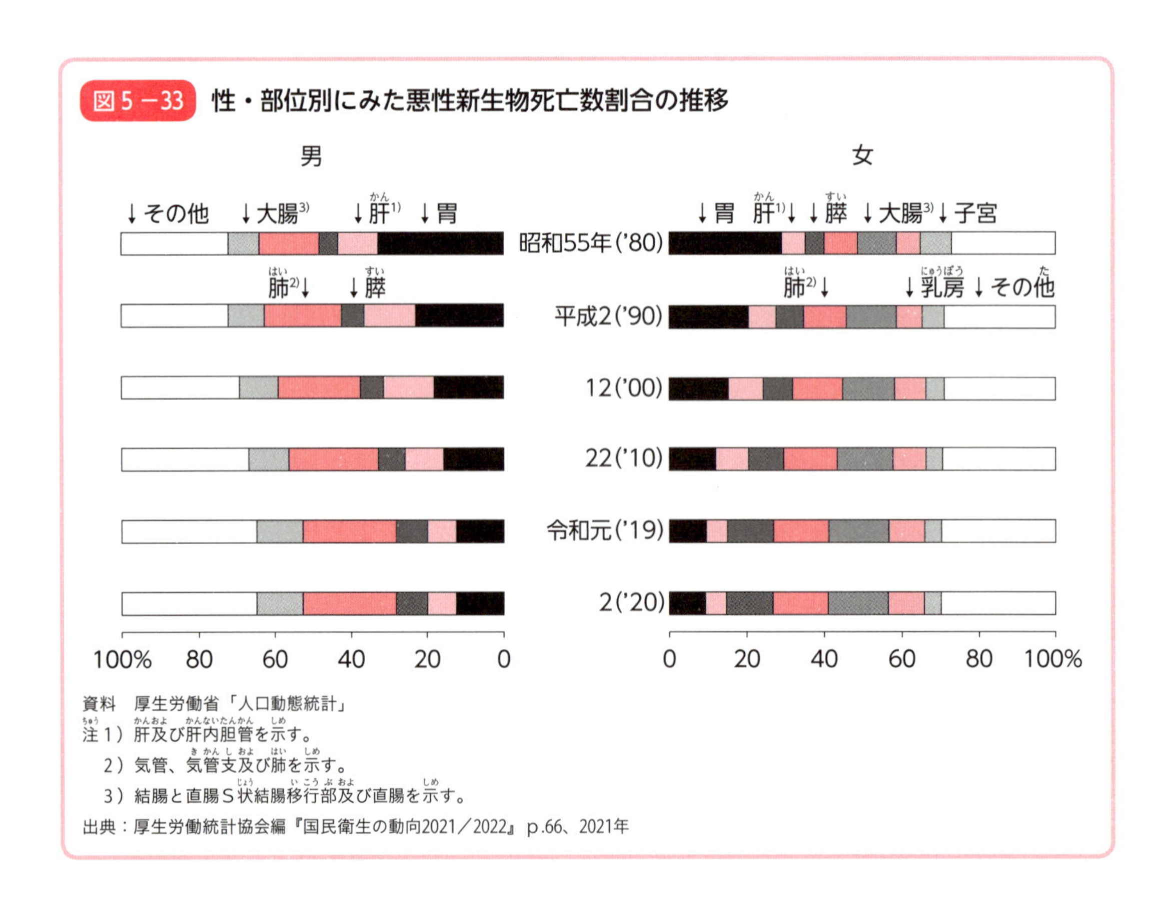

図5－33　性・部位別にみた悪性新生物死亡数割合の推移

資料　厚生労働省「人口動態統計」
注1）肝及び肝内胆管を示す。
　2）気管、気管支及び肺を示す。
　3）結腸と直腸S状結腸移行部及び直腸を示す。
出典：厚生労働統計協会編『国民衛生の動向2021／2022』p.66、2021年

（2）原因

1 食生活

私たちの身体は、代謝の過程で生じる身体に不要なものや有害なものを体内で処理したり、体外に排泄したりするシステムを備えています。ところが、塩分の過剰摂取や肉食に偏った食事、野菜の摂取不足、発がん性のある食品添加物やアルコールの過剰摂取などを続けていると、がんが増殖しやすい「がん体質」におちいってしまうといわれています。

2 ピロリ菌による感染

ピロリ菌[39]は、胃の粘膜に生息している細菌です。感染が長引くと胃炎や胃潰瘍などを引き起こし、その一部が胃がんに進行するといわれています。ピロリ菌の感染率は、中高年で高い傾向にあります。感染していることがわかれば、**除菌療法**[40]がすすめられています。

3 その他

喫煙や大量の飲酒、運動不足など生活習慣が大きく関係しています。

39ピロリ菌
ヘリコバクターに属するグラム陰性桿菌。胃や小腸に炎症や潰瘍を起こす細菌。

40除菌療法
胃酸の分泌を抑える薬と抗菌薬を服薬する治療法。

（3）症状

早い段階で自覚症状がでることは、少ないといわれています。

1 胃内病変による症状

代表的な症状は、胃の痛み・不快感・違和感、胸やけ、吐き気、食欲不振などです。これらの症状は、胃がん特有の症状ではありません。日頃の状態をよく観察し、医療職と連携を十分に行います。また、食事がつかえる、体重が減るなどといった進行がんの症状がないかもみていきましょう。

2 がんの一般的な症状

がんの一般的な症状は、全身倦怠感、食欲低下、体重減少などです。また、がんの末期では、胃がんに限らず、**全人的苦痛**[41]が生じます。そのなかでも身体的苦痛である**がん性疼痛**[42]が大きな課題となります。

がんによる痛みは、交感神経のはたらきを低下させ、抑うつ状態を起こします。そしてこの抑うつ感は、逆に、痛みを強めることになります。高齢者のなかには、自分の痛みを的確に表現することが困難な人もいます。また、痛みをがまんすることが美徳と考える人がいるかもしれません。しかし、痛みをがまんすることは、生活全般に大きな影響を及ぼします。状態をよく観察し、医療職との連携のもと、痛みのコントロールにかかわる姿勢が必要です。

41全人的苦痛（トータルペイン）
身体的苦痛や精神的苦痛、社会的苦痛、霊的苦痛のこと。これらの苦痛は、相互に関連しあっているという考え方。

42がん性疼痛
がん自体が原因となって生じる痛みや治療に伴って生じる痛みなど、がん患者に生じる痛みのすべて。

十分な睡眠や適度な運動、バランスのとれた食事を心がけ、生活の質を低下させないよう支援することが大切です。

（4）治療

胃がん、大腸がん、肺がんに共通する治療内容をまとめて説明します。

1 手術や放射線療法

がん細胞が局所にとどまっている場合に、がんの発生部位とその周囲を完全に手術で切除したり、放射線で破壊したりすることです。

2 薬物療法

薬物療法の目的は、大きく4つに分けられます。

① 治癒（根治）や寛解をめざす
② がんを縮小させて手術をより確実にする
③ 再発を予防する
④ 延命効果や症状の緩和をはかる

ここでは主に抗がん剤について説明します。抗がん剤は、化学物質を用いた治療法です。がん細胞の増殖を抑えるもの、がん細胞の分裂を阻害するものなどがあります。たとえば、胃がんにはフルオロウラシル、大腸がんにはフルオロウラシルやイリノテカン、肺がんにはシスプラチンやカルボプラチンなどです。

2 肺がん

（1）概要

肺がんとは、気管支や肺胞の細胞が何らかの原因でがん化したものをいいます。**原発性肺がん**[43]と**転移性肺がん**[44]に分けられ、原発性肺がんは、日本のがん死亡の第1位です。年齢別にみると40歳代後半から増加しはじめ、高齢になるほど高くなり、男性は女性の2倍以上になっています。さらに、周囲の人にとってもたばこの煙を吸うこと（受動喫煙）による肺がんの危険性も社会的問題になっています。

43 原発性肺がん
肺から発生したがん。

44 転移性肺がん
他の臓器（乳がん、大腸がんなど）から転移した肺がん。

（2）原因

肺がんの危険因子は、喫煙や**職業的暴露**[45]、大気汚染による原因物質の吸入などがあります。ここでは、最も重要な喫煙を取り上げます。

45 職業的暴露
仕事で取り扱う石綿（アスベスト）、ラドン、ヒ素などの有害化学物質に長期間さらされること。

喫煙者では、肺がんになるリスクは男性で約4倍高いといわれています。たばこは植物の葉を加工して作られた嗜好品ですが、その煙には4000種類以上の化学物質が含まれています。そのうちベンゾピレンやニトロソアミンなど、約60種類が発がん物質です。たばこに含まれている発がん物質が体内に入ると、遺伝子のエラーが起こりやすくなり、肺がんを起こすといわれています。

（3）症状

肺がんの発生部位により、症状が異なります。早期ではほとんど無症状です。

1 呼吸器症状

咳、痰、血痰・喀血、喘鳴、呼吸困難、胸痛などがあります。これらの呼吸器症状は、日常生活動作の制限や心理的不安感を生じることにつながりかねません。

2 一般的症状

食欲低下、体重減少、全身倦怠感などです。

（4）治療

胃がんの項目で説明したとおり、手術や放射線療法、薬物療法があります。また、早い段階から緩和療法を行うことで苦痛を和らげ、QOL（Quality of Life：生活の質）の向上をめざします。

3 大腸がん（結腸・直腸）

（1）概要

大腸がんは、大腸である結腸・直腸に発生するがんです。日本人では、S状結腸と直腸にできやすいといわれています。50～70歳代に多く、60歳代にピークがあるといわれています。

（2）原因

1 動物性食品の過剰摂取

動物性食品は赤肉（牛、豚、羊）や加工肉（ベーコン、ハム、ソーセージ）などです。

2 多量の飲酒

・アルコールそのものに発がん性があります。
・アルコール代謝産物のアセトアルデヒドがDNAを損傷します。
・日本酒にして平均1日2合以上の多量の飲酒をしている人は、がん全体の発生率が1.4～1.6倍になります。
・多量の飲酒と併用しての喫煙は、大腸がんになりやすいとされています。

3 遺伝的要因

・家族性大腸腺腫症：常染色体優性遺伝疾患で、多数の腺腫性ポリープが結腸にでき、がん化していく病気です。
・リンチ症候群：生まれながらにもっている遺伝子の変化によって起こる病気で、遺伝性非ポリポーシス大腸がんともいわれています。

4 運動不足

仕事や運動などの身体活動が多いほど、がん全体の発生リスクが低くなるといわれています。

（3）症状

早期の段階では、自覚症状はほとんどありません。進行するに従い、消化器症状がでます。

① 血便

便に血が混ざっていて赤色の状態。

② 下血

腸からの出血により赤または赤黒い便が出たり、便の表面に血液が付着すること。

③ 便秘・下痢

便秘と下痢を繰り返します。

④ その他

便が細い、便が残る感じ、お腹が張る。

これらの症状のうち、血便・下血に本人も家族も気づかないことがあります。日頃から、便の色を観察することや、便秘や下痢などの症状がないか注意することが必要です。**イレウス**[46]や**腸重積症**[47]を合併すると生命の危険につながりかねません。高齢者にとって長年の食習慣を改善することは根気のいることですが、健康的な身体づくりをめざすことが望まれます。

46 イレウス
腸管内を物が通過しなくなる状態のこと。腸閉塞ともいう。排ガスと排便が停止した状態となる。症状は、吐き気、嘔吐、腹痛、腹部膨満感など。

47 腸重積症
腸の一部が同じ腸の中に入り込んでしまう状態のこと。乳幼児によくみられるが、成人では大腸がんや悪性リンパ腫などで起こる。

（4）治療

胃がんの項目で説明したとおり、手術や放射線療法、薬物療法があります。大腸がんの手術では、人工肛門（ストーマ）を造設する場合があります。

11 感染症

感染症は、病原微生物が体内に侵入・増殖して、発熱、食欲不振、咳・痰などの症状を引き起こすさまざまな疾患の総称です。近年の新型コロナウイルス感染症の流行からもわかるように、感染症は私たちの生活スタイルに大きな影響を与えます。

ここでは、高齢者に多くみられるウイルス性呼吸器感染症（インフルエンザ）、胆のう炎・胆管炎、疥癬について取り上げます。とくに、インフルエンザと疥癬は、施設内感染として職員にも感染が及ぶ危険性のある疾患です。

1 ウイルス性呼吸器感染症（インフルエンザ）

（1）概要

インフルエンザは、インフルエンザウイルスによる感染症です。毎年冬から春先にかけて大流行します。

周囲への感染の危険性が高く、また、**普通感冒**[48]に比べて急速に発症し、全身症状も強くみられます。

高齢者は、複数の疾患にかかっている場合もめずらしくありません。このような人がインフルエンザにかかると、基礎疾患の悪化や肺炎の合併を引き起こすことがあります。また、インフルエンザにより死亡する人は、70歳以上になると、全年齢平均のおよそ2.8倍となります。

[48] **普通感冒**
上気道炎。いわゆるかぜ症候群。

（2）原因

インフルエンザウイルスには、Ａ型、Ｂ型、Ｃ型の３つがあります。Ｃ型は発症しても軽症で、ほとんど流行しません。Ａ型インフルエンザ（香港Ａ型とソ連Ａ型）とＢ型インフルエンザは、１～３年おきに小流行し、「季節性インフルエンザ」といわれています。潜伏期間は通常１

～3日です。

2009（平成21）年より新型インフルエンザが大流行（パンデミック）しました。これは、大多数のヒトが有効な抗体をもっていない新たなウイルスだったためと考えられています。

インフルエンザの感染経路は**飛沫感染**[49]です。

49 飛沫感染
感染した人が咳やくしゃみ、会話をすることで飛んだつばやしぶき（飛沫）に含まれる病原体を吸い込むことで発症する。

（3）症状

全身症状（1～5）と局所症状（6）がみられます。

1 突然の高熱（38℃以上）

体内にウイルスが侵入・増殖すると、体温調節中枢のセットポイントが正常よりも高いレベルに上がる結果、発熱が生じます。高齢者の場合は高熱がでないことがあります。インフルエンザが流行しているときには、熱が上がらなくても全身症状がみられる場合には、早めの受診が必要です。

2 頭痛

感染が原因となって引き起こされる、断続的な痛みです。

3 悪寒

発熱の初期にみられる身体がゾクゾクする病的な「寒け」のことです。このとき全身がガタガタ震えるような異常な感覚を経験します。このことを戦慄（悪寒戦慄）といいます。

体温が上がりきるまでは、衣類・掛けものを調整して保温につとめましょう。その後、発熱状態を確認して**クーリング**[50]を行ったり、着衣・室温を調整したりして、熱を下げるようにします。

50 クーリング
後頭部、そけい部、腋窩、頸部などを冷やすこと。

4 全身倦怠感

体内に侵入した病原体を攻撃しようと免疫機能がはたらいた結果、倦怠感が生じます。体力の消耗をできるだけ避け、睡眠、食事、水分補給ができるように配慮します。

5 筋肉痛・関節痛

感染すると免疫機能がはたらきます。免疫細胞のリンパ球や免疫にかかわる物質の**サイトカイン**[51]などが重要な役割を果たしています。ところが、サイトカインが過剰に分泌するのを抑えるためにつくられる**プロスタグランジン**[52]が、関節痛や筋肉痛を感じさせるといわれています。熱が下がってくると一般に痛みもやわらぎますが、高齢者の場合、解熱しても痛みが続くこともあります。無理のない範囲で、自分でできるこ

51 サイトカイン
白血球などの細胞から分泌される特殊なたんぱく質のこと。炎症の発生にかかわるものや逆に炎症の抑制にかかわるものなど、さまざまな機能がある。

52 プロスタグランジン
必須脂肪酸の1つで、生体内で生産される生理活性物質のこと。子宮収縮や血管拡張、血圧降下などの作用がある。

とが行えるように支援します。

6 咳、咽頭痛、鼻汁

上気道に炎症が起きたときにみられる症状です。とくに咳は他者への感染源となりますのでマスクの着用が必要です。

7 合併症

インフルエンザの合併症には、肺炎、脳炎、筋炎、心筋炎などがあります。高齢者では、肺炎がもっとも注意が必要です。

(4) 治療

鼻腔・咽頭拭い液を用いて検査を行い、診断を確定します。

1 抗インフルエンザウイルス薬

発症後48時間以内に使用しなければ効果はないといわれています。発症早期に抗インフルエンザ薬を投与することにより、重症化を防ぐことができるといわれています。

2 安静加療

発症してから５日間、解熱してから２日間は、安静加療が必要です。

3 予防接種

高齢者、基礎疾患がある患者、医療・福祉従事者などは、**ワクチン接種**が推奨されます。10月下旬～12月中旬までに接種を行います。

4 一般的な予防方法

感染症予防の基本となるのは、**マスクの着用**、**手洗いの励行**です。

2 感染性胃腸炎

(1) 概要

細菌またはウイルスなどの感染性病原体による嘔吐、下痢を主症状とする感染症です。原因は**ウイルス感染**（ロタウイルス、ノロウイルスなど）が多く、毎年秋から冬にかけて流行します。また、エンテロウイルス、アデノウイルスによるものや細菌性のものもみられます。感染症法では、５類感染症として定められています。

ここでは、**ノロウイルス**による感染性胃腸炎について概説します。

(2) 原因

おもな感染源は、汚染された二枚貝類の生食、感染者の糞便・吐物、直接・間接的に汚染された物品などです。感染経路のほとんどは、経口感染で、手に付着したウイルスが口から侵入します。家庭や共同生活施設等では、人から人への飛沫感染も報告されています。潜伏期間は１～２日です。

（３）症状

おもな症状は、吐き気・嘔吐、下痢（時に血便）、腹痛です。発熱、頭痛、筋肉痛、倦怠感などをともなうこともあります。通常は、これらの症状が１～２日間続きます。感染しても発症しないこともあります。

（４）治療

特別な治療法はなく、症状に応じた対症療法が行われます。高齢者では下痢等により脱水や体力が消耗しないように水分と栄養分の補給が重要です。軽症の場合は、経口的に塩分、糖分を含む水分摂取をうながし、症状が強い場合には、経静脈的に水分・電解質等の補液が行われます。

（５）生活上の留意点

感染予防および感染拡大を防止することが第一です。

加熱が必要な食品は、中心部まで確実に加熱します。

調理・食事の前、トイレ後、汚染物に接触した場合には、石けんと流水で十分に手を洗うことが重要です。

感染者の便や吐物を処理する際には、使い捨て手袋、マスク、エプロンを着用し、ウイルスが飛び散らないようにビニール袋に密封して処理します。また、吐物が乾燥するとウイルスが空中に漂うため、乾燥する前に拭き取りましょう。症状が治まってからも７日程度は便からウイルスが排泄されることから、排泄物の処理には注意が必要です。

汚染物が付着した物品や環境（便器、床、ドアノブ、手すりなど）は、次亜塩素酸ナトリウムでの消毒を徹底します。汚染した下着や衣類は、付着した便や吐物を取り除いたあと、消毒液に１時間程度浸けてからほかの人とは別にして洗濯をします。

3 胆のう炎・胆管炎

(1) 概要

胆のうは、肝臓で生成した胆汁を保存するところです。胆管は、胆汁を十二指腸に運ぶ役割をもっています。胆のう炎や胆管炎は、消化器系感染症として中高年以上がかかりやすい病気です。

(2) 原因

胆汁の細菌感染と胆汁がうっ滞して胆管内の圧力が上がるという両方がそろったときに起こります。うっ滞の原因は、胆のう結石、胆管結石、胆管の狭窄、がんなどです。

(3) 症状

おもな症状として、39℃以上の高熱、吐き気、嘔吐、右上腹部痛、黄疸などがあります。また**敗血症**になるおそれもあります。敗血症は、細菌が血流にのって全身に広がり、重い臓器障害が引き起こされた状態です。すみやかに医療機関を受診する必要があります。

(4) 治療

絶食・輸液、抗菌薬（抗生物質）、手術などがあります。

4 疥癬

(1) 概要

ヒゼンダニ（疥癬虫）の成虫、虫卵が皮膚の表面の角質層に寄生、拡大することにより起こる**皮膚感染症**の1つです。

近年、院内や高齢者の介護施設での**集団感染**や、介護者への感染の拡大が問題となっています。

(2) 原因

感染経路は人と人との接触がほとんどです。まれに、患者の衣類・リネンなどを介しても感染します。

(3) 症状

通常疥癬と感染力の強い角化型（ノルウェー型）疥癬があります（**表5－17**）。

かゆみは、高齢者に多くみられる症状です。本人の訴えと皮膚の状態を注意深く観察します。日ごろから、衛生的な環境や身体の清潔に心がけることが大切です。

(4) 治療

疥癬の確定診断はヒゼンダニを検出することです。疑わしい場合は早期に皮膚科や専門医を受診し、適切な医療を受けることが重要です。

1 外用薬

・フェノトリン（スミスリン®）
・クロタミトン（オイラックス®）
・安息香酸ベンジル　など

表5－17　通常疥癬と角化型疥癬の比較

	通常疥癬	角化型疥癬
ダニの数	数十匹以下。	100万～200万匹。
感染力	強くはない。	強い。
隔離	不要。	必要（短期間個室管理）。
感染経路	接触感染。 患者との直接接触、患者が使用した寝具や衣類などを介して感染。 長い時間の接触で起こる。	接触感染。 短時間の接触などでも感染する。
潜伏期間	約1～2か月。	4～5日。
症状	体幹・四肢にかゆい丘疹、小水疱、膿疱。	腹部や股・陰部、手指の間などの皮膚の柔らかいところに激しいかゆみと発疹など。 高齢者の場合、かゆみは強くないこともある。
消毒方法	熱処理（50℃、10分間の煮沸消毒）。	

2 内服薬

イベルメクチンを空腹時に内服します。

12 精神疾患

精神疾患は、脳の障害や損傷などによる脳のはたらきの変化によって、感情や行動などにいちじるしいかたよりがみられ、精神科医療による治療や支援が必要な状態のことです。

ここでは代表的な疾患であるうつ病と統合失調症を取り上げます。

1 うつ病

（1）概要

うつ病とは、「憂うつである」「気分が落ち込んでいる」といった抑うつ状態がある気分障害の病気のことです。抑うつ状態があるからといってもただちに「うつ病」とはいえません。うつ病の診断基準には、「抑うつ状態が2週間以上続く」などいくつかの特徴的な症状が示されています。

厚生労働省が実施した患者調査によれば、気分（感情）障害（躁うつ病を含む）の総患者数は、1996（平成８）年には43万3000人でしたが、2017（平成29）年には127万6000人と、2.9倍に増えています。また、女性の方が男性よりも1.6倍くらい多いといわれています。

（2）原因

うつ病の原因や発症メカニズムは、まだはっきりしていません。身体疾患やストレスなどさまざまな要因が関連しあっていると考えられています。

1 身体疾患

抑うつ状態があらわれる病気には、認知症、脳卒中、パーキンソン病、甲状腺機能低下症などがあります。このなかでも、脳卒中後のうつ病は、リハビリテーションの阻害要素になりかねません。また近年注目されている**無症候性脳梗塞**[53]は、うつ病と勘違いすると、脳梗塞の治療が遅れ危険なことになりかねません。

[53] 無症候性脳梗塞
脳血管障害を起こしたことがなく、麻痺などの神経症状がみられないにもかかわらず、MRIで脳梗塞所見を認めるもの。脳ドックで発見される。

2 ストレス

心理的ストレスは、抑うつ気分をもたらすといわれています。視床下部は、ストレスを受けるとその情報を自律神経系や内分泌系に伝えます。そして、体温や血圧、心拍数などを調節します。また、内分泌系は、痛みや不安、緊張を和らげたり、代謝活動や免疫を活性化させるホルモンを分泌して、身体の調整を図ろうとします。

3 内因性うつ病

脳内のセロトニンやノルアドレナリン、ドーパミンなど、気分や意欲に関係する**神経伝達物質**の量やはたらきが十分に機能しなくなると、感情をうまくコントロールすることができないため、さまざまな症状があらわれると考えられています。

4 その他

性格や幼少期の体験、これまでの経験、現在の自分を取り巻く環境など多数あげられます。特に、近親者の死亡や職業からの離脱などの**喪失体験**、家庭内などでの人間関係が原因としてあげられます。

（3）症状

1 抑うつ気分

抑うつ気分は、憂うつ、気分が重い、気分が沈む、悲しい、不安である、イライラする、元気がないなどの状態をいいます。

高齢者のうつ病の特徴は、抑うつ感が目立たず、不安感や焦燥感が強くなりさまざまな身体症状を訴えます。

抑うつ感が強いときには、休養をとることが基本です。周囲が安易に励ますことは、かえって追い込んでしまい、逆効果のことがあります。受容的な態度でかかわることが重要です。

2 身体症状

睡眠障害、食欲不振、身体がだるい、疲れやすい、頭痛、頭重、肩こり、動悸、めまい、口が渇くなどの症状があらわれます。

高齢者のうつ病の場合、身体症状の訴えが多いことも特徴です。

3 行動症状

意欲の低下、興味がわかない、集中力の低下などの症状があらわれます。

4 思考障害

さ細なことへのこだわり、悲観的な考え方、自責感、自殺念慮などの症状があらわれます。

（4）治療法

うつ病はさまざまな原因で起こります。そのため、治療法はその原因に対応して行われます。

1 抗うつ薬

抗うつ薬にはSSRI（選択的セロトニン再取り込み阻害薬）、SNRI（セロトニン・ノルアドレナリン再取り込み阻害薬）などがあります。

2 認知行動療法

物事の解釈や理解の仕方を修正して、行動に結びつけようというものです。自分のなかでのよい変化に視点を変えることでストレスに上手に対応できるこころの状態をつくっていきます。

3 対人関係療法

両親や兄弟、夫や妻などの本人にとって「重要な他者」との「現在の関係」に焦点をあてて治療するものです。その結果、自己肯定感を高めることで症状の改善につながります。

4 修正型電気けいれん療法（m－ECT）

額から短時間（数秒）の電気刺激を加えることで脳に変化を起こし、症状を改善しようというものです。

2 統合失調症

（1）概要

統合失調症は、心理的な問題や育て方に問題があって起こるわけではありません。また、「怖い病気」「入院したら病院から出られない」などといった不治の病でもありません。統合失調症は、脳の病気です。およそ100人に１人弱がかかる頻度の高い病気です。

1 患者の内訳（2017（平成29）年の患者調査）（統合失調症、統合失調型障害および妄想性障害）

・受診中の総患者数：79万2000人

2 発症時期

・10代後半から30代の若年層が多い

3 慢性の経過をたどる疾患

急性期の症状が消失しても再発（再燃）しやすく、慢性の経過をたどります。近年では、治療により再発（再燃）経過をたどりながらも症状が軽度もしくは寛解にいたる人も増加しています。

（2）原因

明確な原因はいまだ明らかになっておらず、さまざまな要因が影響し合っているとされています。また、脳の生化学的な変化に原因を求める研究や脳に構造的な変化があるとする説が注目されています。

1 遺伝子

遺伝子に関する報告がいくつか出されています。必ずしも病気を発症するとは限りません。

2 脳内物質の変調

ドーパミンが過剰に放出される結果、神経細胞に異常な興奮や緊張が起こり、注意力や集中力の低下、**幻覚**や**妄想**を引き起こすと考えられています。また、セロトニンやグルタミン酸、GABA[54]などもかかわっているといわれています。

54 GABA
γ（ガンマ）-アミノ酪酸というアミノ酸の一種。抗ストレス作用がある。

3 ストレス

ストレスに対するもろさをもっている人が一定以上のストレスを受けたときに発症するという「ストレス脆弱性モデル」という考えがあります。

4 環境的な要因

胎児期における飲酒や喫煙、母体のウイルス感染、出産時の難産、生まれ育った場所などのさまざまな環境が影響しているといわれています。

（3）症状

統合失調症の症状は、**陽性症状**、**陰性症状**、**認知機能障害**の３つです。

1 陽性症状

幻覚と**妄想**は統合失調症の代表的な症状です。実際には他者が何かを言っているわけではありませんが、本人は、無視したり、ほうっておくことができません。幻聴や妄想に従った行動をとる場合もあります。本人にとっては、不安で恐ろしい気分を感じていることになります。

思春期・青年期発症の統合失調症は高齢期になると、若いときの激しかった陽性症状は軽減するといわれています。妄想の内容が理解できなくても、本人にとってはそれが「真実」であるということを念頭において、否定も肯定もせずにかかわることが大切です。

2 陰性症状

1日中何もしない、人との交流がない、外界からの刺激に対して自然な感情がわいてこない、人によっては基本的な清潔保持や身辺の整理ができていなかったりすることがあります。

本人・家族との信頼関係を築きながら生活支援を行っていくことが望まれます。

3 認知機能障害

注意の障害や判断力・理解力の低下で、集中できなくなったり、新しいことを覚えるのが難しくなったりします。

統合失調症の症状は、加齢にともなって変化します。

（4）治療

1 薬物療法

抗精神病薬が用いられます。

一人暮らしの人や認知症の症状が加わってきているような人の場合には、薬の飲み忘れなどを起こしかねません。服薬が不規則になったり、中断してしまうと、症状が悪化する可能性があります。

2 心理社会的な治療

生活療法、作業療法、社会復帰活動（リハビリテーション）などです。

13 その他

ここでは、高齢者に多い疾患・症状のなかでも近年とくに話題となっている熱中症と脱水症、貧血を取り上げます。

1 熱中症

（1）概要

熱中症は、暑い環境や体温が下がりにくい環境で起こるさまざまな症状の総称です。「日射病」「熱疲労」「熱けいれん」「熱射病」などと症状から分類されていましたが、「熱中症診療ガイドライン」では「熱中症」

と定義しています[1)]。

熱中症は、**真夏日**55になると発生しはじめ、**猛暑日**56では急激に増加します。年齢区分別にみると高齢者がもっとも多く、半数以上を占めており、発生場所ごとでは、住居がもっとも多く、熱中症で救急搬送された人のうち0.2%の人が死亡しています（**図5－34、図5－35**）。

55真夏日
日最高気温が30℃以上の日のこと。

56猛暑日
日最高気温が35℃以上の日のこと。

図5－34 発生場所ごとの項目（構成比）（令和2年）

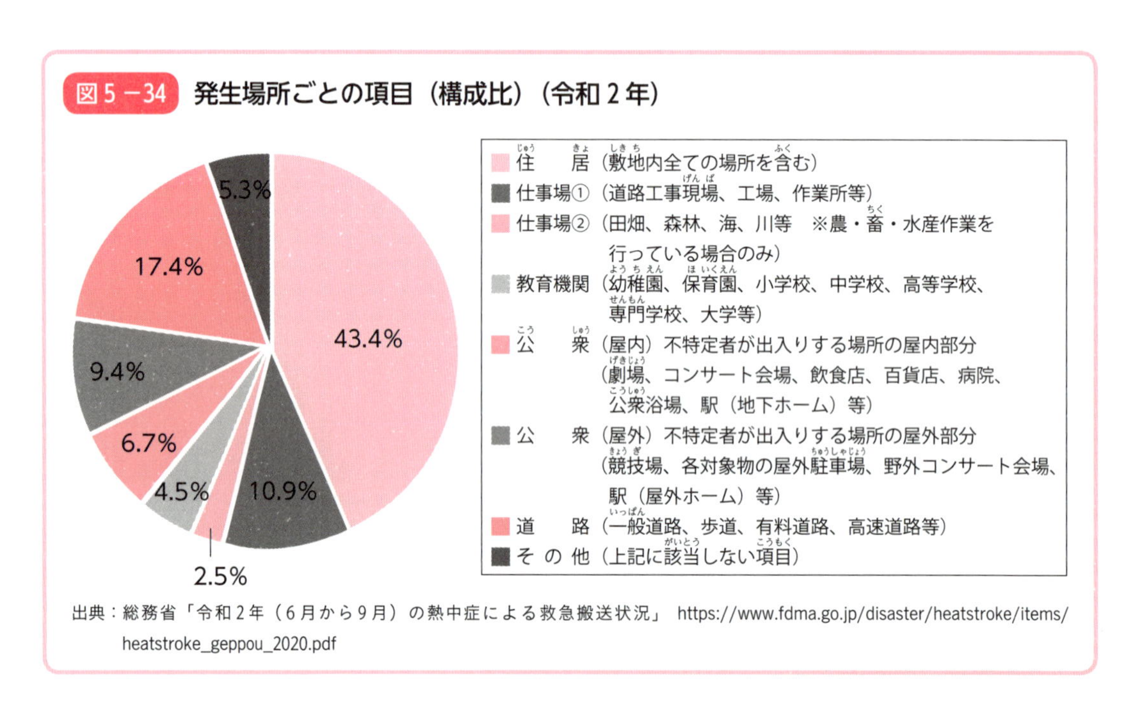

出典：総務省「令和2年（6月から9月）の熱中症による救急搬送状況」 https://www.fdma.go.jp/disaster/heatstroke/items/heatstroke_geppou_2020.pdf

図5－35 初診時における傷病程度（構成比）（令和2年）

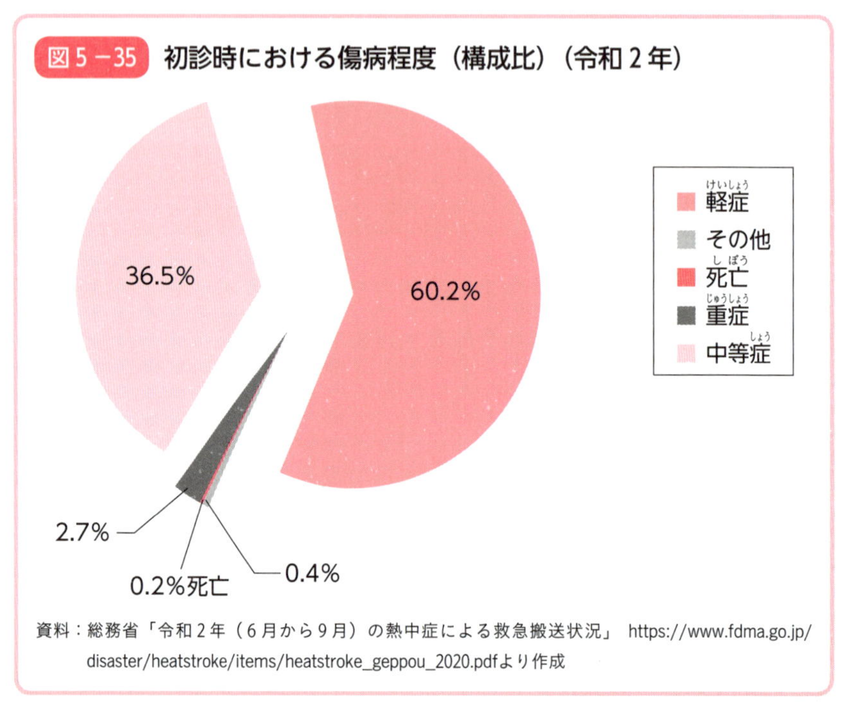

資料：総務省「令和2年（6月から9月）の熱中症による救急搬送状況」 https://www.fdma.go.jp/disaster/heatstroke/items/heatstroke_geppou_2020.pdfより作成

（2）原因

熱中症の要因は、環境要因、身体要因、行動要因があります。

1 皮膚の温度感受性の鈍下

高齢者は温度感覚が鈍くなり、反応するのにも時間がかかるようになります。そして、**行動性体温調節**[57]をとることが困難となり発症します。

57 行動性体温調節
暑さ寒さを感じたときに衣服で調整をしたり、エアコンをつけて体温の上昇を防ぐ行動のこと。

2 熱放散能力の低下

老化が進むと皮膚血流量と発汗量の増加が遅れ、その後の体温の上昇にともなう増加の程度も小さくなります。そのため、高齢者は若年者より汗をかきにくく、体内に熱がたまりやすくなり、深部体温がより上昇しやすくなります。

3 体液量の低下

身体の総水分量は成人では約60％だったのが、高齢者は約50％となり、水分不足が起こりやすい状態にあります。この状態は熱放散反応の低下につながります。また、尿の濃縮機能の低下も要因になっています。

（3）症状

1 熱中症Ⅰ度

従来の「熱失神」「熱けいれん」に相当します。手足のしびれ、めまい・立ちくらみ、こむらがえり、気分が悪い、ぼーっとする、大量の発汗があるなどです。熱中症の起こり得る環境で、いつもと違う状態に気づいたら、熱中症を疑い速やかに応急処置をしましょう。

2 熱中症Ⅱ度（重症度Ⅱ度）

従来の「熱疲労」に相当します。頭がガンガンする（頭痛）、吐き気・嘔吐、身体がだるい（倦怠感）、意識が何となくおかしい、集中力や判断力の低下などが認められます。

3 熱中症Ⅲ度（重症度Ⅲ度）

従来の「熱射病」に相当します。意識がない、身体がひきつる（けいれん）、呼びかけに対し返事がおかしい、真っ直ぐに歩けない・走れない、身体が熱いなどです。

4 熱中症の予防

熱中症の予防には、水分補給や環境の調整などが必要です（**図5－36**）。

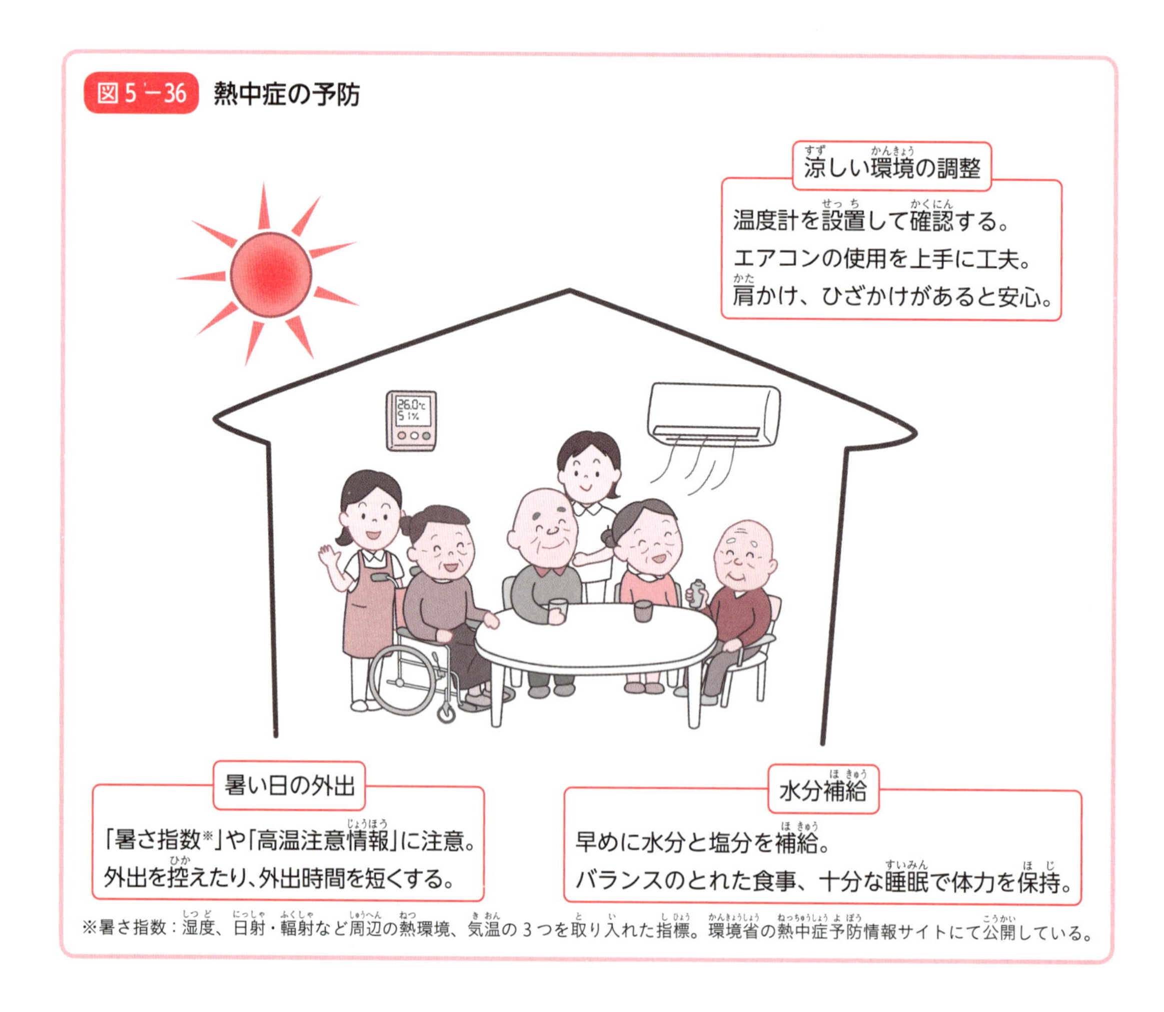

図5－36　熱中症の予防

（4）治療

1 熱中症Ⅰ度

冷所で安静に、衣服をゆるめ、頸部、脇の下、足のつけ根を冷やします。熱中症では水分とともに塩化ナトリウムなどの電解質の喪失があるので、塩分と水分が適切に配合された**経口補水液**[58]が適切です。自力で飲めない場合や嚥下障害などで誤嚥が予測されるような場合は、症状が軽そうにみえても医療機関を受診します。

2 熱中症Ⅱ度

医療機関での診察が必要な病態です。すぐに救急車を要請します。救急車が到着するまでの間に身体を冷やします。

3 熱中症Ⅲ度

採血、医療者による判断により入院加療が必要な病態です。場合によっては集中治療が必要になります。

[58] **経口補水液**
食塩とブドウ糖を混合し、水に溶かしたもの。汗の大部分は水だが、NaCl（塩化ナトリウム）などの電解質を含んでいる。過度の発汗、下痢・嘔吐などをともなう脱水状態のときに用いる。

2 脱水症

(1) 概要

脱水症とは、何らかの原因で体液が不足した状態のことです。特に高齢者は体液量が少ないため脱水症を起こしやすく、早めに適切な処置を施さないと生命の危険性が高い病気です。

(2) 原因

脱水症は、発熱や下痢・嘔吐、発汗、水分摂取の低下などで起こります。

(3) 症状

皮膚や粘膜の乾燥、ふらつき、めまい、活動性の低下、尿量の減少、体重減少、体温上昇などがみられます。重度な場合は、意識障害や身体のけいれんが起こったりします。しかし、高齢者は、軽度の脱水では症状があらわれにくいという特徴があります。

1日に必要な水分摂取量を知り、定期的に水分を補給することが大切です。また、部屋の湿度や温度の調整などにも配慮します。

(4) 治療

経口的に水分補給が可能な場合は、経口補水液などを摂取します。飲食が困難であったり、血圧低下や意識障害がみられる場合は、速やかに医療機関で点滴治療などを受ける必要があります。

3 貧血

(1) 概要

貧血とは、「赤血球数の低下、または、血色素量（ヘモグロビン）の低下をきたした状態」の総称です。血液をつくる造血機能は、骨髄とリンパ組織です。造血機能は加齢にともない低下します。そのため、赤血球やヘモグロビンの生成が不足します。貧血はあくまでも症状の1つですが、近年、高齢者の貧血が注目されています。

貧血の基準値は**表5－18**のとおりです。

表5－18　貧血の基準値

		WHO※成人の場合	日本※65歳以上の場合
男性	血色素量	13g/dl　未満	11g/dl　未満
	赤血球数	400万	
女性	血色素量	12g/dl　未満	11g/dl　未満
	赤血球数	380万	

(2) 原因

高齢者の場合、鉄欠乏性貧血、二次的貧血の割合が高いですが、高齢者では貧血の原因が単一であるとは限りません。複数の要因によって起こる場合が多いです。

1 鉄欠乏性貧血

鉄欠乏性貧血は、もっとも多い貧血で90%以上を占めています。ヘムの合成には鉄が必要です。その鉄が不足するためにヘモグロビンの合成ができず、貧血となります。

鉄欠乏性貧血は、中高年男性や閉経後の女性、**悪性腫瘍**による消化管出血が原因で起こります。

2 二次的貧血

血液疾患以外の原因で生じる貧血のことです。悪性腫瘍や感染症、慢性炎症、腎疾患、内分泌疾患、肝疾患などがあります。

3 老人性貧血

ヘモグロビンが9～11g/dlで1年以上変化がなく、かつ、原因疾患を特定できないものをいいます。

4 慢性炎症にともなう貧血

さまざまな**慢性炎症性疾患**[59]により、炎症性サイトカインが増えることにより貧血が生じます。サイトカインは、細胞から分泌される生理活性物質で病気とたたかうために分泌されますが、過剰に分泌される結果、肝臓におけるペプシジンの産生が亢進します。すると、血清鉄の低下やヘモグロビンの低下をきたし、貧血を起こすというしくみです。

[59] **慢性炎症性疾患**
感染症や悪性腫瘍のこと。

(3) 症状

貧血が軽度の場合は、自覚症状はありません。

① 頻脈、動悸、血色が悪くなる、手足が冷える、立ちくらみ
　朝の起床時などにみられます。このような症状があるときは、ゆっくり起き上がるようにしましょう。
② 注意力低下、いらいら感
③ 脱力、衰弱感

（4）治療

1 鉄剤の服用

経口鉄剤は、空腹時や胃のpHが低いときのほうが吸収されやすいです。経口鉄剤内服中は、便が黒っぽくなります。また、胃腸障害などの副作用が出現するので注意が必要です。

2 食事

鉄分が多く含まれるものをとるようにします。緑茶にはタンニンが含まれています。タンニンは鉄の吸収を妨げるので、食後しばらくたってから飲むようにしましょう。

いわし、カツオ、レバー、ひじきなど鉄分が多く含まれた食事をすることは大切ですが、貧血となると食事だけで鉄分を補充するのは困難です。そのため、鉄剤を服用して足りない鉄分を補いましょう。

〈第3節1〉

◆引用文献

1）介護予防の推進に向けた運動器疾患対策に関する検討会「介護予防の推進に向けた運動器疾患対策について報告書」p. 3、2008年
2）前出1）、p. 3
3）前出1）、p. 3

◆参考文献

- 社会福祉士養成講座編集委員会編『新・社会福祉士養成講座1　人体の構造と機能及び疾病 第3版』中央法規出版、2015年
- 社会福祉学習双書編集委員会編『社会福祉学習双書2018 医学一般』全国社会福祉協議会、2018年
- 廣田憲二・廣田孝子『改訂新版 専門のお医者さんが語るQ&A 骨粗しょう症』保健同人社、2007年
- 公益財団法人骨粗鬆症財団ホームページ　http://www.jpof.or.jp/
- 日本イーライリリー株式会社ホームページ　https://www.lilly.co.jp/

- 介護予防の推進に向けた運動器疾患対策に関する検討会「介護予防の推進に向けた運動器疾患対策について報告書」2008年
- 厚生労働省健康局がん・疾病対策課「リウマチ対策の現状について」2018年
- 厚生労働省「第６章関節リウマチ」『平成22年度リウマチ・アレルギー相談員養成研修会テキスト』 https://www.mhlw.go.jp/new-info/kobetu/kenkou/ryumachi/dl/jouhou01-10.pdf
- 日本整形外科学会・日本股関節学会監修、日本整形外科学会診療ガイドライン委員会・変形性股関節症診療ガイドライン策定委員会『変形性股関節症診療ガイドライン 改訂第２版』南江堂、2016年
- 星川吉光『聖路加国際病院健康講座 ひざの痛み』双葉社、2000年
- 井上肇『聖路加国際病院健康講座 腰痛』双葉社、2000年
- 松村讓兒『イラストでまなぶ解剖学』医学書院、2002年
- 整形外科看護編集部編『整形外科の疾患・治療・看護のギモン136』メディカ出版、2013年

〈第３節２〉

◆参考文献

- 社会福祉士養成講座編集委員会編『新・社会福祉士養成講座１ 人体の構造と機能及び疾病 第３版』中央法規出版、2015年
- 林正健二編『ナーシング・グラフィカ 人体の構造と機能① 解剖生理学 第４版』メディカ出版、2016年
- 鈴木則宏「脳梗塞の早期発見のサイン」『NHKきょうの健康』通巻350号、pp.34-49、2017年
- 峰松一夫「脳梗塞の一歩手前!?」『NHKきょうの健康』通巻362号、pp.34-49、2018年
- 日本老年行動科学会監『高齢者のこころとからだ事典』中央法規出版、2014年
- 野元正弘・矢部勇人・岡田洋平・橋本弘子・冨安眞理「高齢者パーキンソン病のケアとリハビリテーション」『臨床老年看護』第23巻第５号、pp. 2 -30、2016年
- いとう総研資格取得支援センター編『見て覚える！ 介護福祉士国試ナビ2019』中央法規出版、2018年

〈第３節３〉

◆引用文献

1）内田育恵・杉浦彩子・中島務・安藤富士子・下方浩史「全国高齢難聴者数推計と10年後の年齢別難聴発症率――老化に関する長期縦断疫学研究（NILS-LSA）より」『日本老年医学会雑誌』第49巻第２号、pp.222-227、2012年

◆参考文献

- 社会福祉士養成講座編集委員会編『新・社会福祉士養成講座１ 人体の構造と機能及び疾病 第３版』中央法規出版、2015年
- 林正健二編『ナーシング・グラフィカ 人体の構造と機能① 解剖生理学 第４版』メディカ出版、2016年
- いとう総研資格取得支援センター編『見て覚える！ 介護福祉士国試ナビ2019』中央法規出版、2018年
- 吉田宏岳監『介護福祉学習事典 第２版』医歯薬出版、2007年
- 厚生労働省「平成29年（2017）患者調査の概況」 http://www.mhlw.go.jp/toukei/saikin/hw/kanja/17/dl/01.pdf

〈第３節４〉

◆参考文献

- 日本老年医学会編『老年医学テキスト　改訂第３版』メジカルビュー社、2008年
- 山口和克監『病気の地図帳』講談社、1992年
- 主婦の友社編『家庭の医学』主婦の友社、2018年
- 清村紀子・工藤二郎編『フィジカルアセスメントの根拠がわかる！　機能障害からみたからだのメカニズム』医学書院、2014年
- 後藤稠『最新医学大辞典　第２版』医歯薬出版、1996年

〈第３節５〉

◆参考文献

- 日本老年行動科学会監、大川一郎編集代表『高齢者のこころとからだ事典』中央法規出版、2014年
- いとう総研資格取得支援センター編『見て覚える！　介護福祉士国試ナビ2019』中央法規出版、2018年
- 林正健二編『ナーシング・グラフィカ　人体の構造と機能①　解剖生理学　第４版』メディカ出版、2016年
- 『実習に役立つ疾患と看護がわかる本 Clinical Study 臨時増刊号』第36巻第６号、2015年
- フラピエかおり編著『看護師国試2016重要疾患パーフェクトドリル Clinical Study 臨時増刊号』第36巻第13号、2015年

〈第３節６〉

◆参考文献

- 日本老年医学会編『老年医学テキスト　改訂第３版』メジカルビュー社、2008年
- 山口和克監『新版　病気の地図帳』講談社、2000年
- 最新医学大辞典編集委員会編『最新医学大辞典　第３版』医歯薬出版、2005年

〈第３節７〉

◆参考文献

- 日本老年医学会編『老年医学テキスト　改訂第３版』メジカルビュー社、2008年
- 山口和克監『新版　病気の地図帳』講談社、2000年
- 主婦の友社編『家庭の医学』主婦の友社、2018年
- 清村紀子・工藤二郎編『機能障害からみたからだのメカニズム』医学書院、2014年
- 最新医学大辞典編集委員会編『最新医学大辞典　第３版』医歯薬出版、2005年

〈第３節８〉

◆参考文献

- 厚生労働省「健康日本21（糖尿病）」　https://www.mhlw.go.jp/www1/topics/kenko21_11/b7.html
- 厚生労働省「糖尿病実態調査」　https://www.mhlw.go.jp/toukei/kouhyo/indexkk_4_1.html
- 国立国際医療研究センター糖尿病情報センター　http://dmic.ncgm.go.jp/general/about-dm/040/050/05.html
- 日本糖尿病学会編『糖尿病治療ガイド 2020-2021』文光堂、2018年

- 日本生活習慣病予防協会　http://www.seikatsusyukanbyo.com/
- 林道夫監『糖尿病まるわかりガイド――病態・治療・血糖パターンマネジメント』学研メディカル秀潤社、2014年
- 枡田出『これだけは知っておきたい糖尿病（JJNスペシャル）』医学書院、2011年
- 貴田岡正史編『臨床ナースのための Basic&Standard 糖尿病看護の知識と実際』メディカ出版、2011年

〈第３節９〉

◆参考文献

- 飯田良平監、山田あつみ『もっと介護力！ シリーズ 介護現場で今日からはじめる口腔ケア――楽しくできる健口体操と正しいケアで誤嚥・肺炎予防』メディカ出版、2014年
- 日本歯科医師会「歯とお口のことなら何でもわかるテーマパーク8020」 http://www.jda.or.jp/park/trouble/contents.html
- 厚生労働省「e-ヘルスネット」 https://www.e-healthnet.mhlw.go.jp
- 骨粗鬆症財団「病気について」 http://www.jpof.or.jp/faq/faqabout/
- 厚生労働統計協会編『国民衛生の動向 2018/2019』2018年

〈第３節10〉

◆参考文献

- 畠清彦責任編集『がんを薬で治す 2013年版』朝日新聞出版社、2012年
- 済陽高穂監『図解あきらめない放置しない！ がん医療』新星出版社、2015年
- 向山雄人監『最新版「がん」の医学百科』主婦と生活社、2016年
- 医療情報科学研究所編『病気がみえるvol.１ 消化器 第６版』メディックメディア、2020年
- 国立がん研究センター「がん情報サービス」 http://ganjoho.jp/

〈第３節11〉

◆参考文献

- 医療情報科学研究所編『病気がみえるvol.１ 消化器 第６版』メディックメディア、2020年
- 医療情報科学研究所編『病気がみえるvol.４ 呼吸器 第３版』メディックメディア、2018年
- 医療情報科学研究所編『病気がみえるvol.６ 免疫・膠原病・感染症 第２版』メディックメディア、2018年
- 主婦の友社編『家庭の医学』主婦の友社、2018年
- 清村紀子・工藤二郎編『機能障害からみたからだのメカニズム』医学書院、2014年
- 東京都感染症情報センター　http://idsc.tokyo-eiken.go.jp/diseases/gastro/
- 三菱総合研究所編『高齢者介護施設における感染対策マニュアル 改訂版』2019年
- 日本皮膚科学会疥癬診療ガイドライン策定委員会編『疥癬診療ガイドライン 第３版』日本皮膚科学会、2015年

〈第３節12〉

◆参考文献

- 春日武彦監『よくわかる最新医学 統合失調症』主婦の友社、2017年
- 一般財団法人仁明会精神衛生研究所監、大塚恒子編『老年精神医学 高齢患者の特徴を踏まえてケースに臨む』精神看護出版、2013年

- 坂田三允監『新ナーシングレクチャー 精神疾患・高齢者の精神障害の理解と看護』中央法規出版、2012年
- 慶應義塾大学認知行動療法研究会編『うつ病の認知療法・認知行動療法治療者用マニュアル』厚生労働省こころの健康科学研究事業「精神療法の実施方法と有効性に関する研究」、2009年
- 厚生労働省「平成29年（2017）患者調査の概況」

〈第3節13〉

◆引用文献

1）日本救急医学会『熱中症診療ガイドライン2015』p.7、2015年

◆参考文献

- 日本救急医学会『熱中症診療ガイドライン2015』2015年
- 医療情報科学研究所編『病気がみえるvol.5　血液 第2版』メディックメディア、2017年
- 笠井雅信「高齢者の貧血について～老人性貧血="Unexplained Anemia"というのもあります～」『長寿医療研究センター病院レター』第47号、2013年

演習5－3 高齢者に多い疾患

高齢者に多い疾患に関して、次の文章の空欄に適切な語句を考えてみよう。

●骨格系・筋系

・高齢者に多い骨折には、①［　　］骨折、②［　　］骨折、③［　　］骨折、④［　　］骨折がある。

・関節リウマチの特徴として、朝の⑤［　　］があります。手足の小関節の炎症は⑥［　　］にみられ、腫れや痛みをともなう。

●脳・神経系

・パーキンソン病は、⑦［A：大脳　B：中脳　C：小脳］の黒質で産生される神経伝達物質⑧［　　］の減少で運動障害が起こる。症状は、⑨［　　］、⑩［　　］、⑪［　　］、⑫［　　］がある。

・脳の血管が詰まる梗塞には、⑬［　　］と⑭［　　］がある。脳内血管が破れたり詰まったりすると、⑮［　　］や⑯［　　］、吐き気、嘔吐、麻痺などの症状が出現する。

●皮膚・感覚器系

・水晶体に混濁が出てくる病気は⑰［A：白内障　B：緑内障］である。加齢黄斑変性症は⑱［　　］や障害のため、⑲［　　］の黄斑部が障害される。

・難聴の種類には、⑳［　　］難聴、㉑［　　］難聴、混合性難聴がある。難聴がある場合、会話やテレビの㉒［　　］が変化することで気づく。

●循環器系

・高血圧の診断には、㉓［　　］血圧と㉔［　　］血圧が基準値より高くなった状態を分類している。

・虚血性心疾患には、㉕［　　］と㉖［　　］がある。治療には薬物療法、㉗［　　］、㉘［　　］、㉙［　　］の制限が行われる。

●呼吸器系

・上気道から入った空気は、気管に入り、左右の㉚［　　］に枝分かれして㉛［　　］、㉜［　　］に入る。ガス交換は㉝［　　］で行われる。肺炎でガス交換が困難になると㉞［　　］や㉟［　　］、発熱などの症状が生じる。

・結核では、最初は㊱［　　］症状と間違えやすい。㊲［　　］感染を起こすことがあり、感染症や予防法の分類で㊳［A：1類　B：2類　C：3類］感染症に位置づけられる。

●消化器系

・逆流性食道炎は、食事内容、㊴［　　］、㊵［　　］等により腹圧が上がることで、食道と㊶［　　］の境の下部食道括約筋が㊷［　　］を防止できないことで生じる。

・肝硬変の原因の多くは、肝炎ウイルスで約65％が［43 A：A型　B：B型　C：C型］である。非代償期には、［44］や［45］が起こる。生活上では［46］が原則である。

●腎・泌尿器系

・前立腺肥大症は、膀胱の出口を取り囲んでいる前立腺が加齢とともに肥大して［47］を圧迫し、［48］を引き起こす。

・慢性腎不全の治療では、原則として十分な［49］摂取、［50］、［51］、カリウム、［52］の制限、適切な水分量の摂取がある。

●内分泌・代謝系

・糖尿病は、［53］というホルモンの不足、作用低下で起こる。糖尿病の代謝異常による三大合併症には［54］、［55］、［56］がある。危険因子に加齢、［57］、［58］、運動不足などがある。低血糖症状でけいれんや昏睡が生じるのは［59］mg/dl以下である。糖尿病は、［60］血糖値、糖負荷試験の値、［61］の値で診断される。

・痛風は関節内に［62］が沈着し炎症を起こすが、原因として［63］の産生と排泄のバランスが崩れると起こる病気である。治療には、食事由来の［64］を増やさないなど生活を見直すことがある。(64)の含有量としてとても多い食品は［65 A：かつお　B：レバー　C：にんじん］である。

●歯・口腔疾患

・ドライマウスは、唾液の分泌量が［66］することで起こることもある。おもな症状として［67］や［68］がある。

●悪性新生物

・大腸がんは、［69］、［70］、［71］に発生する。症状に［72］や下血、便秘、下痢などがある。

●感染症

・インフルエンザの症状は、突然の［73］、［74］、［75］、全身倦怠感、筋肉痛や咳などがある。インフルエンザで死亡する人は［76］歳以上で全年齢平均より高くなる。

●精神疾患

・統合失調症の発症時期は中年期あるいは老年期以外に［77］歳代後半から［78］歳代が多い。症状に［79］と［80］がある。急性期では［81］や［82］に支配された行動をとることがある。

第5章　高齢者と健康

第4節

保健医療職との連携

学習のポイント

- 疾患の早期発見と保健医療職との連携について学ぶ
- 保健医療職との連携のあり方について理解する
- 演習を通して連携の実際を学ぶ

1 連携について

さまざまな科目で連携という言葉は必ず使われています。では連携とは何を意味するのでしょうか。広辞苑[1]によると「同じ目的を持つ者が互いに連絡をとり、協力し合って物事を行うこと」とあります。私たちは「人」を相手にさまざまな角度からアプローチをして、その「人」の支援を行っていきます。「人」は、身体的・精神的・社会的・経済的な状況の変化を受けながら生きています。したがって、いつどんなときに連携が必要なのか、誰と連携する必要があるのか、どのように連携するのかを考える必要があります。対象者の状況によって、連携と協働が大切になります。

それでは介護福祉士はいつ、誰と、どのように連携が必要となってくるのかを考えてみましょう。介護福祉士の働く場所は、老人福祉施設や介護老人保健施設、介護事業所等多数あります。老人福祉施設の場合、介護福祉士に必要な人数は介護保険法で入所者に対し健康管理および療養上の指導を行うために必要な数と明記してありますし、看護職もいます。また、介護老人保健施設の場合、医師は常勤換算方法で入所者の数を100で除して得た数以上となっており、介護老人保健施設では医師も看護職もいます。一方、地域で暮らしている対象者（以下、利用者）は、家に医師も看護職もいません。このような場合はかかりつけ医や訪問看護ステーションとの連携が重要になってきます。そのため、働く場により連携の質と量に変化が生じることを理解しておきましょう。なお、介護保険法では、保健医療サービスまたは福祉サービスを提供する者同士の密接な連携に努めるように謳われています。

厚生労働省が**地域包括ケアシステム**の目的でも唱えている、住み慣れた地域で自分らしい暮らしを人生の最期まで続けることができることを目指しているため、連携が必要になります。その連携の中心は利用者になります。

2 いつ連携が必要なのか

事態の緊急性に応じて必要と判断したときには、連携を図ることが大切です。緊急とは、利用者の状態が今までと明らかに違うと考えられるときです。たとえば、食事介助中に、今まで話しながらよく食べていた利用者が、急に無口になり、顔色が悪くなってきたときです。この場合、介護福祉士であれば利用者に何が起こっているのか判断できることが望まれます。そして一刻も早く看護職に連絡し、状況を説明し自分がなし得る技術を実践しなくてはいけないのです。しかし、緊急とはどんなときかを介護福祉士が理解できていなかった場合は連携を図ることができません。

つまり、利用者の変化に気づかない、気づいても起こっている変化の判断ができずにいる、連絡する必要性がわからないということになります。そうならないため、介護福祉士は医学的なことを学ぶ必要があり、こころとからだのしくみなどを深く広く学習するのです。いつという判断をする状況は、急に遭遇するかもしれません。そのときにあわてないように日頃から対応マニュアルを確認して備えておくことが大切です。

3 誰と連携するのか

私たち介護福祉士は利用者の生活を支援している専門職です。単に生活といっても健康な状況での生活とは異なります。身体的なことであれば医療との連携が優先されるでしょうが、住まいなどの環境的なことであれば介護支援専門員との連携が必要で、福祉用具の使用や機能的な活用については作業療法士との連携、栄養の偏りでは栄養士との連携というように、利用者のもっている課題（ニーズ）ごとに連携していく専門

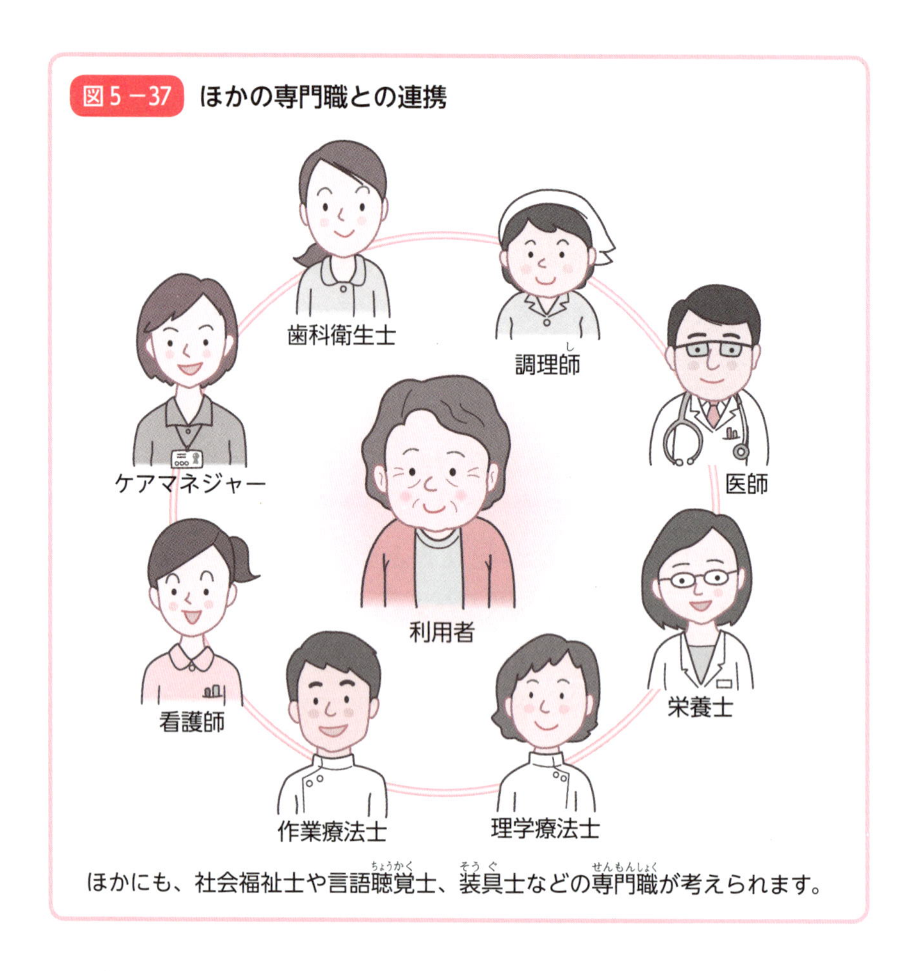

図5－37　ほかの専門職との連携

ほかにも、社会福祉士や言語聴覚士、装具士などの専門職が考えられます。

職が違ってきます。しかし、この課題をすべて一人の利用者が背負っている場合は、さまざまな専門職と連携して課題を解決していくことが必要になります。つまりチームケアの連携になります（図5－37）。

誰とでも連携を図ることが必要ですが、専門職といったフォーマルな人たちばかりでなく、インフォーマルな人たちとも連携をとることがあります。

4　どのように連携するのか

連携は、一人の利用者が望む暮らしを実現するために必要ですが、専門職である介護福祉士だけでは限界があります。私たちは利用者の生活・暮らし方、過ごし方については1日24時間365日の生活支援を行っています。また在宅でも支援するために利用者宅を訪問する機会が多いと思います。暮らしの面は観察して判断できますが、医療面・保健面・財政面・サービス利用などはそれぞれの専門家がいますので、その専門職と連携します。連携するには、ほかの専門職との日常的な報告や相談、連絡、コミュニケーションが大事です。とくに利用者や家族とのコミュニケーションを大事にします。さらに、さまざまな専門職と身近に相談し合える環境を構築します。地域で利用者を支えるということは、地域のなかで支援のネットワークが構築されていることであり、何かが起こっても職種の垣根を越えてお互いに連携・協働する環境になっていれば地域で暮らす利用者の生活を支援することになります。そのため、連携はお互いの専門職が尊重し合い、いつでもどこでも気軽に相談したり連絡したりできる環境の整備が必要だといえます。地域包括ケアシステムはまさに連携を重要視しているため、介護福祉士としてチームケアの目的に沿って連携し活動することが大切です。

5 ほかの専門職と連携をするために

介護福祉士は利用者の生活全般の支援を実践するために介護に重きを置いた学びをしています。身体の解剖生理学的なことや心理面、制度面などを学習します。他方、医師は医学に関する専門的なことを深く学びます。これは患者の疾患を診断し病気を治すための学びです。また、栄養士は栄養面から、どの食品が身体に入ると、どのようなはたらきをするのかなど、身体と栄養学、身体機能面などを深く学びます。社会福祉士は、利用者の生活に生じている困りごとなど、相談を受け資源につなげるための専門的な学びをしています。このようにそれぞれの専門職の学びには違いがありますが、連携していくためにはほかの専門職が学んでいる内容などを理解する必要があります。そこで、自分の専門ではない学びをほかの専門職から教えてもらうことで理解につなげる学習が必要になります。利用者の望む暮らしを実現するには介護福祉士だけで完結ではなく、わからないときには苦手意識をもたず、ほかの専門職に教えを請い理解して、よりよい生活支援ができるように努力することが、これからの介護福祉士には大切なことだと考えます。

◆引用文献

1）新村出編『広辞苑 第六版』岩波書店、p.2992、2016年

◆参考文献

- 中村匡弘「こうすればうまくいく サービス別連携のポイント」『ケアマネジャー』第19巻第2号、2017年
- 阿部充宏「介護職×多職種 本音で語るチームケア」『おはよう21』第25巻第7号、2014年
- 「連携と協働」『月刊福祉』第97巻第1号、2014年
- 「座談会 多職種と共に考えるこれからのデイサービス」『ふれあいケア』第24巻第6号、2018年

演習5－4　多職種との連携

次の事例を読んで、利用者が望む暮らしを実現するために多職種で連携して支援することを考えてみよう。

> Gさん（68歳、男性）は、A市内で一人暮らしである。妻は、1年前に交通事故で死亡。Gさんは8か月前に外出先の公園で倒れ、脳卒中の診断を受け左麻痺が残り、半年ほど入院・訓練を受けた。室内は杖歩行であるが、よろよろとした歩き方で何回か転倒した。そのため、移動を避けており、ベッド上で過ごすことが多くなった。日常生活の全般にわたって支援が必要に思われる。介護福祉士は、杖歩行が安定すると日常の活動範囲が広がると考え、Gさんのこれからの生活を検討するために専門職に声かけをした。

1 Gさんの現状について、わかっていることを書き出してみよう。

2 Gさんに対する介護福祉士の思いを書き出してみよう。

3 Gさんの生活を支援するために、連携する優先度の高い専門職と、その連携内容を考えてみよう。

索引

欧文

あ

か

さ

た

な

は

ま

や

ら

わ

『最新 介護福祉士養成講座』編集代表（五十音順）

秋山 昌江（あきやま まさえ）
聖カタリナ大学人間健康福祉学部教授

上原 千寿子（うえはら ちずこ）
元・広島国際大学教授

川井 太加子（かわい たかこ）
桃山学院大学社会学部教授

白井 孝子（しらい たかこ）
東京福祉専門学校副学校長

「12 発達と老化の理解（第2版）」編集委員・執筆者一覧

編集委員（五十音順）

秋山 昌江（あきやま まさえ）
聖カタリナ大学人間健康福祉学部教授

小林 千恵子（こばやし ちえこ）
金城大学社会福祉学部特任教授

内藤 佳津雄（ないとう かつお）
日本大学文理学部教授

執筆者（五十音順）

秋山 昌江（あきやま まさえ）…………第4章第1節、第5章第1節・第2節
聖カタリナ大学人間健康福祉学部教授

小野寺 敦志（おのでら あつし）…………第4章第3節
国際医療福祉大学赤坂心理・医療福祉マネジメント学部准教授

北村 世都（きたむら せつ）…………第3章
聖徳大学心理・福祉学部准教授

小林 千恵子（こばやし ちえこ）…………第5章第3節2・3・5、第5章第4節
金城大学社会福祉学部特任教授

津田 理恵子（つだ りえこ）…………第5章第3節1・8・9
神戸女子大学健康福祉学部教授

東海林 初枝（とうかいりん はつえ）…………第5章第3節4・6・7・11
聖和学園短期大学キャリア開発総合学科教授

内藤 佳津雄（ないとう かつお）……第 1 章、第 2 章、第 4 章第 2 節
日本大学文理学部教授
西井 啓子（にしい けいこ）……第 5 章第 3 節10～13
富山短期大学名誉教授

編集協力（医学）

小山 善子（こやま よしこ）
金城大学医療健康学部客員教授、独立行政法人労働者健康安全機構石川産業保健総合支援センター所長

最新 介護福祉士養成講座 12
発達と老化の理解 第2版

2019年3月31日 初版発行
2022年2月1日 第2版発行

編　集 介護福祉士養成講座編集委員会
発行者 荘村 明彦
発行所 中央法規出版株式会社
〒110-0016 東京都台東区台東3-29-1 中央法規ビル
TEL 03-6387-3196
https://www.chuohoki.co.jp/
印刷・製本 サンメッセ株式会社

装幀・本文デザイン 澤田かおり（トシキ・ファーブル）
カバーイラスト のだよしこ
本文イラスト 小牧良次
口絵デザイン 株式会社ジャパンマテリアル

定価はカバーに表示してあります。
ISBN978-4-8058-8401-0